令和元年度

国 民 医 療 費

厚生労働省政策統括官（統計・情報政策、労使関係担当）編
一般財団法人　厚生労働統計協会

ま　え　が　き

　本報告書は、令和元年度中に医療機関等における保険診療の対象となり得る傷病の治療に要した費用を「令和元年度国民医療費」として取りまとめたものです。

　国民医療費は、我が国の医療経済における重要な指標の一つであり、厚生労働行政の基礎資料として利用されるだけでなく、その動向は少子高齢社会を迎えた我が国において、各方面からの注目を集めるに至っております。

　本報告書を刊行するにあたり、御協力いただいた関係各位に深く感謝するとともに、今後とも厚生労働行政への御理解・御協力をお願いする次第です。

令和4年2月

厚生労働省政策統括官（統計・情報政策、労使関係担当）

鈴木　英二郎

担当係
　政策統括官付参事官付保健統計室
　国民医療費統計係
　TEL（03）5253-1111
　内線 7526
　https://www.mhlw.go.jp/

目　　　　　　　　　次

I　国民医療費の概要

1　国民医療費の範囲

　「国民医療費」は、当該年度内の医療機関等における保険診療の対象となり得る傷病の治療に要した費用を推計したものである。

　この費用には、医科診療や歯科診療にかかる診療費、薬局調剤医療費、入院時食事・生活医療費、訪問看護医療費等が含まれる。

　なお、保険診療の対象とならない評価療養（先進医療（高度医療を含む）等）、選定療養（特別の病室への入院、歯科の金属材料等）、不妊治療における生殖補助医療等に要した費用は含まない。

　また、傷病の治療費に限っているため、(1)正常な妊娠・分娩に要する費用、(2)健康の維持・増進を目的とした健康診断、予防接種等に要する費用、(3)固定した身体障害のために必要とする義眼や義肢等の費用も含まない。

【国民医療費の範囲】

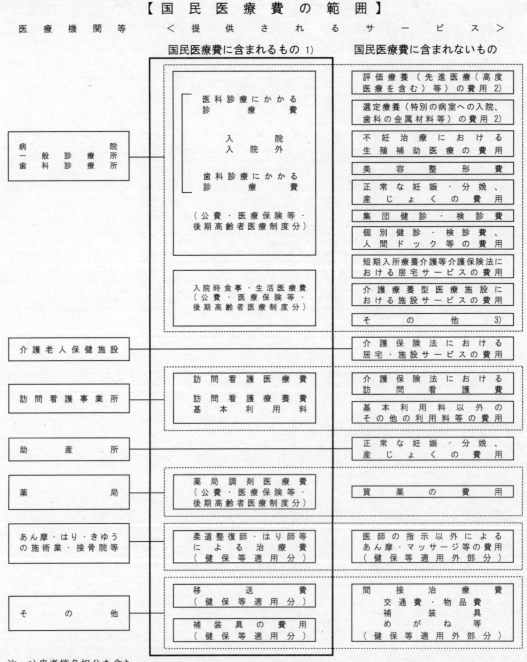

注：1)患者等負担分を含む。
　　2)保険外併用療養費分は国民医療費に含まれる。
　　3)上記の評価療養等以外の保険診療の対象となり得ない医療行為（予防接種等）の費用。

2 推計方法の概要

　国民医療費は、医療保険制度等による給付、後期高齢者医療制度や公費負担医療制度による給付、これに伴う患者の一部負担等によって支払われた医療費を合算したものである。

　制度区分別国民医療費は、以下の(1)〜(3)により算出した。

(1) 公費負担制度によって国又は地方公共団体の負担する「公費負担医療給付分」、医療保険制度及び労働者災害補償保険制度等の給付としての「医療保険等給付分」及び高齢者の医療の確保に関する法律による医療としての「後期高齢者医療給付分」について、原則として当該年度内の診療についての支払確定額（高額療養費(高額医療費)を含む）

(2) 患者等負担分のうち(1)の給付に伴う一部負担額の推計値

(3) 患者等負担分のうち全額自費で支払った費用（自動車損害賠償責任保険による支払い、又は保険診療の対象となり得る傷病の治療に要した費用の全額を自費で支払ったもの）の推計値

　次に、上記国民医療費をもとに財源別国民医療費、診療種類別国民医療費、年齢階級別国民医療費、傷病分類別医科診療医療費及び都道府県別国民医療費を、各種調査による割合を用いて推計した。

推 計 方 法 の 概 要

1　制度区分

(1) 公費負担医療給付分
　　各制度を担当する行政当局等の医療費の決算額（一部支払い確定額）及び地方公共団体単独実施に係る医療費の支払い確定額。

(2) 医療保険等給付分
　　○医療保険
　　　各医療保険制度の「事業年報」、「事業統計」等の支払い確定額。
　　○その他
　　　各制度を担当する行政当局等の医療費の決算額。
　　　労働者災害補償保険法、国家公務員災害補償法、地方公務員災害補償法、独立行政法人日本スポーツ振興センター法、防衛省の職員の給与等に関する法律、公害健康被害の補償等に関する法律及び健康被害救済制度による救済給付等。

(3) 後期高齢者医療給付分
　　後期高齢者医療制度の「事業年報」等の支払い確定額。

(4) 患者等負担分
　　○全額自費
　　　推計患者数に1日当たり点数を乗じ、次いで1年間の総点数を算出し、全額負担分を推計している。
　　○公費負担医療給付分・医療保険等給付分又は後期高齢者医療給付分の一部負担
　　　公費負担医療のうち生活保護法等は、「医療扶助実態調査」により本人の一部負担の割合を用いて推計し、患者負担としている。
　　　被用者保険、国民健康保険及び後期高齢者医療制度は、各保険者の費用額から給付額及び保険優先公費負担額を除いた額を患者負担分としている。

(5) 軽減特例措置（70〜74歳の患者の窓口負担の軽減措置に関する国庫負担分）
　　社会保険診療報酬支払基金及び国民健康保険中央会の決算額及び支払い確定額。

2　財源

（1）公費

次の①〜④が含まれている。

①公費負担医療給付分

②医療保険、労働者災害補償保険法等及び後期高齢者医療制度による国及び地方の法定負担額

③医療保険に対する定額国庫補助額

④軽減特例措置の国庫負担額

（2）保険料

国民医療費から公費と患者負担分等を除いたもの。

被用者保険は、各保険者の事業主と被保険者の保険料率に応じて按分している。

国民健康保険及び後期高齢者医療制度の保険料（税）は被保険者に含まれている。

（3）その他

○患者負担

制度区分別の患者等負担分から自動車交通事故による自動車損害賠償責任保険の支払いを除いた額。

○原因者負担

公害健康被害の補償等に関する法律及び健康被害救済制度による救済給付等による医療費、自動車交通事故による自動車損害賠償責任保険の支払い額。

3　診療種類

主として制度区分別国民医療費推計の際に分けている。ただし、支払確定額等から直接得られない場合は、各参考資料の比率に応じて按分している。

4　病院－一般診療所

入院－入院外別医科診療医療費を病院－一般診療所別診療点数に応じて按分している。

5　性・年齢階級・傷病分類

被用者保険、国民健康保険、生活保護法等の医療費を各参考資料の入院－入院外、性・年齢階級・傷病分類別構成割合に応じて按分している。

6　都道府県

国民医療費を患者住所地の都道府県別に推計している。

被用者保険、国民健康保険、後期高齢者医療制度等の医療費を、各参考資料の都道府県別医療費に応じて按分している。

なお、被用者保険等の医療機関所在地別で集計されている参考資料は、患者調査等を用いて患者住所地別へ県間移動調整を行う。

【主な参考資料】

1 制度区分

(1) 公費負担医療給付分

基金統計月報	社会保険診療報酬支払基金
衛生行政報告例	厚生労働省政策統括官（統計・情報政策、労使関係担当）
福祉行政報告例	厚生労働省政策統括官（統計・情報政策、労使関係担当）
介護給付費等実態統計	厚生労働省政策統括官（統計・情報政策、労使関係担当）
地方財政状況調査	総務省自治財政局

(2) 医療保険等給付分

○ 医療保険

健康保険・船員保険事業年報	厚生労働省保険局
国家公務員共済組合事業統計年報	財務省主計局
地方公務員共済組合等事業年報	総務省自治行政局
私学共済制度事業統計	日本私立学校振興・共済事業団
国民健康保険事業年報	厚生労働省保険局

○ その他

労働者災害補償保険事業年報	厚生労働省労働基準局
国家公務員災害補償統計	人事院職員局
常勤地方公務員災害補償統計	地方公務員災害補償基金
学校種別の災害発生状況・給付状況	独立行政法人 日本スポーツ振興センター
基金統計月報	社会保険診療報酬支払基金

(3) 後期高齢者医療給付分

後期高齢者医療事業年報	厚生労働省保険局

(4) 患者等負担分

○ 全額負担

患者調査	厚生労働省政策統括官（統計・情報政策、労使関係担当）
医療給付実態調査	厚生労働省保険局

○ 公費負担医療給付分・医療保険等給付分及び後期高齢者医療給付分の一部負担

医療扶助実態調査	厚生労働省社会・援護局
健康保険・船員保険事業年報	厚生労働省保険局
国民健康保険事業年報	厚生労働省保険局
後期高齢者医療事業年報	厚生労働省保険局

2 財源

財政構造表	厚生労働省保険局
国民健康保険事業年報	厚生労働省保険局

3 診療種類

健康保険・船員保険事業年報	厚生労働省保険局
国民健康保険事業年報	厚生労働省保険局
後期高齢者医療事業年報	厚生労働省保険局
国家公務員共済組合事業統計年報	財務省主計局
地方公務員共済組合等事業年報	総務省自治行政局
私学共済制度事業統計	日本私立学校振興・共済事業団

基金統計月報　　　　　　　　　　社会保険診療報酬支払基金

4　病院－一般診療所
　　　基金統計月報　　　　　　　　　　社会保険診療報酬支払基金
　　　保険医療機関別診療報酬審査決定状況　国民健康保険中央会

5　性・年齢階級・傷病分類
　　　医療給付実態調査　　　　　　　　厚生労働省保険局
　　　医療扶助実態調査　　　　　　　　厚生労働省社会・援護局

6　都道府県
　　　基金統計月報　　　　　　　　　　社会保険診療報酬支払基金
　　　国民健康保険事業年報　　　　　　厚生労働省保険局
　　　後期高齢者医療事業年報　　　　　厚生労働省保険局
　　　労働者災害補償保険事業年報　　　厚生労働省労働基準局
　　　患者調査　　　　　　　　　　　　厚生労働省政策統括官（統計・情報政策、労使関係担当）

3　用語の説明

制度区分

　傷病の治療を受ける際の給付の制度による分類である。大きくは、公費負担医療制度による「公費負担医療給付分」、医療保険制度・労働者災害補償保険制度等の「医療保険等給付分」、後期高齢者医療制度による「後期高齢者医療給付分」、医療機関で治療を受ける際に患者が負担する「患者等負担分」に分類される。

財　　源

　制度区分別給付額等を各制度において財源負担すべき者に割り当てたものであり、公費、保険料、患者負担等に分類される。

　　公　　費　　公費負担医療制度、医療保険制度、後期高齢者医療制度等への国庫負担金及び地方公共団体の負担金
　　保　険　料　　医療保険制度、後期高齢者医療制度、労働者災害補償保険制度等の給付額のうち、事業主及び被保険者が負担すべき額
　　そ　の　他　　患者負担及び原因者負担（公害健康被害の補償等に関する法律及び健康被害救済制度による救済給付等）
　　患者負担　　医療機関で治療を受ける際に家計から支出する額

診療種類

　医科診療医療費、歯科診療医療費、薬局調剤医療費、入院時食事・生活医療費、訪問看護医療費、療養費等に分類される。

　　医科診療医療費　　　　　　医科診療にかかる診療費
　　歯科診療医療費　　　　　　歯科診療にかかる診療費
　　薬局調剤医療費　　　　　　処方箋により保険薬局を通じて支給される薬剤等の額（調剤基本料等技術料と薬剤料の合計）
　　入院時食事・生活医療費　　入院時食事療養費、食事療養標準負担額、入院時生活療養費及び生活療養標準負担額の合計額

訪問看護医療費	訪問看護療養費及び基本利用料の合計額
療 養 費 等	健康保険等の給付対象となる柔道整復師・はり師等による治療費、移送費、補装具等の費用
補 装 具	治療上必要と認められたコルセット、サポーター等の治療用装具の費用
柔 道 整 復 師	骨折、打撲、捻挫、脱臼等の場合の柔道整復師による施術費（骨折及び脱臼については、緊急の場合を除き、あらかじめ医師の同意を得る必要がある）
あん摩・マッサージ	筋麻痺や関節拘縮等の障害がある場合に、担当医が治療上必要と認めたマッサージ（あん摩・指圧）師による施術費（医師の発行した同意書又は診断書が必要）
は り ・ き ゆ う	神経痛、リウマチ、腰痛症、五十肩等の慢性的な疼痛がある場合において、担当医が治療上必要と認めたはり・きゆう師による施術費（医師の発行した同意書又は診断書が必要）

※　医科診療医療費及び療養費等は平成20年度から項目を設けたもので、平成19年度以前は一般診療医療費に含まれる。

病院－一般診療所

| 病　　　院 | 医師が医業を行う場所であって患者20人以上を入院させるための施設を有するもの |
| 一般診療所 | 医師が医業を行う場所であって患者を入院させるための施設を有しないもの又は19人以下の患者を入院させるための施設を有するもの |

傷病分類

　傷病分類は、世界保健機関（WHO）の「国際疾病、傷害及び死因統計分類（ICD）」に基づく「疾病、傷害及び死因の統計分類（平成27年度まではICD－10（2003年版）、平成28年度以降はICD－10（2013年版）に準拠）」を用いている。

　なお、国民医療費では、「主傷病」を表章している。

4　利用上の注意

（1）　表章記号の規約

計数のない場合	－
統計項目のあり得ない場合	・
計数不明又は計数を表章することが不適当な場合	…
推計数が表章単位の1／2未満、又は比率が微小の場合	0, 0.0
減少数（率）の場合	△

（2）　掲載の数値は四捨五入しているため、内訳の合計が総数に合わない場合がある。

（3）　人口一人当たり国民医療費は、総務省統計局「国勢調査」又は「人口推計」の総人口により算出した。

統 計 表 一 覧

表番号	構成割合	人口一人当たり	対国内総生産比率	対国民所得比率	制度区分	財源	診療種類	入院―入院外	病院―一般診療所	性	年齢階級	傷病分類	年次	都道府県	摘要
	集計項目				分類項目										摘要
統 計 表															
1		●	●	●									○		国民医療費・昭和29年度～
2	●				○			○	○						国民医療費
3					○									○	国民医療費・昭和29年度～
4	●				○									○	国民医療費・昭和29年度～
5						○								○	国民医療費・昭和29年度～
6	●					○								○	国民医療費・昭和29年度～
7	●						○	○	○					○	国民医療費・平成20年度～
8	●	●					○	○			○	○			国民医療費
9	●	●									○	○			国民医療費・平成9年度～
10	●	●									○	○			医科診療医療費・平成20年度～
11	●	●									○	○			歯科診療医療費・昭和59年度～
12	●	●									○	○			薬局調剤医療費・平成15年度～
13								○		○	○	○			医科診療医療費・平成20年度～
14	●							○		○	○	○			医科診療医療費・平成20年度～
15								○	○	○	○	○			医科診療医療費
16	●							○	○	○	○	○			医科診療医療費
17		●					○							○	国民医療費

Ⅱ　結　果　の　概　要

1 国民医療費の状況

令和元年度の国民医療費は44兆3,895億円、前年度の43兆3,949億円に比べ9,946億円、2.3%の増加となっている。

人口一人当たりの国民医療費は35万1,800円、前年度の34万3,200円に比べ8,600円、2.5%の増加となっている。

国民医療費の国内総生産（GDP）に対する比率は7.93%（前年度7.79%）、国民所得（NI）に対する比率は11.06%（同10.79%）となっている。（図1、表1）

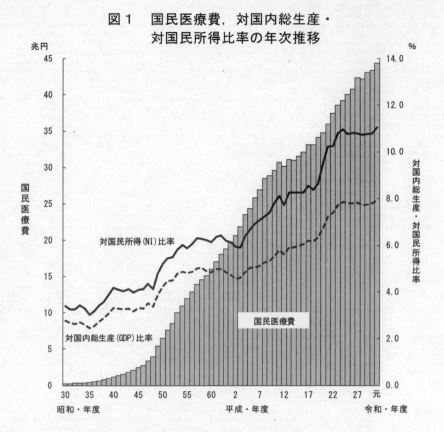

図1 国民医療費，対国内総生産・対国民所得比率の年次推移

表1 国民医療費，対国内総生産・対国民所得比率の年次推移

年　次	国民医療費（億円）	対前年度増減率（%）	人口一人当たり国民医療費（千円）	対前年度増減率（%）	国内総生産（GDP）（億円）	対前年度増減率（%）	国民所得（NI）（億円）	対前年度増減率（%）	国民医療費の比率 国内総生産に対する比率（%）	国民医療費の比率 国民所得に対する比率（%）
昭和29年度 (1954)	2 152	…	2.4	…	…	…	…	…	…	…
30 ('55)	2 388	11.0	2.7	12.5	85 979	…	69 733	…	2.78	3.42
40 ('65)	11 224	19.5	11.4	17.5	337 653	11.1	268 270	11.5	3.32	4.18
50 ('75)	64 779	20.4	57.9	19.1	1 523 616	10.0	1 239 907	10.2	4.25	5.22
60 ('85)	160 159	6.1	132.3	5.4	3 303 968	7.2	2 605 599	7.2	4.85	6.15
61 ('86)	170 690	6.6	140.3	6.0	3 422 664	3.6	2 679 415	2.8	4.99	6.37
62 ('87)	180 759	5.9	147.8	5.3	3 622 967	5.9	2 810 998	4.9	4.99	6.43
63 ('88)	187 554	3.8	152.8	3.4	3 876 856	7.0	3 027 101	7.7	4.84	6.20
平成元年度 ('89)	197 290	5.2	160.1	4.8	4 158 852	7.3	3 208 020	6.0	4.74	6.15
2 ('90)	206 074	4.5	166.7	4.1	4 516 830	8.6	3 468 929	8.1	4.56	5.94
3 ('91)	218 260	5.9	176.0	5.6	4 736 076	4.9	3 689 316	6.4	4.61	5.92
4 ('92)	234 784	7.6	188.7	7.2	4 832 556	2.0	3 660 072	△ 0.8	4.86	6.41
5 ('93)	243 631	3.8	195.3	3.5	4 826 076	△ 0.1	3 653 760	△ 0.2	5.05	6.67
6 ('94)	257 908	5.9	206.3	5.6	5 119 546	6.1	3 729 768	2.1	5.04	6.91
7 ('95)	269 577	4.5	214.7	4.1	5 253 045	2.6	3 801 581	1.9	5.13	7.09
8 ('96)	284 542	5.6	226.1	5.3	5 386 584	2.5	3 940 248	3.6	5.28	7.22
9 ('97)	289 149	1.6	229.2	1.4	5 425 005	0.7	3 909 431	△ 0.8	5.33	7.40
10 ('98)	295 823	2.3	233.9	2.1	5 345 673	△ 1.5	3 793 939	△ 3.0	5.53	7.80
11 ('99)	307 019	3.8	242.3	3.6	5 302 975	△ 0.8	3 780 885	△ 0.3	5.79	8.12
12 (2000)	301 418	△ 1.8	237.5	△ 2.0	5 376 162	1.4	3 901 638	3.2	5.61	7.73
13 ('01)	310 998	3.2	244.3	2.9	5 274 084	△ 1.9	3 761 387	△ 3.6	5.90	8.27
14 ('02)	309 507	△ 0.5	242.9	△ 0.6	5 234 660	△ 0.7	3 742 479	△ 0.5	5.91	8.27
15 ('03)	315 375	1.9	247.1	1.7	5 262 226	0.5	3 815 556	2.0	5.99	8.27
16 ('04)	321 111	1.8	251.5	1.8	5 296 336	0.6	3 885 761	1.8	6.06	8.26
17 ('05)	331 289	3.2	259.3	3.1	5 341 097	0.8	3 881 164	△ 0.1	6.20	8.54
18 ('06)	331 276	△ 0.0	259.3	△ 0.0	5 372 610	0.6	3 949 897	1.8	6.17	8.39
19 ('07)	341 360	3.0	267.2	3.0	5 384 840	0.2	3 948 132	△ 0.0	6.34	8.65
20 ('08)	348 084	2.0	272.6	2.0	5 161 740	△ 4.1	3 643 680	△ 7.7	6.74	9.55
21 ('09)	360 067	3.4	282.4	3.6	4 973 668	△ 3.6	3 527 011	△ 3.2	7.24	10.21
22 ('10)	374 202	3.9	292.2	3.5	5 048 721	1.5	3 646 882	3.4	7.41	10.26
23 ('11)	385 850	3.1	301.9	3.3	5 000 405	△ 1.0	3 574 735	△ 2.0	7.72	10.79
24 ('12)	392 117	1.6	307.5	1.9	4 994 239	△ 0.1	3 581 562	0.2	7.85	10.95
25 ('13)	400 610	2.2	314.7	2.3	5 126 856	2.7	3 725 700	4.0	7.81	10.75
26 ('14)	408 071	1.9	321.1	2.0	5 234 183	2.1	3 766 776	1.1	7.80	10.83
27 ('15)	423 644	3.8	333.3	3.8	5 407 394	3.3	3 926 293	4.2	7.83	10.79
28 ('16)	421 381	△ 0.5	332.0	△ 0.4	5 448 272	0.8	3 922 939	△ 0.1	7.73	10.74
29 ('17)	430 710	2.2	339.9	2.4	5 556 874	2.0	4 006 881	2.1	7.75	10.75
30 ('18)	433 949	0.8	343.2	1.0	5 568 279	0.2	4 022 290	0.4	7.79	10.79
令和元年度 ('19)	443 895	2.3	351.8	2.5	5 596 988	0.5	4 012 870	△ 0.2	7.93	11.06

注：1) 平成12年4月から介護保険制度が開始されたことに伴い、従来国民医療費の対象となっていた費用のうち介護保険の費用に移行したものがあるが、これらは平成12年度以降、国民医療費に含まれていない。
　　2) 国内総生産（GDP）及び国民所得（NI）は、内閣府「国民経済計算」による。

2 制度区分別国民医療費

　制度区分別にみると、公費負担医療給付分は3兆2,301億円（構成割合7.3%）、医療保険等給付分は20兆457億円（同45.2%）、後期高齢者医療給付分は15兆6,596億円（同35.3%）、患者等負担分は5兆4,540億円（同12.3%）となっている。

　対前年度増減率をみると、公費負担医療給付分は1.7%の増加、医療保険等給付分は1.6%の増加、後期高齢者医療給付分は4.0%の増加、患者等負担分は0.9%の増加となっている。（表2、参考1）

表2　制度区分別国民医療費

制　度　区　分	令和元年度（2019）		平成30年度（2018）		対　前　年　度	
	国民医療費（億円）	構成割合（%）	国民医療費（億円）	構成割合（%）	増減額（億円）	増減率（%）
総　　　　　　　　数	443 895	100.0	433 949	100.0	9 946	2.3
公費負担医療給付分	32 301	7.3	31 751	7.3	550	1.7
医療保険等給付分	200 457	45.2	197 291	45.5	3 166	1.6
医　療　保　険	197 263	44.4	194 066	44.7	3 197	1.6
被　用　者　保　険	106 624	24.0	103 110	23.8	3 514	3.4
被　保　険　者	57 944	13.1	55 375	12.8	2 569	4.6
被　扶　養　者	41 829	9.4	41 689	9.6	140	0.3
高　齢　者 1)	6 852	1.5	6 046	1.4	806	13.3
国 民 健 康 保 険	90 639	20.4	90 957	21.0	△ 318	△ 0.3
高　齢　者　以　外	57 480	12.9	59 577	13.7	△ 2 097	△ 3.5
高　齢　者 1)	33 159	7.5	31 380	7.2	1 779	5.7
そ　の　他 2)	3 194	0.7	3 224	0.7	△ 30	△ 0.9
後期高齢者医療給付分	156 596	35.3	150 576	34.7	6 020	4.0
患　者　等　負　担　分	54 540	12.3	54 047	12.5	493	0.9
軽 減 特 例 措 置 3)	2	0.0	283	0.1	△ 281	△ 99.3

注：1) 被用者保険及び国民健康保険適用の高齢者は70歳以上である。
　　2) 労働者災害補償保険法、国家公務員災害補償法、地方公務員災害補償法、独立行政法人日本スポーツ振興センター法、
　　　 防衛省の職員の給与等に関する法律、公害健康被害の補償等に関する法律及び健康被害救済制度による救済給付等の
　　　 医療費である。
　　3) 平成20年4月から平成31年3月までの70～74歳の患者の窓口負担の軽減措置に関する国庫負担分である。

3 財源別国民医療費

　財源別にみると、公費は16兆9,807億円（構成割合38.3%）、そのうち国庫は11兆2,963億円（同25.4%）、地方は5兆6,844億円（同12.8%）となっている。保険料は21兆9,426億円（同49.4%）、そのうち事業主は9兆4,594億円（同21.3%）、被保険者は12兆4,832億円（同28.1%）となっている。また、その他は5兆4,663億円（同12.3%）、そのうち患者負担は5兆1,837億円（同11.7%）となっている。（表3、参考1）

表3　財源別国民医療費

財　　　　源	令和元年度（2019）		平成30年度（2018）		対　前　年　度	
	国民医療費（億円）	構成割合（%）	国民医療費（億円）	構成割合（%）	増減額（億円）	増減率（%）
総　　　　　　　　数	443 895	100.0	433 949	100.0	9 946	2.3
公　　　　　　費	169 807	38.3	166 049	38.3	3 758	2.3
国　　　庫 1)	112 963	25.4	110 400	25.4	2 563	2.3
地　　　方	56 844	12.8	55 649	12.8	1 195	2.1
保　　険　　料	219 426	49.4	213 727	49.3	5 699	2.7
事　　業　　主	94 594	21.3	92 023	21.2	2 571	2.8
被　保　険　者	124 832	28.1	121 705	28.0	3 127	2.6
そ　の　他 2)	54 663	12.3	54 173	12.5	490	0.9
患者負担（再掲）	51 837	11.7	51 267	11.8	570	1.1

注：1) 軽減特例措置は、国庫に含む。
　　2) 患者負担及び原因者負担（公害健康被害の補償等に関する法律及び健康被害救済制度による救済給付等）である。

4 診療種類別国民医療費

　診療種類別にみると、医科診療医療費は31兆9,583億円（構成割合72.0％）、そのうち入院医療費は16兆8,992億円（同38.1％）、入院外医療費は15兆591億円（同33.9％）となっている。また、歯科診療医療費は3兆150億円（同6.8％）、薬局調剤医療費は7兆8,411億円（同17.7％）、入院時食事・生活医療費は7,901億円（同1.8％）、訪問看護医療費は2,727億円（同0.6％）、療養費等は5,124億円（同1.2％）となっている。

　対前年度増減率をみると、医科診療医療費は2.0％の増加、歯科診療医療費は1.9％の増加、薬局調剤医療費は3.6％の増加となっている。（表4、図2、参考1）

表4　診療種類別国民医療費

診　療　種　類	令和元年度（2019）		平成30年度（2018）		対　前　年　度	
	国民医療費 （億円）	構成割合 （％）	国民医療費 （億円）	構成割合 （％）	増減額 （億円）	増減率 （％）
総　　　　　　数	443 895	100.0	433 949	100.0	9 946	2.3
医 科 診 療 医 療 費	319 583	72.0	313 251	72.2	6 332	2.0
入 院 医 療 費	168 992	38.1	165 535	38.1	3 457	2.1
病　　　　院	165 209	37.2	161 705	37.3	3 504	2.2
一 般 診 療 所	3 783	0.9	3 831	0.9	△　　48	△　1.3
入 院 外 医 療 費	150 591	33.9	147 716	34.0	2 875	1.9
病　　　　院	65 027	14.6	62 730	14.5	2 297	3.7
一 般 診 療 所	85 564	19.3	84 986	19.6	578	0.7
歯 科 診 療 医 療 費	30 150	6.8	29 579	6.8	571	1.9
薬 局 調 剤 医 療 費	78 411	17.7	75 687	17.4	2 724	3.6
入院時食事・生活医療費	7 901	1.8	7 917	1.8	△　　16	△　0.2
訪 問 看 護 医 療 費	2 727	0.6	2 355	0.5	372	15.8
療　養　費　等	5 124	1.2	5 158	1.2	△　　34	△　0.7

図2　診療種類別国民医療費構成割合

令和元年度（2019）

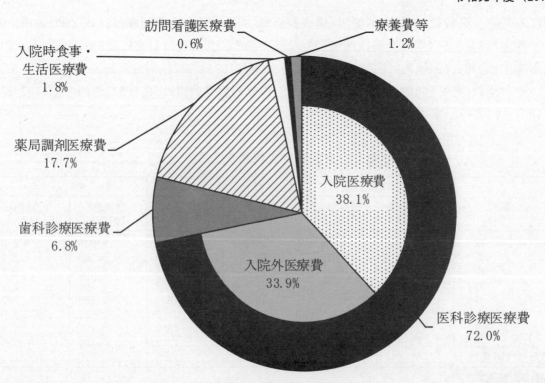

-16-

5 年齢階級別国民医療費

年齢階級別にみると、0～14歳は2兆4,987億円（構成割合5.6%）、15～44歳は5兆2,232億円（同11.8%）、45～64歳は9兆6,047億円（同21.6%）、65歳以上は27兆629億円（同61.0%）となっている。

人口一人当たり国民医療費をみると、65歳未満は19万1,900円、65歳以上は75万4,200円となっている。そのうち医科診療医療費では、65歳未満が12万9,800円、65歳以上が56万4,000円となっている。歯科診療医療費では、65歳未満が1万9,900円、65歳以上が3万3,900円となっている。薬局調剤医療費では、65歳未満が3万6,500円、65歳以上が12万6,800円となっている。（表5、参考1）

表5 年齢階級別国民医療費

年 齢 階 級	令和元年度（2019）国民医療費（億円）	構成割合（%）	人口一人当たり国民医療費（千円）	平成30年度（2018）国民医療費（億円）	構成割合（%）	人口一人当たり国民医療費（千円）	対前年度 人口一人当たり国民医療費 増減額（千円）	増減率（%）
			総 数					
総 数	443 895	100.0	351.8	433 949	100.0	343.2	8.6	2.5
65 歳 未 満	173 266	39.0	191.9	171 121	39.4	188.3	3.6	1.9
0 ～ 14 歳	24 987	5.6	164.3	25 300	5.8	164.1	0.2	0.1
15 ～ 44 歳	52 232	11.8	126.0	52 403	12.1	124.2	1.8	1.4
45 ～ 64 歳	96 047	21.6	285.8	93 417	21.5	280.8	5.0	1.8
65 歳 以 上	270 629	61.0	754.2	262 828	60.6	738.7	15.5	2.1
70歳以上（再掲）	226 953	51.1	835.1	216 708	49.9	826.8	8.3	1.0
75歳以上（再掲）	172 064	38.8	930.6	165 138	38.1	918.7	11.9	1.3
			医 科 診 療 医 療 費 （再掲）					
総 数	319 583	100.0	253.3	313 251	100.0	247.7	5.6	2.3
65 歳 未 満	117 189	36.7	129.8	116 391	37.2	128.1	1.7	1.3
0 ～ 14 歳	17 212	5.4	113.2	17 573	5.6	114.0	△ 0.8	△ 0.7
15 ～ 44 歳	33 608	10.5	81.0	33 992	10.9	80.6	0.4	0.5
45 ～ 64 歳	66 369	20.8	197.5	64 826	20.7	194.9	2.6	1.3
65 歳 以 上	202 395	63.3	564.0	196 860	62.8	553.3	10.7	1.9
70歳以上（再掲）	170 537	53.4	627.5	163 136	52.1	622.4	5.1	0.8
75歳以上（再掲）	130 171	40.7	704.0	125 183	40.0	696.4	7.6	1.1
			歯 科 診 療 医 療 費 （再掲）					
総 数	30 150	100.0	23.9	29 579	100.0	23.4	0.5	2.1
65 歳 未 満	17 971	59.6	19.9	17 693	59.8	19.5	0.4	2.1
0 ～ 14 歳	2 540	8.4	16.7	2 493	8.4	16.2	0.5	3.1
15 ～ 44 歳	6 966	23.1	16.8	6 977	23.6	16.5	0.3	1.8
45 ～ 64 歳	8 465	28.1	25.2	8 223	27.8	24.7	0.5	2.0
65 歳 以 上	12 179	40.4	33.9	11 887	40.2	33.4	0.5	1.5
70歳以上（再掲）	9 449	31.3	34.8	8 994	30.4	34.3	0.5	1.5
75歳以上（再掲）	6 413	21.3	34.7	6 113	20.7	34.0	0.7	2.1
			薬 局 調 剤 医 療 費 （再掲）					
総 数	78 411	100.0	62.1	75 687	100.0	59.9	2.2	3.7
65 歳 未 満	32 925	42.0	36.5	31 861	42.1	35.1	1.4	4.0
0 ～ 14 歳	4 662	5.9	30.6	4 684	6.2	30.4	0.2	0.7
15 ～ 44 歳	10 154	12.9	24.5	9 920	13.1	23.5	1.0	4.3
45 ～ 64 歳	18 110	23.1	53.9	17 256	22.8	51.9	2.0	3.9
65 歳 以 上	45 485	58.0	126.8	43 826	57.9	123.2	3.6	2.9
70歳以上（再掲）	37 831	48.2	139.2	35 872	47.4	136.9	2.3	1.7
75歳以上（再掲）	28 110	35.8	152.0	26 786	35.4	149.0	3.0	2.0

また、年齢階級別国民医療費を性別にみると、0～14歳の男は1兆3,748億円（構成割合6.4%）、女は1兆1,238億円（同4.9%）、15～44歳の男は2兆3,620億円（同11.0%）、女は2兆8,612億円（同12.5%）、45～64歳の男は5兆831億円（同23.6%）、女は4兆5,216億円（同19.8%）、65歳以上の男は12兆7,271億円（同59.1%）、女は14兆3,358億円（同62.8%）となっている。

人口一人当たり国民医療費をみると、65歳未満の男は19万2,500円、女は19万1,300円、65歳以上の男は81万5,800円、女は70万6,700円となっている。（表6、参考1）

表6　年齢階級、性別国民医療費

令和元年度（2019）

年　齢　階　級	男			女		
	国民医療費 （億円）	構成割合 （%）	人口一人当たり 国民医療費 （千円）	国民医療費 （億円）	構成割合 （%）	人口一人当たり 国民医療費 （千円）
総　　　　　数			総　　　数			
総　　　　　数	215 471	100.0	350.9	228 424	100.0	352.7
65　歳　未　満	88 199	40.9	192.5	85 067	37.2	191.3
0 ～ 14 歳	13 748	6.4	176.5	11 238	4.9	151.5
15 ～ 44 歳	23 620	11.0	111.5	28 612	12.5	141.1
45 ～ 64 歳	50 831	23.6	302.0	45 216	19.8	269.6
65　歳　以　上	127 271	59.1	815.8	143 358	62.8	706.7
70歳以上（再掲）	103 208	47.9	906.7	123 745	54.2	783.5
75歳以上（再掲）	73 848	34.3	1 013.3	98 215	43.0	876.8
医科診療医療費（再掲）						
総　　　　　数	157 258	100.0	256.1	162 325	100.0	250.7
65　歳　未　満	60 539	38.5	132.1	56 650	34.9	127.4
0 ～ 14 歳	9 493	6.0	121.9	7 719	4.8	104.0
15 ～ 44 歳	15 044	9.6	71.0	18 564	11.4	91.5
45 ～ 64 歳	36 002	22.9	213.9	30 367	18.7	181.1
65　歳　以　上	96 719	61.5	620.0	105 676	65.1	521.0
70歳以上（再掲）	78 678	50.0	691.2	91 859	56.6	581.6
75歳以上（再掲）	56 533	35.9	775.7	73 638	45.4	657.4
歯科診療医療費（再掲）						
総　　　　　数	13 675	100.0	22.3	16 475	100.0	25.4
65　歳　未　満	8 380	61.3	18.3	9 591	58.2	21.6
0 ～ 14 歳	1 303	9.5	16.7	1 236	7.5	16.7
15 ～ 44 歳	3 143	23.0	14.8	3 823	23.2	18.9
45 ～ 64 歳	3 933	28.8	23.4	4 531	27.5	27.0
65　歳　以　上	5 295	38.7	33.9	6 884	41.8	33.9
70歳以上（再掲）	4 022	29.4	35.3	5 427	32.9	34.4
75歳以上（再掲）	2 634	19.3	36.1	3 780	22.9	33.7
薬局調剤医療費（再掲）						
総　　　　　数	37 069	100.0	60.4	41 342	100.0	63.8
65　歳　未　満	16 594	44.8	36.2	16 332	39.5	36.7
0 ～ 14 歳	2 633	7.1	33.8	2 029	4.9	27.3
15 ～ 44 歳	4 737	12.8	22.4	5 417	13.1	26.7
45 ～ 64 歳	9 223	24.9	54.8	8 886	21.5	53.0
65　歳　以　上	20 475	55.2	131.3	25 010	60.5	123.3
70歳以上（再掲）	16 523	44.6	145.2	21 308	51.5	134.9
75歳以上（再掲）	11 656	31.4	159.9	16 454	39.8	146.9

6 傷病分類別医科診療医療費

　医科診療医療費を主傷病による傷病分類別にみると、「循環器系の疾患」6兆1,369億円（構成割合19.2%）が最も多く、次いで「新生物＜腫瘍＞」4兆7,459億円（同14.9%）、「筋骨格系及び結合組織の疾患」2兆5,839億円（同8.1%）、「損傷，中毒及びその他の外因の影響」2兆4,897億円（同7.8%）、「腎尿路生殖器系の疾患」2兆3,043億円（同7.2%）となっている。

　年齢階級別にみると、65歳未満では「新生物＜腫瘍＞」1兆6,099億円（同13.7%）が最も多く、65歳以上では「循環器系の疾患」4兆8,828億円（同24.1%）が最も多くなっている。

　また、性別にみると、男では「循環器系の疾患」（同20.7%）、「新生物＜腫瘍＞」（同16.3%）、「腎尿路生殖器系の疾患」（同8.2%）が多く、女では「循環器系の疾患」（同17.8%）、「新生物＜腫瘍＞」（同13.4%）、「筋骨格系及び結合組織の疾患」（同10.3%）が多くなっている。（表7、図3、参考1・2）

表7　年齢階級、傷病分類別医科診療医療費（上位5位）

傷病分類 1)	令和元年度 (2019) 順位 3)	令和元年度 (2019) 医科診療医療費 (億円)	令和元年度 (2019) 構成割合 (%)	平成30年度 (2018) 順位 3)	平成30年度 (2018) 医科診療医療費 (億円)	平成30年度 (2018) 構成割合 (%)	対前年度 増減額 (億円)	対前年度 増減率 (%)
				総　数				
総　数		319 583	100.0		313 251	100.0	6 332	2.0
循環器系の疾患	1	61 369	19.2	1	60 596	19.3	773	1.3
新生物＜腫瘍＞	2	47 459	14.9	2	45 256	14.4	2 203	4.9
筋骨格系及び結合組織の疾患	3	25 839	8.1	3	25 184	8.0	655	2.6
損傷，中毒及びその他の外因の影響	4	24 897	7.8	4	24 421	7.8	476	1.9
腎尿路生殖器系の疾患	5	23 043	7.2	6	22 336	7.1	707	3.2
その他 2)		136 976	42.9		135 458	43.2	1 518	1.1
				65歳未満				
総　数		117 189	100.0		116 391	100.0	798	0.7
新生物＜腫瘍＞	1	16 099	13.7	1	15 536	13.3	563	3.6
循環器系の疾患	2	12 540	10.7	2	12 473	10.7	67	0.5
呼吸器系の疾患	3	11 474	9.8	3	11 828	10.2	△ 354	△ 3.0
精神及び行動の障害	4	10 261	8.8	4	10 352	8.9	△ 91	△ 0.9
腎尿路生殖器系の疾患	5	8 212	7.0	6	8 119	7.0	93	1.1
その他 2)		58 603	50.0		58 083	49.9	520	0.9
				65歳以上				
総　数		202 395	100.0		196 860	100.0	5 535	2.8
循環器系の疾患	1	48 828	24.1	1	48 123	24.4	705	1.5
新生物＜腫瘍＞	2	31 360	15.5	2	29 720	15.1	1 640	5.5
筋骨格系及び結合組織の疾患	3	17 938	8.9	3	17 383	8.8	555	3.2
損傷，中毒及びその他の外因の影響	4	16 769	8.3	4	16 194	8.2	575	3.6
腎尿路生殖器系の疾患	5	14 831	7.3	5	14 217	7.2	614	4.3
その他 2)		72 669	35.9		71 223	36.2	1 446	2.0

注：1）傷病分類は、ICD-10（2013年版）に準拠した分類による。
　　2）令和元年度の上位5傷病以外の傷病である。
　　3）「順位」は、各年度の順位である。

図3　性別にみた傷病分類別医科診療医療費構成割合（上位5位）

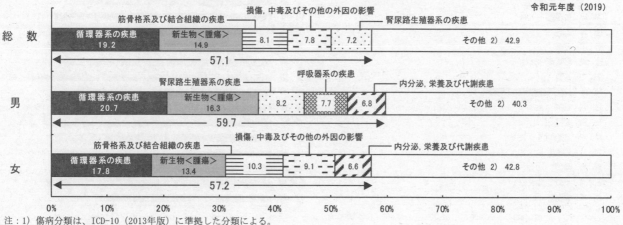

令和元年度 (2019)

注：1）傷病分類は、ICD-10（2013年版）に準拠した分類による。
　　2）上位5傷病以外の傷病である。

7 都道府県別国民医療費

都道府県（患者住所地）別にみると、東京都が4兆4,571億円と最も高く、次いで大阪府が3兆3,956億円、神奈川県が2兆8,889億円となっている。また、鳥取県が2,050億円と最も低く、次いで島根県が2,677億円、福井県が2,733億円となっている。

人口一人当たり国民医療費をみると、高知県が46万3,700円と最も高く、次いで長崎県が43万3,600円、鹿児島県が43万3,400円となっている。また、千葉県が30万8,500円と最も低く、次いで埼玉県が31万900円、神奈川県が31万4,100円となっている。（図4）

図4　都道府県別にみた国民医療費・人口一人当たり国民医療費

令和元年度（2019）

国民医療費

人口一人当たり国民医療費

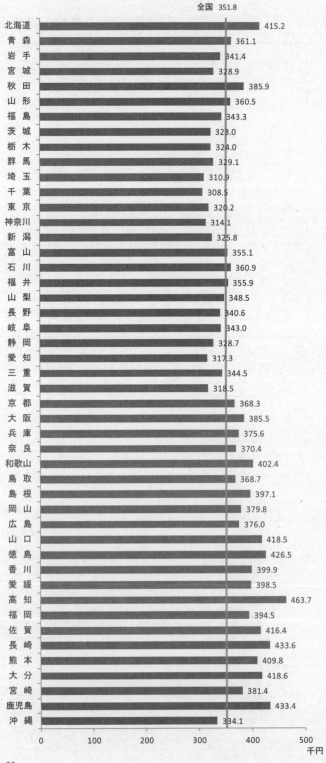

参考1 令和元年度 国民医療費の構造（総数）

[国民医療費総額 44兆3,895億円、人口一人当たり国民医療費 351,800円]

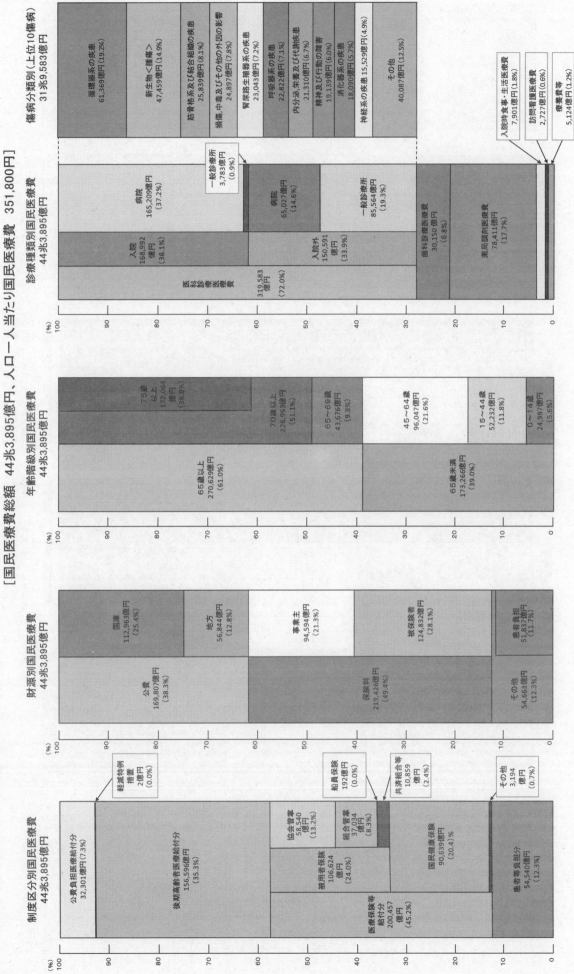

傷病分類別（上位10傷病）
31兆9,583億円

循環器系の疾患 61,369億円（19.2%）
新生物＜腫瘍＞ 47,459億円（14.9%）
筋骨格系及び結合組織の疾患 25,839億円（8.1%）
損傷、中毒及びその他の外因の影響 24,897億円（7.8%）
腎尿路生殖器系の疾患 23,043億円（7.2%）
呼吸器系の疾患 22,822億円（7.1%）
内分泌、栄養及び代謝疾患 21,310億円（6.7%）
精神及び行動の障害 19,139億円（6.0%）
消化器系の疾患 18,090億円（5.7%）
神経系の疾患 15,529億円（4.9%）
その他 40,087億円（12.5%）

入院時食事・生活医療費 7,901億円（1.8%）
訪問看護医療費 2,727億円（0.6%）
療養費等 5,124億円（1.2%）

診療種類別国民医療費
44兆3,895億円

医科診療医療費 319,583億円（72.0%）
　入院 168,992億円（38.1%）
　　病院 165,027億円（37.2%）
　　一般診療所 3,783億円（0.9%）
　入院外 150,591億円（33.9%）
　　病院 65,027億円（14.6%）
　　一般診療所 85,564億円（19.3%）
歯科診療医療費 30,150億円（6.8%）
薬局調剤医療費 78,411億円（17.7%）

年齢階級別国民医療費
44兆3,895億円

65歳以上 270,629億円（61.0%）
　75歳以上 172,064億円（38.8%）
　70歳以上 226,953億円（51.1%）
　65～69歳 43,676億円（9.8%）
65歳未満 173,266億円（39.0%）
　45～64歳 96,047億円（21.6%）
　15～44歳 52,232億円（11.8%）
　0～14歳 24,987億円（5.6%）

財源別国民医療費
44兆3,895億円

公費 169,807億円（38.3%）
　国庫 112,963億円（25.4%）
　地方 56,844億円（12.8%）
保険料 219,426億円（49.4%）
　事業主 94,594億円（21.3%）
　被保険者 124,832億円（28.1%）
患者負担 51,837億円（11.7%）
その他 54,663億円（12.3%）

制度区分別国民医療費
44兆3,895億円

公費負担医療給付分 32,301億円（7.3%）
軽減特例措置 2億円（0.0%）
後期高齢者医療給付分 156,596億円（35.3%）
医療保険等給付分 200,457億円（45.2%）
　被用者保険 106,624億円（24.0%）
　　協会管掌 58,540億円（13.2%）
　　組合管掌 37,034億円（8.3%）
　　船員保険 192億円（0.0%）
　　共済組合等 10,859億円（2.4%）
　国民健康保険 90,639億円（20.4%）
患者等負担分 54,540億円（12.3%）
その他 3,194億円（0.7%）

注：1）制度区分別国民医療費は当該年度内の診療についての支払確定額を積み上げたものである（ただし、患者等負担分は推計値である）。
　　2）上記の数値は四捨五入しているため、内訳の合計が総計に合わない場合がある。

—21—

令和元年度 国民医療費の構造（性別）

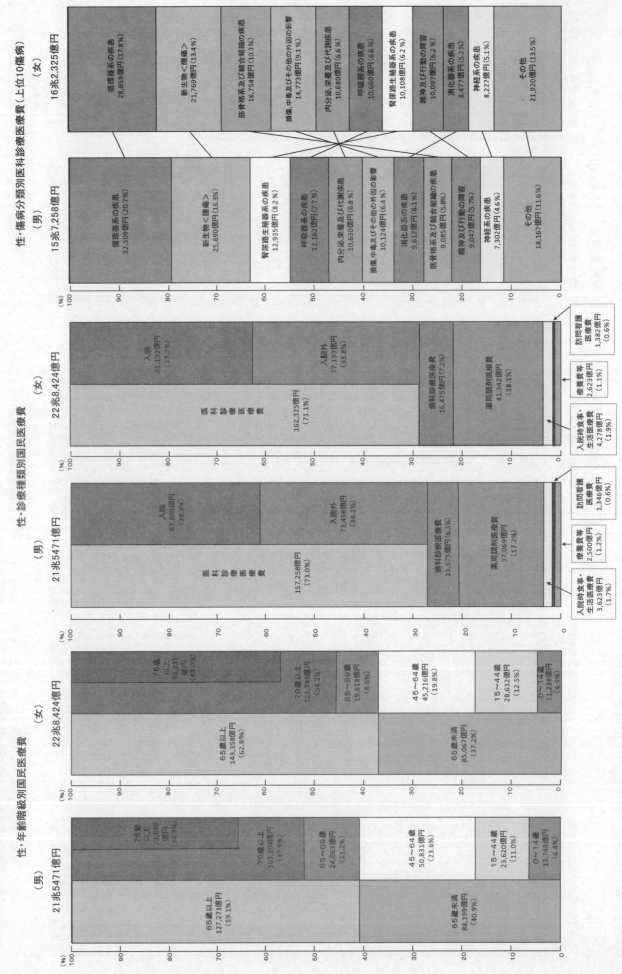

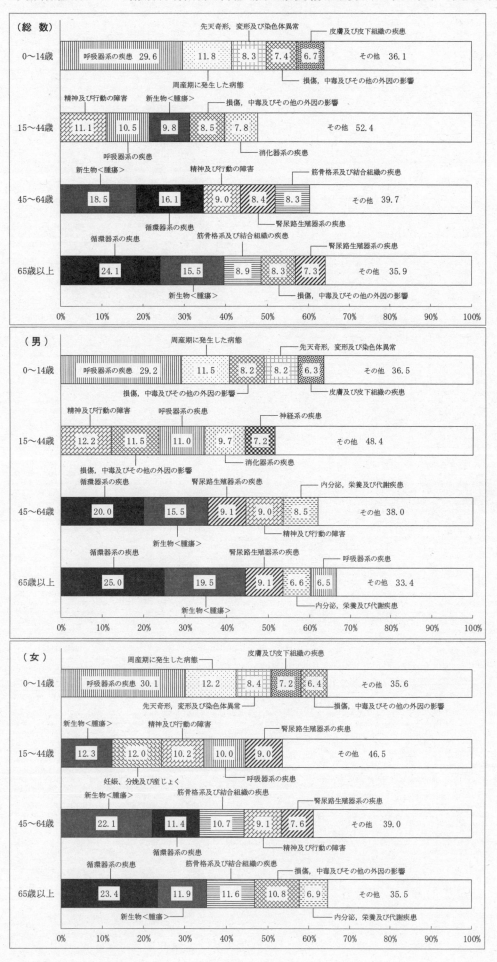

Ⅲ 統 計 表

Ⅲ

第1表　国民医療費・人口一人当たり国民医療費・対国内総生産比率・対国民所得比率，年次別

年　　次	国民医療費 (億円)	増減率 (%)	人口一人当たり国民医療費 (千円)	増減率 (%)	国内総生産 (GDP) (億円)	増減率 (%)	国民所得 (NI) (億円)	増減率 (%)	国民医療費の比率 国内総生産に対する比率 (%)	国民所得に対する比率 (%)	総人口 (千人)
昭和 29 年度 (1954)	2 152	…	2.4	…	…	…	…	…	…	…	88 239
30 (' 55)	2 388	11.0	2.7	12.5	85 979	…	69 733	…	2.78	3.42	89 276*
31 (' 56)	2 583	8.2	2.9	7.4	96 477	12.2	78 962	13.2	2.68	3.27	90 172
32 (' 57)	2 897	12.2	3.2	10.3	110 641	14.7	88 681	12.3	2.62	3.27	90 928
33 (' 58)	3 230	11.5	3.5	9.4	118 451	7.1	93 829	5.8	2.73	3.44	91 767
34 (' 59)	3 625	12.2	3.9	11.4	138 970	17.3	110 421	17.7	2.61	3.28	92 641
35 (' 60)	4 095	13.0	4.4	12.8	166 806	20.0	134 967	22.2	2.45	3.03	93 419*
36 (' 61)	5 130	25.3	5.4	22.7	201 708	20.9	160 819	19.2	2.54	3.19	94 287
37 (' 62)	6 132	19.5	6.4	18.5	223 288	10.7	178 933	11.3	2.75	3.43	95 181
38 (' 63)	7 541	23.0	7.8	21.9	262 286	17.5	210 993	17.9	2.88	3.57	96 156
39 (' 64)	9 389	24.5	9.7	24.4	303 997	15.9	240 514	14.0	3.09	3.90	97 182
40 (' 65)	11 224	19.5	11.4	17.5	337 653	11.1	268 270	11.5	3.32	4.18	98 275*
41 (' 66)	13 002	15.8	13.1	14.9	396 989	17.6	316 448	18.0	3.28	4.11	99 036
42 (' 67)	15 116	16.3	15.1	15.3	464 454	17.0	375 477	18.7	3.25	4.03	100 196
43 (' 68)	18 016	19.2	17.8	17.9	549 470	18.3	437 209	16.4	3.28	4.12	101 331
44 (' 69)	20 780	15.3	20.3	14.0	650 614	18.4	521 178	19.2	3.19	3.99	102 536
45 (' 70)	24 962	20.1	24.1	18.7	752 985	15.7	610 297	17.1	3.32	4.09	103 720*
46 (' 71)	27 250	9.2	25.9	7.5	828 993	10.1	659 105	8.0	3.29	4.13	105 145
47 (' 72)	33 994	24.7	31.6	22.0	964 863	16.4	779 369	18.2	3.52	4.36	107 595
48 (' 73)	39 496	16.2	36.2	14.6	1 167 150	21.0	958 396	23.0	3.38	4.12	109 104
49 (' 74)	53 786	36.2	48.6	34.3	1 384 511	18.6	1 124 716	17.4	3.88	4.78	110 573
50 (' 75)	64 779	20.4	57.9	19.1	1 523 616	10.0	1 239 907	10.2	4.25	5.22	111 940*
51 (' 76)	76 684	18.4	67.8	17.1	1 712 934	12.4	1 403 972	13.2	4.48	5.46	113 089
52 (' 77)	85 686	11.7	75.1	10.8	1 900 945	11.0	1 557 032	10.9	4.51	5.50	114 154
53 (' 78)	100 042	16.8	86.9	15.7	2 086 022	9.7	1 717 785	10.3	4.80	5.82	115 174
54 (' 79)	109 510	9.5	94.3	8.5	2 252 372	8.0	1 822 066	6.1	4.86	6.01	116 133
55 (' 80)	119 805	9.4	102.3	8.5	2 483 759	10.3	2 038 787	11.9	4.82	5.88	117 060*
56 (' 81)	128 709	7.4	109.2	6.7	2 646 417	6.5	2 116 151	3.8	4.86	6.08	117 884
57 (' 82)	138 659	7.7	116.8	7.0	2 761 628	4.4	2 201 314	4.0	5.02	6.30	118 693
58 (' 83)	145 438	4.9	121.7	4.2	2 887 727	4.6	2 312 900	5.1	5.04	6.29	119 483
59 (' 84)	150 932	3.8	125.5	3.1	3 082 384	6.7	2 431 172	5.1	4.90	6.21	120 235
60 (' 85)	160 159	6.1	132.3	5.4	3 303 968	7.2	2 605 599	7.2	4.85	6.15	121 049*
61 (' 86)	170 690	6.6	140.3	6.0	3 422 664	3.6	2 679 415	2.8	4.99	6.37	121 672
62 (' 87)	180 759	5.9	147.8	5.3	3 622 967	5.9	2 810 998	4.9	4.99	6.43	122 264
63 (' 88)	187 554	3.8	152.8	3.4	3 876 856	7.0	3 027 101	7.7	4.84	6.20	122 783
平成元年度 (' 89)	197 290	5.2	160.1	4.8	4 158 852	7.3	3 208 020	6.0	4.74	6.15	123 255
2 (' 90)	206 074	4.5	166.7	4.1	4 516 830	8.6	3 468 929	8.1	4.56	5.94	123 611*
3 (' 91)	218 260	5.9	176.0	5.6	4 736 076	4.9	3 689 316	6.4	4.61	5.92	124 043
4 (' 92)	234 784	7.6	188.7	7.2	4 832 556	2.0	3 660 072	△ 0.8	4.86	6.41	124 452
5 (' 93)	243 631	3.8	195.3	3.5	4 826 076	△ 0.1	3 653 760	△ 0.2	5.05	6.67	124 764
6 (' 94)	257 908	5.9	206.3	5.6	5 119 546	6.1	3 729 768	2.1	5.04	6.91	125 034
7 (' 95)	269 577	4.5	214.7	4.1	5 253 045	2.6	3 801 581	1.9	5.13	7.09	125 570*
8 (' 96)	284 542	5.6	226.1	5.3	5 386 584	2.5	3 940 248	3.6	5.28	7.22	125 864
9 (' 97)	289 149	1.6	229.2	1.4	5 425 005	0.7	3 909 431	△ 0.8	5.33	7.40	126 166
10 (' 98)	295 823	2.3	233.9	2.1	5 345 673	△ 1.5	3 793 939	△ 3.0	5.53	7.80	126 486
11 (' 99)	307 019	3.8	242.3	3.6	5 302 975	△ 0.8	3 780 885	△ 0.3	5.79	8.12	126 686
12 (2000)	301 418	△ 1.8	237.5	△ 2.0	5 376 162	1.4	3 901 638	3.2	5.61	7.73	126 926*
13 (' 01)	310 998	3.2	244.3	2.9	5 274 084	△ 1.9	3 761 387	△ 3.6	5.90	8.27	127 291
14 (' 02)	309 507	△ 0.5	242.9	△ 0.6	5 234 660	△ 0.7	3 742 479	△ 0.5	5.91	8.27	127 435
15 (' 03)	315 375	1.9	247.1	1.7	5 262 226	0.5	3 815 556	2.0	5.99	8.27	127 619
16 (' 04)	321 111	1.8	251.5	1.8	5 296 336	0.6	3 885 761	1.8	6.06	8.26	127 687
17 (' 05)	331 289	3.2	259.3	3.1	5 341 097	0.8	3 881 164	△ 0.1	6.20	8.54	127 768*
18 (' 06)	331 276	△ 0.0	259.3	△ 0.0	5 372 610	0.6	3 949 897	1.8	6.17	8.39	127 770
19 (' 07)	341 360	3.0	267.2	3.0	5 384 840	0.2	3 948 132	△ 0.0	6.34	8.65	127 771
20 (' 08)	348 084	2.0	272.6	2.0	5 161 740	△ 4.1	3 643 680	△ 7.7	6.74	9.55	127 692
21 (' 09)	360 067	3.4	282.4	3.6	4 973 668	△ 3.6	3 527 011	△ 3.2	7.24	10.21	127 510
22 (' 10)	374 202	3.9	292.2	3.5	5 048 721	1.5	3 646 882	3.4	7.41	10.26	128 057*
23 (' 11)	385 850	3.1	301.9	3.3	5 000 405	△ 1.0	3 574 735	△ 2.0	7.72	10.79	127 799
24 (' 12)	392 117	1.6	307.5	1.9	4 994 239	△ 0.1	3 581 562	0.2	7.85	10.95	127 515
25 (' 13)	400 610	2.2	314.7	2.3	5 126 856	2.7	3 725 700	4.0	7.81	10.75	127 298
26 (' 14)	408 071	1.9	321.1	2.0	5 234 183	2.1	3 766 776	1.1	7.80	10.83	127 083
27 (' 15)	423 644	3.8	333.3	3.8	5 407 394	3.3	3 926 293	4.2	7.83	10.79	127 095*
28 (' 16)	421 381	△ 0.5	332.0	△ 0.4	5 448 272	0.8	3 922 939	△ 0.1	7.73	10.74	126 933
29 (' 17)	430 710	2.2	339.9	2.4	5 556 874	2.0	4 006 881	2.1	7.75	10.75	126 706
30 (' 18)	433 949	0.8	343.2	1.0	5 568 279	0.2	4 022 290	0.4	7.79	10.79	126 443
令和元年度 (' 19)	443 895	2.3	351.8	2.5	5 596 988	0.5	4 012 870	△ 0.2	7.93	11.06	126 167

注： 1 ）国内総生産（GDP）及び国民所得（NI）は、内閣府「国民経済計算」による。
　　 2 ）総人口は、総務省統計局「国勢調査」（ * 印）及び「人口推計」（各年10月 1 日現在）による。
　　 3 ）平成12年 4 月から介護保険制度が開始されたことに伴い、従来国民医療費の対象となっていた費用のうち
　　　　介護保険の費用に移行したものがあるが、これらは平成12年度以降、国民医療費に含まれていない。

第2表　国民医療費・構成割合，診療種類・制度区分別

制度区分	総数	医科診療医療費 総数	入院	入院外	歯科診療医療費	薬局調剤医療費	入院時食事・生活医療費	訪問看護医療費	療養費等
				国　民　医　療　費　（億円）					
総数	443 895	319 583	168 992	150 591	30 150	78 411	7 901	2 727	5 124
公費負担医療給付分	32 301	22 512	11 825	10 688	1 586	6 487	769	740	206
生活保護法	17 963	13 585	9 413	4 172	685	2 744	671	195	83
精神保健及び精神障害者福祉に関する法律	74	66	66	0	0	-	8	-	-
障害者総合支援法	4 570	3 039	456	2 583	2	1 189	6	335	-
その他 1)	9 693	5 823	1 889	3 933	899	2 554	83	210	123
感染症法（結核）（再掲）2)	33	29	26	3	0	1	3	-	-
児童福祉法（再掲）	488	343	210	133	4	91	30	19	-
特定疾患治療研究費（再掲）	13	7	1	6	0	5	1	0	0
地方公共団体単独実施（再掲）	6 797	3 978	883	3 095	884	1 742	14	56	123
医療保険等給付分	200 457	143 628	70 614	73 014	16 808	35 408	1 403	953	2 256
医療保険	197 263	140 961	68 873	72 088	16 765	34 970	1 362	952	2 254
被用者保険	106 624	73 709	32 248	41 460	11 024	19 895	313	322	1 362
被保険者	57 944	39 395	16 676	22 719	6 489	11 044	143	51	821
被扶養者	41 829	29 166	12 929	16 238	4 135	7 627	140	249	511
高齢 3)	6 852	5 147	2 643	2 504	400	1 224	29	22	30
協会管掌健康保険	58 540	40 726	18 392	22 334	5 797	10 822	192	176	827
組合管掌健康保険	37 034	25 308	10 625	14 682	4 081	7 039	93	111	401
船員保険	192	134	66	69	18	37	1	0	2
国家公務員共済組合	2 447	1 685	702	982	260	460	6	9	28
地方公務員共済組合	7 075	4 932	2 076	2 855	730	1 289	19	21	86
私立学校教職員共済	1 336	924	386	538	138	249	3	4	18
国民健康保険	90 639	67 252	36 624	30 628	5 741	15 076	1 048	630	893
高齢者以外	57 480	42 396	23 255	19 141	3 879	9 365	760	480	599
高齢者 3)	33 159	24 856	13 369	11 487	1 862	5 710	288	149	294
退職者医療制度（再掲）	90	65	34	32	6	15	1	1	1
その他	3 194	2 668	1 742	926	43	438	41	…	…
労働者災害補償保険	2 622	2 234	1 562	673	11	338	39	…	…
その他 4)	572	434	180	253	32	100	3	1	1
後期高齢者医療給付分	156 596	121 089	76 641	44 448	5 763	24 934	2 057	1 073	1 680
患者等負担分	54 540	32 353	9 912	22 441	5 992	11 580	3 672	…	…
全額負担	5 396	3 837	1 161	2 676	133	1 372	54	…	…
公費負担医療給付分・医療保険等給付分又は後期高齢者医療給付分の一部負担	49 144	28 516	8 751	19 765	5 858	10 209	3 618	…	982
軽減特例措置 5)	2	1	0	1	0	1	-	0	0
				構　成　割　合　（%）					
総数	100.0	100.0	100.0	100.0	100.0	100.0	100.0	100.0	100.0
公費負担医療給付分	7.3	7.0	7.0	7.1	5.3	8.3	9.7	27.1	4.0
生活保護法	4.0	4.3	5.6	2.8	2.3	3.5	8.5	7.2	1.6
精神保健及び精神障害者福祉に関する法律	0.0	0.0	0.0	0.0	0.0	-	0.1	-	-
障害者総合支援法	1.0	1.0	0.3	1.7	0.0	1.5	0.1	12.3	-
その他 1)	2.2	1.8	1.1	2.6	3.0	3.3	1.1	7.7	2.4
感染症法（結核）（再掲）2)	0.0	0.0	0.0	0.0	0.0	0.0	0.0	-	-
児童福祉法（再掲）	0.1	0.1	0.1	0.1	0.0	0.1	0.4	0.7	-
特定疾患治療研究費（再掲）	0.0	0.0	0.0	0.0	0.0	0.0	0.0	0.0	0.0
地方公共団体単独実施（再掲）	1.5	1.2	0.5	2.1	2.9	2.2	0.2	2.1	2.4
医療保険等給付分	45.2	44.9	41.8	48.5	55.7	45.2	17.8	34.9	44.0
医療保険	44.4	44.1	40.8	47.9	55.6	44.6	17.2	34.9	44.0
被用者保険	24.0	23.1	19.1	27.5	36.6	25.4	4.0	11.8	26.6
被保険者	13.1	12.3	9.9	15.1	21.5	14.1	1.8	1.9	16.0
被扶養者	9.4	9.1	7.7	10.8	13.7	9.7	1.8	9.1	10.0
高齢 3)	1.5	1.6	1.6	1.7	1.3	1.6	0.4	0.8	0.6
協会管掌健康保険	13.2	12.7	10.9	14.8	19.2	13.8	2.4	6.5	16.1
組合管掌健康保険	8.3	7.9	6.3	9.7	13.5	9.0	1.2	4.1	7.8
船員保険	0.0	0.0	0.0	0.0	0.1	0.0	0.0	0.0	0.0
国家公務員共済組合	0.6	0.5	0.4	0.7	0.9	0.6	0.1	0.3	0.5
地方公務員共済組合	1.6	1.5	1.2	1.9	2.4	1.6	0.2	0.8	1.7
私立学校教職員共済	0.3	0.3	0.2	0.4	0.5	0.3	0.0	0.1	0.4
国民健康保険	20.4	21.0	21.7	20.3	19.0	19.2	13.3	23.1	17.4
高齢者以外	12.9	13.3	13.8	12.7	12.9	11.9	9.6	17.6	11.7
高齢者 3)	7.5	7.8	7.9	7.6	6.2	7.3	3.6	5.5	5.7
退職者医療制度（再掲）	0.0	0.0	0.0	0.0	0.0	0.0	0.0	0.0	0.0
その他	0.7	0.8	1.0	0.6	0.1	0.6	0.5	…	…
労働者災害補償保険	0.6	0.7	0.9	0.4	0.0	0.4	0.5	…	…
その他 4)	0.1	0.1	0.1	0.2	0.1	0.1	0.0	0.0	0.0
後期高齢者医療給付分	35.3	37.9	45.4	29.5	19.1	31.8	26.0	39.3	32.8
患者等負担分	12.3	10.1	5.9	14.9	19.9	14.8	46.5	…	…
全額負担	1.2	1.2	0.7	1.8	0.4	1.7	0.7	…	…
公費負担医療給付分・医療保険等給付分又は後期高齢者医療給付分の一部負担	11.1	8.9	5.2	13.1	19.4	13.0	45.8	…	19.2
軽減特例措置 5)	0.0	0.0	0.0	0.0	0.0	0.0	-	0.0	0.0

注：1）母子保健法、原子爆弾被爆者に対する援護に関する法律、難病の患者に対する医療等に関する法律等及び肝炎治療
　　　特別促進事業に係る医療費である。
　　2）感染症の予防及び感染症の患者に対する医療に関する法律（以下、感染症法）における結核に係る医療費である。
　　3）被用者保険及び国民健康保険適用の高齢者は70歳以上である。
　　4）国家公務員災害補償法、地方公務員災害補償法、独立行政法人日本スポーツ振興センター法、防衛省の職員の給与
　　　等に関する法律、公害健康被害の補償等に関する法律及び健康被害救済制度による救済給付等の医療費である。
　　5）平成20年4月から平成31年3月までの70～74歳の患者の窓口負担の軽減措置に関する国庫負担分である。

第1表　第2表

（単位：億円）

制度区分	昭和29年度(1954)	30('55)	31('56)	32('57)	33('58)	34('59)	35('60)
総　　　　数	2 152	2 388	2 583	2 897	3 230	3 625	4 095
公費負担医療給付分	264	279	292	303	343	400	451
生活保護法	228	244	241	242	273	323	364
結核予防法1)	32	31	30	37	40	43	48
精神保健及び精神障害者福祉に関する法律2)3)	…	…	11	12	16	18	21
障害者総合支援法3)	・	・	・	・	・	・	・
老人福祉法4)	・	・	・	・	・	・	・
その他3)5)6)	4	5	10	12	14	16	18
感染症法（結核）（再掲）1)	・	・	・	・	・	・	・
医療保険等給付分	1 066	1 185	1 317	1 489	1 686	2 065	2 415
医療保険	1 023	1 140	1 257	1 420	1 610	1 973	2 319
被用者保険	865	952	1 029	1 145	1 271	1 512	1 721
被保険者	633	697	744	815	905	1 073	1 224
被扶養者	232	255	285	330	367	439	497
協会管掌健康保険7)	357	386	425	483	546	656	758
日雇労働者健康保険8)	12	25	32	37	47	59	68
組合管掌健康保険	277	290	309	345	383	456	523
船員保険	14	15	16	17	20	23	25
国家公務員等共済組合	・	・	・	・	・	・	・
国家公務員共済組合9)	} 198	} 206	163	173	180	203	219
公共企業体職員等共済組合10)			50	53	56	67	75
市町村職員共済組合11)	5	27	29	31	34	39	44
地方公務員共済組合	・	・	・	・	・	・	・
私立学校教職員共済	4	5	5	6	6	8	8
国民健康保険	158	188	228	275	339	461	598
退職者医療制度（再掲）12)	・	・	・	・	・	・	・
その他	43	45	60	68	76	92	96
労働者災害補償保険	41	43	52	60	66	76	87
その他13)	2	2	8	8	10	16	9
後期高齢者医療給付分14)	・	・	・	・	・	・	・
患者等負担分	822	923	975	1 105	1 202	1 160	1 229
全額負担	437	495	500	517	535	321	214
公費負担医療給付分・医療保険等給付分又は後期高齢者医療給付分の一部負担6)	385	428	475	588	667	839	1 015
軽減特例措置15)	・	・	・	・	・	・	・

注：1）平成19年4月に結核予防法が感染症法に統合された。
　　2）昭和63年7月〜平成7年6月までは精神保健法、それ以前は精神衛生法である。
　　3）身体障害者福祉法、児童福祉法、精神保健及び精神障害者福祉に関する法律により負担していた医療費の一部が平成18年4月から障害者自立支援法に組み込まれた。また、平成25年4月から、障害者自立支援法は障害者総合支援法（障害者の日常生活及び社会生活を総合的に支援するための法律）に法律の題名が変更された。
　　4）昭和48年1月〜昭和58年1月まで実施され、昭和58年2月から老人保健法に移行した。
　　5）母子保健法、児童福祉法、原子爆弾被爆者に対する援護に関する法律（平成5年度以前は、原子爆弾被爆者の医療等に関する法律）、戦傷病者特別援護法等による医療費及び地方公共団体単独実施に係る医療費である。
　　6）平成8年度から地方公共団体単独実施に係る医療費の把握方法を変更している。
　　7）平成20年10月1日に全国健康保険協会が設立され、従来の政府管掌健康保険は協会管掌健康保険として全国健康保険協会が運営することとなった。
　　8）昭和59年度は、昭和59年4月〜9月分である。10月以降は、協会管掌健康保険に含まれる。
　　9）昭和59年度〜平成8年度までは国家公務員等共済組合に含まれる。

36 ('61)	37 ('62)	38 ('63)	39 ('64)	40 ('65)	41 ('66)	42 ('67)	43 ('68)	44 ('69)	45 ('70)
5 130	6 132	7 541	9 389	11 224	13 002	15 116	18 016	20 780	24 962
599	806	1 030	1 220	1 471	1 633	1 826	2 089	2 321	2 822
407	422	488	596	750	871	1 009	1 190	1 360	1 680
114	228	349	391	432	436	441	474	488	540
51	110	143	176	222	247	283	327	359	437
•	•	•	•	•	•	•	•	•	•
27	46	50	58	68	79	93	99	115	165
•	•	•	•	•	•	•	•	•	•
3 121	3 790	4 823	6 133	7 442	8 749	10 214	12 281	14 307	17 320
3 008	3 651	4 654	5 928	7 193	8 427	9 860	11 848	13 802	16 699
2 184	2 676	3 414	4 317	5 178	6 002	6 827	7 988	9 338	11 342
1 575	1 946	2 515	3 209	3 855	4 495	5 055	5 809	6 834	8 306
609	730	899	1 108	1 323	1 507	1 772	2 179	2 503	3 036
987	1 222	1 575	2 025	2 443	2 861	3 251	3 788	4 423	5 351
85	109	137	166	194	236	287	358	419	406
664	800	1 003	1 262	1 509	1 735	1 984	2 367	2 832	3 566
31	37	48	59	72	81	89	100	113	133
•	•	•	•	•	•	•	•	•	•
260	131	160	194	230	259	285	320	359	429
91	104	126	150	174	194	214	236	266	326
55									
•	261	348	437	526	599	673	766	866	1 057
10	13	17	23	30	37	43	51	60	74
824	975	1 240	1 611	2 015	2 425	3 034	3 860	4 464	5 357
•	•	•	•	•	•	•	•	•	•
113	139	169	205	248	322	354	433	505	621
104	128	157	190	230	289	317	385	449	549
9	11	12	15	18	33	37	49	56	72
1 410	1 536	1 688	2 036	2 312	2 620	3 074	3 645	4 152	4 820
186	137	100	165	189	246	350	403	529	645
1 224	1 399	1 588	1 871	2 123	2 374	2 724	3 242	3 624	4 174
•	•	•	•	•	•	•	•	•	•

第3表

10）昭和59年度〜平成8年度までは国家公務員等共済組合、平成9年度以降は組合管掌健康保険に含まれる。
11）昭和37年度以降は、地方公務員共済組合に含まれる。
12）昭和59年度は、昭和59年10月〜昭和60年3月分である。
13）国家公務員災害補償法、地方公務員災害補償法、独立行政法人日本スポーツ振興センター法、防衛省の職員の給与等に関する法律、公害健康被害の補償等に関する法律及び健康被害救済制度による救済給付による医療費である。
14）平成20年3月に老人保健制度が廃止となり、平成20年4月から新たに後期高齢者医療制度が創設された。
15）平成20年4月から平成31年3月までの70〜74歳の患者の窓口負担の軽減措置に関する国庫負担分である。
16）平成14年度の老人保健法改正に伴い、平成15年度より医療保険適用分の高齢者(70歳以上)を別掲とした。平成14年度は高齢者を区分しておらず、被用者保険については被扶養者に計上した。
17）平成11年度及び平成12年度の患者負担分の( )の数値は、平成11年7月〜平成12年12月までの老人薬剤一部負担に関する臨時特例措置による国庫負担分である。
18）平成12年4月から介護保険制度が開始されたことに伴い、従来国民医療費の対象となっていた費用のうち介護保険の費用に移行したものがあるが、これらは平成12年度以降、国民医療費に含まれていない。

（単位：億円）

制　度　区　分	昭和46年度 (1971)	47 ('72)	48 ('73)	49 ('74)	50 ('75)	51 ('76)	52 ('77)
総　　　　　　　　　　数	27 250	33 994	39 496	53 786	64 779	76 684	85 686
公　費　負　担　医　療　給　付　分	3 209	4 607	5 488	7 276	8 471	9 781	11 357
生　　活　　保　　護　　法	1 909	2 411	2 568	3 519	4 210	4 875	5 315
結　　核　　予　　防　　法 1)	562	688	635	784	819	840	793
精神保健及び精神障害者福祉に関する法律 2)3)	475	597	622	887	961	1 006	1 021
障　害　者　総　合　支　援　法 3)	・	・	・	・	・	・	・
老　　人　　福　　祉　　法 4)	・	} 911	1 385	1 760	2 127	2 635	3 103
そ　　　　　　の　　　　　　他 3)5)6)	262		278	328	354	424	1 124
感　染　症　法（結核）（再掲）1)	・	・	・	・	・	・	・
医　療　保　険　等　給　付　分	18 872	23 401	27 767	39 301	47 933	57 303	64 311
医　　　　療　　　　保　　　　険	18 218	22 608	26 926	38 158	46 541	55 495	62 238
被　　用　　者　　保　　険	12 083	14 791	17 593	25 081	30 262	35 783	39 818
被　　保　　険　　者	8 726	10 382	11 464	15 054	17 584	20 423	22 629
被　　扶　　養　　者	3 357	4 409	6 130	10 027	12 678	15 360	17 189
協　会　管　掌　健　康　保　険 7)	5 684	6 884	8 183	11 694	13 870	16 471	18 477
日　雇　労　働　者　健　康　保　険 8)	317	320	318	427	530	617	670
組　合　管　掌　健　康　保　険	3 934	4 910	6 012	8 499	10 288	12 169	13 471
船　　　員　　　保　　　険	144	175	207	310	372	433	476
国　家　公　務　員　等　共　済　組　合	・	・	・	・	・	・	・
国　家　公　務　員　共　済　組　合 9)	449	557	642	920	1 143	1 335	1 456
公　共　企　業　体　職　員　等　共　済　組　合 10)	350	436	496	691	845	995	1 094
市　町　村　職　員　共　済　組　合 11)	・	・	・	・	・	・	・
地　方　公　務　員　共　済　組　合	1 125	1 405	1 616	2 354	2 974	3 477	3 846
私　立　学　校　教　職　員　共　済	81	103	119	186	240	285	328
国　　民　　健　　康　　保　　険	6 135	7 817	9 332	13 077	16 280	19 711	22 420
退　職　者　医　療　制　度（再掲）12)	・	・	・	・	・	・	・
そ　　　　　　の　　　　　　他	654	794	842	1 143	1 391	1 808	2 073
労　働　者　災　害　補　償　保　険	578	700	749	1 009	1 167	1 488	1 676
そ　　　　　の　　　　　他 13)	76	94	93	134	224	320	397
後　期　高　齢　者　医　療　給　付　分 14)	・	・	・	・	・	・	・
患　　者　　等　　負　　担　　分	5 169	5 986	6 241	7 209	8 375	9 600	10 018
全　　　額　　　負　　　担	767	957	1 197	1 285	1 726	1 808	1 862
公費負担医療給付分・医療保険等給付分 　又は後期高齢者医療給付分の一部負担 6)	4 402	5 029	5 044	5 924	6 649	7 793	8 156
軽　　減　　特　　例　　措　　置 15)	・	・	・	・	・	・	・

53 ('78)	54 ('79)	55 ('80)	56 ('81)	57 ('82)	58 ('83)	59 ('84)	60 ('85)	61 ('86)	62 ('87)
100 042	109 510	119 805	128 709	138 659	145 438	150 932	160 159	170 690	180 759
13 094	13 931	14 752	15 712	15 854	11 480	11 724	12 090	11 845	11 544
6 190	6 515	6 848	7 275	7 672	7 928	8 164	8 443	8 177	7 950
801	711	629	564	539	502	523	572	544	493
1 118	1 080	1 048	1 059	1 015	986	960	938	879	868
·	·	·		·			·	·	·
3 637	4 095	4 565	5 010	4 630	·	·	·	·	·
1 348	1 530	1 662	1 803	1 997	2 064	2 077	2 138	2 245	2 233
·				·					
75 256	83 049	91 839	99 069	103 348	85 283	85 828	88 506	94 405	99 625
72 745	80 366	88 986	96 067	100 208	82 087	82 547	85 090	90 940	96 159
45 651	49 707	54 389	57 947	60 433	54 463	53 223	52 273	55 087	57 648
25 402	27 550	30 313	31 764	33 800	34 174	32 146	29 959	31 524	32 917
20 249	22 158	24 075	26 183	26 634	20 289	21 077	22 315	23 563	24 732
21 323	23 581	26 097	28 032	29 317	26 266	25 433	24 794	25 963	27 242
752	793	828	838	794	613	293	·	·	·
15 313	16 508	17 886	19 037	19 879	18 320	18 283	18 408	19 731	20 876
530	557	591	612	613	517	489	480	480	466
·	·	·		·		3 095	3 007	3 071	3 009
1 684	1 782	1 927	2 023	2 101	1 846	·	·	·	·
1 244	1 318	1 399	1 451	1 462	1 285	·	·	·	·
4 412	4 725	5 163	5 421	5 696	5 094	5 098	5 055	5 270	5 450
393	444	497	533	571	523	531	530	571	607
27 095	30 658	34 598	38 120	39 774	27 624	29 325	32 816	35 853	38 510
·	·	·	·	·	·	2 015	5 262	6 184	7 100
2 510	2 684	2 852	3 002	3 140	3 196	3 280	3 417	3 465	3 467
2 027	2 147	2 270	2 377	2 462	2 483	2 559	2 664	2 682	2 649
483	537	582	625	677	713	721	753	783	818
·	·	·	·	4 897	32 899	35 889	40 377	43 829	47 084
11 692	12 530	13 215	13 928	14 560	15 776	17 492	19 185	20 611	22 506
2 256	2 404	2 492	2 528	2 678	2 917	3 039	3 248	3 439	3 526
9 436	10 125	10 723	11 400	11 882	12 858	14 453	15 937	17 173	18 980
·	·	·	·	·	·	·	·	·	·

（単位：億円）

制　度　区　分	昭和63年度 (1988)	平成元年度 ('89)	2 ('90)	3 ('91)	4 ('92)	5 ('93)	6 ('94)
総　　　　　　　　　　　　　　数	187 554	197 290	206 074	218 260	234 784	243 631	257 908
公 費 負 担 医 療 給 付 分	11 101	11 094	11 001	11 133	11 519	11 874	12 618
生　活　保　護　法	7 642	7 571	7 396	7 417	7 617	7 815	8 270
結　核　予　防　法 1)	429	404	390	378	382	345	381
精神保健及び精神障害者福祉に関する法律 2)3)	728	692	669	627	633	647	689
障 害 者 総 合 支 援 法 3)	・	・	・	・	・	・	・
老　人　福　祉　法 4)	・	・	・	・	・	・	・
そ　　　　　の　　　　　他 3)5)6)	2 302	2 427	2 546	2 712	2 886	3 067	3 278
感 染 症 法（結核）（再掲）1)	・	・	・	・	・	・	・
医 療 保 険 等 給 付 分	103 279	107 868	112 543	118 695	128 206	131 632	136 548
医　　　療　　　保　　　険	99 790	104 473	109 217	115 425	124 826	128 279	133 199
被　　用　　者　　保　　険	60 060	63 093	66 440	70 870	77 065	79 119	82 115
被　　保　　険　　者	34 172	36 181	38 393	41 399	45 514	47 096	48 751
被　　扶　　養　　者	25 888	26 912	28 046	29 471	31 551	32 023	33 364
高　　　　齢　　　　者 16)	・	・	・	・	・	・	・
協 会 管 掌 健 康 保 険 7)	28 575	30 579	32 596	35 025	38 373	39 450	41 048
日 雇 労 働 者 健 康 保 険 8)	・	・	・	・	・	・	・
組 合 管 掌 健 康 保 険	21 697	22 766	23 849	25 501	27 748	28 460	29 682
船　　　員　　　保　　　険	438	421	409	401	410	396	387
国 家 公 務 員 等 共 済 組 合	3 023	2 956	3 017	3 106	3 254	3 331	3 356
国 家 公 務 員 共 済 組 合 9)	・	・	・	・	・	・	・
公 共 企 業 体 職 員 等 共 済 組 合 10)	・	・	・	・	・	・	・
市 町 村 職 員 共 済 組 合 11)	・	・	・	・	・	・	・
地 方 公 務 員 共 済 組 合	5 675	5 689	5 849	6 063	6 440	6 610	6 736
私 立 学 校 教 職 員 共 済	653	682	720	773	839	872	906
国　民　健　康　保　険	39 730	41 381	42 778	44 555	47 761	49 160	51 085
高　齢　者　以　外	・	・	・	・	・	・	・
高　　　齢　　　者 16)	・	・	・	・	・	・	・
退 職 者 医 療 制 度（再掲）12)	7 703	8 422	8 974	9 617	10 514	11 057	11 591
そ　　　　　の　　　　　他	3 489	3 394	3 326	3 270	3 380	3 353	3 349
労 働 者 災 害 補 償 保 険	2 644	2 613	2 584	2 551	2 644	2 630	2 638
そ　　　　の　　　　他 13)	845	782	742	719	736	723	710
後 期 高 齢 者 医 療 給 付 分 14)	50 002	54 097	57 646	62 305	67 343	71 778	78 412
患　者　等　負　担　分	23 173	24 231	24 884	26 127	27 716	28 347	30 330
全　　額　　負　　担	3 479	3 581	3 520	3 561	3 658	3 741	3 678
公費負担医療給付分・医療保険等給付分 　又は後期高齢者医療給付分の一部負担 6)	19 694	20 650	21 364	22 566	24 058	24 606	26 652
17)							
軽　減　特　例　措　置 15)	・	・	・	・	・	・	・

7 ('95)	8 ('96)	9 ('97)	10 ('98)	11 ('99)	12 (2000)	13 ('01)	14 ('02)	15 ('03)	16 ('04)
269 577	284 542	289 149	295 823	307 019	301 418	310 998	309 507	315 375	321 111
12 953	15 313	15 982	17 202	18 289	18 514	19 617	19 938	20 908	21 671
8 610	8 909	9 254	9 793	10 474	10 650	11 314	11 650	12 511	12 952
208	125	130	134	133	120	112	104	95	89
554	543	627	711	785	853	963	1 047	1 134	1 242
·	··	·	·	·	·	·	·	·	·
·	·	·	·	·	·	·	·	·	·
3 582	5 736	5 971	6 564	6 898	6 890	7 228	7 138	7 168	7 389
140 042	145 156	140 159	137 823	138 456	140 214	141 871	139 855	141 032	147 514
136 641	141 741	136 826	134 575	135 298	137 073	138 755	136 959	138 171	144 673
83 674	86 864	81 976	78 474	77 457	77 603	77 833	75 665	71 436	72 779
49 840	51 685	47 473	43 785	43 155	43 180	43 259	41 698	36 368	36 755
33 834	35 178	34 503	34 689	34 303	34 423	34 573	33 966	34 131	34 301
·	·	·	·	·	·	·	...	938	1 723
42 045	43 741	41 086	39 032	38 426	38 431	38 562	37 224	34 765	35 671
·	·	·	·	·	·	·	·	·	·
29 968	31 163	30 463	29 387	29 073	29 123	29 267	28 660	27 113	27 532
375	370	342	314	299	281	264	239	219	210
3 457	3 575	·	·	·	·	·	·	·	·
·	·	2 262	2 192	2 190	2 245	2 255	2 241	2 190	2 188
·	·	·	·	·	·	·	·	·	·
·	·	·	·	·	·	·	·	·	·
6 884	7 046	6 875	6 632	6 572	6 609	6 558	6 388	6 273	6 286
945	968	948	918	898	914	927	912	876	892
52 968	54 877	54 849	56 101	57 841	59 470	60 922	61 294	66 734	71 894
·	·	·	·	·	·	·	...	62 286	62 783
·	·	·	·	·	·	·	...	4 448	9 112
12 152	12 706	12 924	13 522	14 584	15 254	15 891	16 159	17 793	20 803
3 400	3 415	3 334	3 248	3 158	3 141	3 116	2 896	2 861	2 841
2 694	2 707	2 660	2 592	2 507	2 505	2 479	2 299	2 266	2 257
707	708	674	657	651	636	636	597	595	584
84 877	92 898	96 762	101 737	110 275	102 399	107 641	106 652	106 686	105 730
31 705	31 175	36 245	39 061	39 999	40 291	41 870	43 062	46 749	46 196
3 875	3 727	3 792	3 796	3 904	4 005	4 005	4 032	4 038	3 954
27 831	27 448	32 453	35 265	36 095	36 286	37 865	39 030	42 711	42 242
				(995)	(1055)				
·	·	·	·	·	·	·	·	·	·

（単位：億円）

制　度　区　分	平成17年度 (2005)	18 （'06）	19 （'07）	20 （'08）	21 （'09）	22 （'10）
総　　　　　　　　　　　　　　数	331 289	331 276	341 360	348 084	360 067	374 202
公　費　負　担　医　療　給　付　分	21 987	22 125	23 002	23 310	24 623	26 447
生　　活　　保　　護　　法	13 453	13 444	13 119	13 561	14 614	15 654
結　　核　　予　　防　　法 1)	80	53	・	・	・	・
精神保健及び精神障害者福祉に関する法律 2)3)	1 350	65	66	65	64	64
障　害　者　総　合　支　援　法 3)	・	1 508	2 424	2 687	2 925	3 159
老　　人　　福　　祉　　法 4)	・	・	・	・	・	・
そ　　　　の　　　　他 3)5)6)	7 104	7 054	7 393	6 996	7 020	7 569
感　染　症　法（結核）（再掲）1)	・	・	49	52	51	48
児　童　福　祉　法（再掲）	…	…	…	…	…	557
特　定　疾　患　治　療　研　究　費（再掲）	…	…	…	…	…	557
地　方　公　共　団　体　単　独　実　施（再掲）	…	…	…	…	…	5 548
医　療　保　険　等・給　付　分	155 377	159 272	167 576	169 548	173 368	178 950
医　　　　療　　　　保　　　　険	152 566	156 480	164 782	166 798	170 769	176 132
被　　用　　者　　保　　険	74 714	75 411	78 163	80 038	81 615	84 348
被　　保　　険　　者	37 440	37 344	38 838	39 636	40 452	41 936
被　　扶　　養　　者	34 516	34 464	34 848	35 964	36 733	38 109
高　　　齢　　　者 16)	2 757	3 603	4 477	4 439	4 430	4 304
協　会　管　掌　健　康　保　険 7)	36 798	37 268	38 871	39 637	40 510	41 973
日　雇　労　働　者　健　康　保　険 8)	・	・	・	・	・	・
組　合　管　掌　健　康　保　険	28 195	28 563	29 640	30 572	31 094	31 906
船　　員　　保　　険	211	204	210	209	205	190
国　家　公　務　員　等　共　済　組　合	・	・	・	・	・	・
国　家　公　務　員　共　済　組　合 9)	2 192	2 152	2 153	2 181	2 210	2 270
公　共　企　業　体　職　員　等　共　済　組　合 10)	・	・	・	・	・	・
市　町　村　職　員　共　済　組　合 11)	・	・	・	・	・	・
地　方　公　務　員　共　済　組　合	6 405	6 306	6 345	6 460	6 585	6 946
私　立　学　校　教　職　員　共　済	913	918	944	979	1 011	1 064
国　　民　　健　　康　　保　　険	77 852	81 069	86 619	86 759	89 154	91 784
高　　齢　　者　　以　　外	63 403	61 721	61 908	62 368	64 097	65 488
高　　　　齢　　　　者 16)	14 449	19 347	24 711	24 391	25 057	26 296
退　職　者　医　療　制　度（再掲）12)	24 278	24 899	27 888	5 664	5 526	5 985
そ　　　　　の　　　　　他	2 811	2 792	2 793	2 750	2 599	2 818
労　働　者　災　害　補　償　保　険	2 249	2 234	2 242	2 238	2 106	2 194
そ　　　　　の　　　　　他 13)	562	558	551	512	493	624
後　期　高　齢　者　医　療　給　付　分 14)	106 353	102 325	102 785	104 273	110 307	116 876
患　　者　　等　　負　　担　　分	47 572	47 555	47 996	49 141	49 905	50 103
全　　　額　　　負　　　担	4 119	4 027	4 147	4 408	4 434	4 702
公費負担医療給付分・医療保険等給付分 又は後期高齢者医療給付分の一部負担 6)	43 453	43 528	43 850	44 732	45 472	45 401
軽　減　特　例　措　置 15)	・	・	・	1 813	1 864	1 826

23 ('11)	24 ('12)	25 ('13)	26 ('14)	27 ('15)	28 ('16)	29 ('17)	30 ('18)	令和元年度 ('19)
385 850	392 117	400 610	408 071	423 644	421 381	430 710	433 949	443 895
28 022	28 925	29 792	30 390	31 498	31 433	32 040	31 751	32 301
16 398	16 721	17 036	17 273	17 774	17 496	17 721	17 706	17 963
・	・	・	・	・	・	・	・	・
66	68	68	68	69	74	70	72	74
3 425	3 885	4 050	4 093	4 333	4 349	4 482	4 468	4 570
・	・	・	・	・	・	・	・	・
8 134	8 251	8 639	8 956	9 321	9 513	9 766	9 505	9 693
46	46	44	42	41	38	38	40	33
564	351	364	425	455	454	455	472	488
556	697	892	876	13	12	12	12	13
6 106	6 301	6 502	6 601	6 765	6 889	7 102	6 747	6 797
183 360	185 826	188 109	191 253	198 284	195 663	197 402	197 291	200 457
180 466	182 811	185 125	188 176	195 244	192 614	194 271	194 066	197 263
86 234	87 480	88 815	91 242	96 039	97 210	100 970	103 110	106 624
42 974	43 918	44 973	46 492	49 761	51 144	53 828	55 375	57 944
38 897	39 122	39 204	39 846	41 182	41 141	41 700	41 689	41 829
4 363	4 440	4 638	4 903	5 096	4 925	5 442	6 046	6 852
42 919	43 724	44 926	46 677	49 991	51 177	53 758	55 425	58 540
・	・	・	・	・	・	・	・	・
32 595	33 066	33 238	33 840	35 089	35 254	36 248	36 824	37 034
194	193	189	188	192	195	194	188	192
・	・	・	・	・	・	・	・	・
2 323	2 335	2 342	2 371	2 430	2 319	2 441	2 405	2 447
・	・	・	・	・	・	・	・	・
・	・	・	・	・	・	・	・	・
7 109	7 043	6 974	6 989	7 103	7 061	7 052	6 979	7 075
1 095	1 119	1 145	1 177	1 236	1 203	1 278	1 290	1 336
94 231	95 331	96 310	96 934	99 205	95 404	93 301	90 957	90 639
66 773	66 883	66 311	65 447	67 032	65 323	62 546	59 577	57 480
27 459	28 448	29 999	31 487	32 173	30 081	30 755	31 380	33 159
6 549	6 410	5 867	4 921	3 939	2 486	1 333	503	90
2 894	3 016	2 984	3 077	3 040	3 049	3 131	3 224	3 194
2 265	2 381	2 357	2 451	2 423	2 440	2 523	2 636	2 622
629	634	627	626	617	609	608	588	572
122 533	126 209	130 821	133 900	140 255	141 731	147 805	150 576	156 596
50 044	49 255	49 918	50 659	52 042	51 435	52 750	54 047	54 540
4 758	4 806	5 035	5 334	5 486	5 425	5 400	5 413	5 396
45 287	44 449	44 883	45 326	46 556	46 010	47 351	48 635	49 144
1 891	1 901	1 970	1 869	1 565	1 119	713	283	2

（単位：%）

制　度　区　分	昭和29年度 (1954)	30 ('55)	31 ('56)	32 ('57)	33 ('58)	34 ('59)	35 ('60)
総　　　　　　　　数	100.0	100.0	100.0	100.0	100.0	100.0	100.0
公　費　負　担　医　療　給　付　分	12.3	11.7	11.3	10.5	10.6	11.0	11.0
生　　活　　保　　護　　法	10.6	10.2	9.3	8.4	8.5	8.9	8.9
結　　核　　予　　防　　法 1)	1.5	1.3	1.2	1.3	1.2	1.2	1.2
精神保健及び精神障害者福祉に関する法律 2)3)	…	…	0.4	0.4	0.5	0.5	0.5
障　害　者　総　合　支　援　法 3)	・	・	・	・	・	・	・
老　　人　　福　　祉　　法 4)	・	・	・	・	・	・	・
そ　　　　　の　　　　　他 3)5)6)	0.2	0.2	0.4	0.4	0.4	0.4	0.4
感　染　症　法（結核）（再掲）1)	・	・	・	・	・	・	・
医　療　保　険　等　給　付　分	49.5	49.6	51.0	51.4	52.2	57.0	59.0
医　　　療　　　保　　　険	47.5	47.7	48.7	49.0	49.8	54.4	56.6
被　　用　　者　　保　　険	40.2	39.9	39.8	39.5	39.3	41.7	42.0
被　　保　　険　　者	29.4	29.2	28.8	28.1	28.0	29.6	29.9
被　　扶　　養　　者	10.8	10.7	11.0	11.4	11.4	12.1	12.1
協　会　管　掌　健　康　保　険 7)	16.6	16.2	16.5	16.7	16.9	18.1	18.5
日　雇　労　働　者　健　康　保　険 8)	0.6	1.0	1.2	1.3	1.5	1.6	1.7
組　合　管　掌　健　康　保　険	12.9	12.1	12.0	11.9	11.9	12.6	12.8
船　　員　　保　　険	0.7	0.6	0.6	0.6	0.6	0.6	0.6
国　家　公　務　員　等　共　済　組　合	・	・	・	・	・	・	・
国　家　公　務　員　共　済　組　合 9)	} 9.2	} 8.6	6.3	6.0	5.6	5.6	5.3
公　共　企　業　体　職　員　等　共　済　組　合 10)			1.9	1.8	1.7	1.8	1.8
市　町　村　職　員　共　済　組　合 11)	0.2	1.1	1.1	1.1	1.1	1.1	1.1
地　方　公　務　員　共　済　組　合	・	・	・	・	・	・	・
私　立　学　校　教　職　員　共　済	0.2	0.2	0.2	0.2	0.2	0.2	0.2
国　民　健　康　保　険	7.3	7.9	8.8	9.5	10.5	12.7	14.6
退　職　者　医　療　制　度（再掲）12)	・	・	・	・	・	・	・
そ　　　　　の　　　　　他	2.0	1.9	2.3	2.3	2.4	2.5	2.3
労　働　者　災　害　補　償　保　険	1.9	1.8	2.0	2.1	2.0	2.1	2.1
そ　　　　　の　　　　　他 13)	0.1	0.1	0.3	0.3	0.3	0.4	0.2
後　期　高　齢　者　医　療　給　付　分 14)	・	・	・	・	・	・	・
患　　者　　等　　負　　担　　分	38.2	38.7	37.7	38.1	37.2	32.0	30.0
全　　　額　　　負　　　担	20.3	20.7	19.4	17.8	16.6	8.9	5.2
公費負担医療給付分・医療保険等給付分 　又は後期高齢者医療給付分の一部負担 6)	17.9	17.9	18.4	20.3	20.7	23.1	24.8
軽　　減　　特　　例　　措　　置 15)	・	・	・	・	・	・	・

注：第3表に同じ

年次・制度区分別

36 ('61)	37 ('62)	38 ('63)	39 ('64)	40 ('65)	41 ('66)	42 ('67)	43 ('68)	44 ('69)	45 ('70)
100.0	100.0	100.0	100.0	100.0	100.0	100.0	100.0	100.0	100.0
11.7	13.1	13.7	13.0	13.1	12.6	12.1	11.6	11.2	11.3
7.9	6.9	6.5	6.3	6.7	6.7	6.7	6.6	6.5	6.7
2.2	3.7	4.6	4.2	3.8	3.4	2.9	2.6	2.3	2.2
1.0	1.8	1.9	1.9	2.0	1.9	1.9	1.8	1.7	1.8
·	·	·	·	·	·	·	·	·	·
·	·	·	·	·	·	·	·	·	·
0.5	0.8	0.7	0.6	0.6	0.6	0.6	0.5	0.6	0.7
·	·	·	·	·	·	·	·	·	·
60.8	61.8	64.0	65.3	66.3	67.3	67.6	68.2	68.8	69.4
58.6	59.5	61.7	63.1	64.1	64.8	65.2	65.8	66.4	66.9
42.6	43.6	45.3	46.0	46.1	46.2	45.2	44.3	44.9	45.4
30.7	31.7	33.4	34.2	34.3	34.6	33.4	32.2	32.9	33.3
11.9	11.9	11.9	11.8	11.8	11.6	11.7	12.1	12.0	12.2
19.2	19.9	20.9	21.6	21.8	22.0	21.5	21.0	21.3	21.4
1.7	1.8	1.8	1.8	1.7	1.8	1.9	2.0	2.0	1.6
12.9	13.0	13.3	13.4	13.4	13.3	13.1	13.1	13.6	14.3
0.6	0.6	0.6	0.6	0.6	0.6	0.6	0.6	0.5	0.5
·		·	·		·	·	·	·	·
5.1	2.1	2.1	2.1	2.0	2.0	1.9	1.8	1.7	1.7
1.8	1.7	1.7	1.6	1.6	1.5	1.4	1.3	1.3	1.3
1.1	·	·	·		·	·	·	·	·
·	4.3	4.6	4.7	4.7	4.6	4.5	4.3	4.2	4.2
0.2	0.2	0.2	0.2	0.3	0.3	0.3	0.3	0.3	0.3
16.1	15.9	16.4	17.2	18.0	18.7	20.1	21.4	21.5	21.5
·	·	·	·	·	·	·	·	·	·
2.2	2.3	2.2	2.2	2.2	2.5	2.3	2.4	2.4	2.5
2.0	2.1	2.1	2.0	2.0	2.2	2.1	2.1	2.2	2.2
0.2	0.2	0.2	0.2	0.2	0.3	0.2	0.3	0.3	0.3
·	·	·	·	·	·	·	·	·	·
27.5	25.0	22.4	21.7	20.6	20.2	20.3	20.2	20.0	19.3
3.6	2.2	1.3	1.8	1.7	1.9	2.3	2.2	2.5	2.6
23.9	22.8	21.1	19.9	18.9	18.3	18.0	18.0	17.4	16.7
·	·	·	·	·	·	·	·	·	·

第4表

（単位：%）

制　度　区　分	昭和46年度(1971)	47('72)	48('73)	49('74)	50('75)	51('76)	52('77)
総　　　　　　　　　数	100.0	100.0	100.0	100.0	100.0	100.0	100.0
公 費 負 担 医 療 給 付 分	11.8	13.6	13.9	13.5	13.1	12.8	13.3
生　活　保　護　法	7.0	7.1	6.5	6.5	6.5	6.4	6.2
結　核　予　防　法 1)	2.1	2.0	1.6	1.5	1.3	1.1	0.9
精神保健及び精神障害者福祉に関する法律 2)3)	1.7	1.8	1.6	1.6	1.5	1.3	1.2
障 害 者 総 合 支 援 法 3)	・	・	・	・	・	・	・
老　人　福　祉　法 4)	・	} 2.7	3.5	3.3	3.3	3.4	3.6
そ　　　　の　　　　他 3)5)6)	1.0		0.7	0.6	0.5	0.6	1.3
感 染 症 法（結核）（再掲） 1)	・	・	・	・	・	・	・
医 療 保 険 等 給 付 分	69.3	68.8	70.3	73.1	74.0	74.7	75.1
医　　　療　　　保　　　険	66.9	66.5	68.2	70.9	71.8	72.4	72.6
被　用　者　保　険	44.3	43.5	44.5	46.6	46.7	46.7	46.5
被　保　険　者	32.0	30.5	29.0	28.0	27.1	26.6	26.4
被　扶　養　者	12.3	13.0	15.5	18.6	19.6	20.0	20.1
協 会 管 掌 健 康 保 険 7)	20.9	20.3	20.7	21.7	21.4	21.5	21.6
日 雇 労 働 者 健 康 保 険 8)	1.2	0.9	0.8	0.8	0.8	0.8	0.8
組 合 管 掌 健 康 保 険	14.4	14.4	15.2	15.8	15.9	15.9	15.7
船　員　保　険	0.5	0.5	0.5	0.6	0.6	0.6	0.6
国 家 公 務 員 等 共 済 組 合	・	・	・	・	・	・	・
国 家 公 務 員 共 済 組 合 9)	1.6	1.6	1.6	1.7	1.8	1.7	1.7
公 共 企 業 体 職 員 等 共 済 組 合 10)	1.3	1.3	1.3	1.3	1.3	1.3	1.3
市 町 村 職 員 共 済 組 合 11)	・	・	・	・	・	・	・
地 方 公 務 員 共 済 組 合	4.1	4.1	4.1	4.4	4.6	4.5	4.5
私 立 学 校 教 職 員 共 済	0.3	0.3	0.3	0.3	0.4	0.4	0.4
国　民　健　康　保　険	22.5	23.0	23.6	24.3	25.1	25.7	26.2
退 職 者 医 療 制 度（再掲）12)	・	・	・	・	・	・	・
そ　　　　の　　　　他	2.4	2.3	2.1	2.1	2.1	2.4	2.4
労 働 者 災 害 補 償 保 険	2.1	2.1	1.9	1.9	1.8	1.9	2.0
そ　　　　の　　　　他 13)	0.3	0.3	0.2	0.2	0.3	0.4	0.5
後 期 高 齢 者 医 療 給 付 分 14)	・	・	・	・	・	・	・
患 者 等 負 担 分	19.0	17.6	15.8	13.4	12.9	12.5	11.7
全　　額　　負　　担	2.8	2.8	3.0	2.4	2.7	2.4	2.2
公費負担医療給付分・医療保険等給付分 又は後期高齢者医療給付分の一部負担 6)	16.2	14.8	12.8	11.0	10.3	10.2	9.5
軽 減 特 例 措 置 15)	・	・	・	・	・	・	・

年次・制度区分別

53 ('78)	54 ('79)	55 ('80)	56 ('81)	57 ('82)	58 ('83)	59 ('84)	60 ('85)	61 ('86)	62 ('87)
100.0	100.0	100.0	100.0	100.0	100.0	100.0	100.0	100.0	100.0
13.1	12.7	12.3	12.2	11.4	7.9	7.8	7.5	6.9	6.4
6.2	5.9	5.7	5.7	5.5	5.5	5.4	5.3	4.8	4.4
0.8	0.6	0.5	0.4	0.4	0.3	0.3	0.4	0.3	0.3
1.1	1.0	0.9	0.8	0.7	0.7	0.6	0.6	0.5	0.5
·	·	·	·	·	·	·	·	·	·
3.6	3.7	3.8	3.9	3.3	·	·	·	·	·
1.3	1.4	1.4	1.4	1.4	1.4	1.4	1.3	1.3	1.2
·	·	·	·	·	·	·	·	·	·
75.2	75.8	76.7	77.0	74.5	58.6	56.9	55.3	55.3	55.1
72.7	73.4	74.3	74.6	72.3	56.4	54.7	53.1	53.3	53.2
45.6	45.4	45.4	45.0	43.6	37.4	35.3	32.6	32.3	31.9
25.4	25.2	25.3	24.7	24.4	23.5	21.3	18.7	18.5	18.2
20.2	20.2	20.1	20.3	19.2	14.0	14.0	13.9	13.8	13.7
21.3	21.5	21.8	21.8	21.1	18.1	16.9	15.5	15.2	15.1
0.8	0.7	0.7	0.7	0.6	0.4	0.2	·	·	·
15.3	15.1	14.9	14.8	14.3	12.6	12.1	11.5	11.6	11.5
0.5	0.5	0.5	0.5	0.4	0.4	0.3	0.3	0.3	0.3
·	·	·	·	·	·	2.1	1.9	1.8	1.7
1.7	1.6	1.6	1.6	1.5	1.3	·	·	·	·
1.2	1.2	1.2	1.1	1.1	0.9	·	·	·	·
·	·	·	·	·	·	·	·	·	·
4.4	4.3	4.3	4.2	4.1	3.5	3.4	3.2	3.1	3.0
0.4	0.4	0.4	0.4	0.4	0.4	0.4	0.3	0.3	0.3
27.1	28.0	28.9	29.6	28.7	19.0	19.4	20.5	21.0	21.3
·	·	·	·	·	·	1.3	3.3	3.6	3.9
2.5	2.5	2.4	2.3	2.3	2.2	2.2	2.1	2.0	1.9
2.0	2.0	1.9	1.8	1.8	1.7	1.7	1.7	1.6	1.5
0.5	0.5	0.5	0.5	0.5	0.5	0.5	0.5	0.5	0.5
·	·	·	·	3.5	22.6	23.8	25.2	25.7	26.0
11.7	11.4	11.0	10.8	10.5	10.8	11.6	12.0	12.1	12.5
2.3	2.2	2.1	2.0	1.9	2.0	2.0	2.0	2.0	2.0
9.4	9.2	9.0	8.9	8.6	8.8	9.6	10.0	10.1	10.5
·	·	·	·	·	·	·	·	·	·

（単位：%）

制　度　区　分	昭和63年度 (1988)	平成元年度 ('89)	2 ('90)	3 ('91)	4 ('92)	5 ('93)	6 ('94)
総　　　　　　　　　　　　　　数	100.0	100.0	100.0	100.0	100.0	100.0	100.0
公 費 負 担 医 療 給 付 分	5.9	5.6	5.3	5.1	4.9	4.9	4.9
生　活　保　護　法	4.1	3.8	3.6	3.4	3.2	3.2	3.2
結　核　予　防　法 1)	0.2	0.2	0.2	0.2	0.2	0.1	0.1
精神保健及び精神障害者福祉に関する法律 2)3)	0.4	0.4	0.3	0.3	0.3	0.3	0.3
障 害 者 総 合 支 援 法 3)	•	•	•	•	•	•	•
老　人　福　祉　法 4)	•	•	•	•	•	•	•
そ　　　　の　　　　他 3)5)6)	1.2	1.2	1.2	1.2	1.2	1.3	1.3
感 染 症 法（結核）（再掲）1)	•	•	•	•	•	•	•
医 療 保 険 等 給 付 分	55.1	54.7	54.6	54.4	54.6	54.0	52.9
医　　　療　　　保　　　険	53.2	53.0	53.0	52.9	53.2	52.7	51.6
被　用　者　保　険	32.0	32.0	32.2	32.5	32.8	32.5	31.8
被　保　険　者	18.2	18.3	18.6	19.0	19.4	19.3	18.9
被　扶　養　者	13.8	13.6	13.6	13.5	13.4	13.1	12.9
高　　　齢　　　者 16)	•	•	•	•	•	•	•
協 会 管 掌 健 康 保 険 7)	15.2	15.5	15.8	16.0	16.3	16.2	15.9
日 雇 労 働 者 健 康 保 険 8)	•	•	•	•	•	•	•
組 合 管 掌 健 康 保 険	11.6	11.5	11.6	11.7	11.8	11.7	11.5
船　員　保　険	0.2	0.2	0.2	0.2	0.2	0.2	0.2
国 家 公 務 員 等 共 済 組 合	1.6	1.5	1.5	1.4	1.4	1.4	1.3
国 家 公 務 員 共 済 組 合 9)	•	•	•	•	•	•	•
公 共 企 業 体 職 員 等 共 済 組 合 10)	•	•	•	•	•	•	•
市 町 村 職 員 共 済 組 合 11)	•	•	•	•	•	•	•
地 方 公 務 員 共 済 組 合	3.0	2.9	2.8	2.8	2.7	2.7	2.6
私 立 学 校 教 職 員 共 済	0.3	0.3	0.3	0.4	0.4	0.4	0.4
国　民　健　康　保　険	21.2	21.0	20.8	20.4	20.3	20.2	19.8
高　齢　者　以　外	•	•	•	•	•	•	•
高　　　齢　　　者 16)	•	•	•	•	•	•	•
退 職 者 医 療 制 度（再掲）12)	4.1	4.3	4.4	4.4	4.5	4.5	4.5
そ　　　　の　　　　他	1.9	1.7	1.6	1.5	1.4	1.4	1.3
労 働 者 災 害 補 償 保 険	1.4	1.3	1.3	1.2	1.1	1.1	1.0
そ　　　　の　　　　他 13)	0.5	0.4	0.4	0.3	0.3	0.3	0.3
後 期 高 齢 者 医 療 給 付 分 14)	26.7	27.4	28.0	28.5	28.7	29.5	30.4
患 者 等 負 担 分	12.4	12.3	12.1	12.0	11.8	11.6	11.8
全　　　額　　　負　　　担	1.9	1.8	1.7	1.6	1.6	1.5	1.4
公費負担医療給付分・医療保険等給付分 　又は後期高齢者医療給付分の一部負担 6)	10.5	10.5	10.4	10.3	10.2	10.1	10.3
軽 減 特 例 措 置 15) 17)	•	•	•	•	•	•	•

7 ('95)	8 ('96)	9 ('97)	10 ('98)	11 ('99)	12 (2000)	13 ('01)	14 ('02)	15 ('03)	16 ('04)
100.0	100.0	100.0	100.0	100.0	100.0	100.0	100.0	100.0	100.0
4.8	5.4	5.5	5.8	6.0	6.1	6.3	6.4	6.6	6.7
3.2	3.1	3.2	3.3	3.4	3.5	3.6	3.8	4.0	4.0
0.1	0.0	0.0	0.0	0.0	0.0	0.0	0.0	0.0	0.0
0.2	0.2	0.2	0.2	0.3	0.3	0.3	0.3	0.4	0.4
·	·	·	·	·	·	·	·	·	·
·	·	·	·	·	·	·	·	·	·
1.3	2.0	2.1	2.2	2.2	2.3	2.3	2.3	2.3	2.3
·	·		·	·	·	·	·	·	·
51.9	51.0	48.5	46.6	45.1	46.5	45.6	45.2	44.7	45.9
50.7	49.8	47.3	45.5	44.1	45.5	44.6	44.3	43.8	45.1
31.0	30.5	28.4	26.5	25.2	25.7	25.0	24.4	22.7	22.7
18.5	18.2	16.4	14.8	14.1	14.3	13.9	13.5	11.5	11.4
12.6	12.4	11.9	11.7	11.2	11.4	11.1	11.0	10.8	10.7
·	·	·	·	·	·	·	...	0.3	0.5
15.6	15.4	14.2	13.2	12.5	12.7	12.4	12.0	11.0	11.1
·	·	·	·	·	·	·	·	·	·
11.1	11.0	10.5	9.9	9.5	9.7	9.4	9.3	8.6	8.6
0.1	0.1	0.1	0.1	0.1	0.1	0.1	0.1	0.1	0.1
1.3	1.3	·	·	·	·	·	·	·	·
·	·	0.8	0.7	0.7	0.7	0.7	0.7	0.7	0.7
·	·	·	·	·	·	·	·	·	·
·	·	·	·	·	·	·	·	·	·
2.6	2.5	2.4	2.2	2.1	2.2	2.1	2.1	2.0	2.0
0.4	0.3	0.3	0.3	0.3	0.3	0.3	0.3	0.3	0.3
19.6	19.3	19.0	19.0	18.8	19.7	19.6	19.8	21.2	22.4
·	·	·	·	·	·	·	...	19.7	19.6
·	·	·	·	·	·	·	...	1.4	2.8
4.5	4.5	4.5	4.6	4.8	5.1	5.1	5.2	5.6	6.5
1.3	1.2	1.2	1.1	1.0	1.0	1.0	0.9	0.9	0.9
1.0	1.0	0.9	0.9	0.8	0.8	0.8	0.7	0.7	0.7
0.3	0.2	0.2	0.2	0.2	0.2	0.2	0.2	0.2	0.2
31.5	32.6	33.5	34.4	35.9	34.0	34.6	34.5	33.8	32.9
11.8	11.0	12.5	13.2	13.0	13.4	13.5	13.9	14.8	14.4
1.4	1.3	1.3	1.3	1.3	1.3	1.3	1.3	1.3	1.2
10.3	9.6	11.2	11.9	11.8	12.0	12.2	12.6	13.5	13.2
				(0.3)	(0.3)				
·	·	·	·	·	·	·	·	·	·

（単位：%）

制　度　区　分	平成17年度 (2005)	18 ('06)	19 ('07)	20 ('08)	21 ('09)	22 ('10)
総　　　　　　　　　　　数	100.0	100.0	100.0	100.0	100.0	100.0
公　費　負　担　医　療　給　付　分	6.6	6.7	6.7	6.7	6.8	7.1
生　　活　　保　　護　　法	4.1	4.1	3.8	3.9	4.1	4.2
結　　核　　予　　防　　法 1)	0.0	0.0	・	・	・	・
精神保健及び精神障害者福祉に関する法律 2)3)	0.4	0.0	0.0	0.0	0.0	0.0
障　害　者　総　合　支　援　法 3)	・	0.5	0.7	0.8	0.8	0.8
老　　人　　福　　祉　　法 4)	・	・	・	・	・	・
そ　　　　の　　　　他 3)5)6)	2.1	2.1	2.2	2.0	1.9	2.0
感　染　症　法（結核）（再掲）1)	・	・	0.0	0.0	0.0	0.0
児　童　福　祉　法（再掲）	…	…	…	…	…	0.1
特　定　疾　患　治　療　研　究　費（再掲）	…	…	…	…	…	0.1
地　方　公　共　団　体　単　独　実　施（再掲）	…	…	…	…	…	1.5
医　療　保　険　等　給　付　分	46.9	48.1	49.1	48.7	48.1	47.8
医　　　　療　　　　保　　　　険	46.1	47.2	48.3	47.9	47.4	47.1
被　　用　　者　　保　　険	22.6	22.8	22.9	23.0	22.7	22.5
被　　保　　険　　者	11.3	11.3	11.4	11.4	11.2	11.2
被　　扶　　養　　者	10.4	10.4	10.2	10.3	10.2	10.2
高　　　　齢　　　　者 16)	0.8	1.1	1.3	1.3	1.2	1.2
協　会　管　掌　健　康　保　険 7)	11.1	11.2	11.4	11.4	11.2	11.2
日　雇　労　働　者　健　康　保　険 8)	・	・	・	・	・	・
組　合　管　掌　健　康　保　険	8.5	8.6	8.7	8.8	8.6	8.5
船　　員　　保　　険	0.1	0.1	0.1	0.1	0.1	0.1
国　家　公　務　員　等　共　済　組　合	・	・	・	・	・	・
国　家　公　務　員　共　済　組　合 9)	0.7	0.6	0.6	0.6	0.6	0.6
公　共　企　業　体　職　員　等　共　済　組　合 10)	・	・	・	・	・	・
市　町　村　職　員　共　済　組　合 11)	・	・	・	・	・	・
地　方　公　務　員　共　済　組　合	1.9	1.9	1.9	1.9	1.8	1.9
私　立　学　校　教　職　員　共　済	0.3	0.3	0.3	0.3	0.3	0.3
国　　民　　健　　康　　保　　険	23.5	24.5	25.4	24.9	24.8	24.5
高　　齢　　者　　以　　外	19.1	18.6	18.1	17.9	17.8	17.5
高　　　　齢　　　　者 16)	4.4	5.8	7.2	7.0	7.0	7.0
退　職　者　医　療　制　度（再掲）12)	7.3	7.5	8.2	1.6	1.5	1.6
そ　　　　　の　　　　　他	0.8	0.8	0.8	0.8	0.7	0.8
労　働　者　災　害　補　償　保　険	0.7	0.7	0.7	0.6	0.6	0.6
そ　　　　の　　　　他 13)	0.2	0.2	0.2	0.1	0.1	0.2
後　期　高　齢　者　医　療　給　付　分 14)	32.1	30.9	30.1	30.0	30.6	31.2
患　　者　　等　　負　　担　　分	14.4	14.4	14.1	14.1	13.9	13.4
全　　　額　　　負　　　担	1.2	1.2	1.2	1.3	1.2	1.3
公費負担医療給付分・医療保険等給付分 　又は後期高齢者医療給付分の一部負担 6)	13.1	13.1	12.8	12.9	12.6	12.1
軽　減　特　例　措　置 15)	・	・	・	0.5	0.5	0.5

23 ('11)	24 ('12)	25 ('13)	26 ('14)	27 ('15)	28 ('16)	29 ('17)	30 ('18)	令和元年度 ('19)
100.0	100.0	100.0	100.0	100.0	100.0	100.0	100.0	100.0
7.3	7.4	7.4	7.4	7.4	7.5	7.4	7.3	7.3
4.2	4.3	4.3	4.2	4.2	4.2	4.1	4.1	4.0
・	・	・	・	・	・	・	・	・
0.0	0.0	0.0	0.0	0.0	0.0	0.0	0.0	0.0
0.9	1.0	1.0	1.0	1.0	1.0	1.0	1.0	1.0
・	・	・	・	・	・	・	・	・
2.1	2.1	2.2	2.2	2.2	2.3	2.3	2.2	2.2
0.0	0.0	0.0	0.0	0.0	0.0	0.0	0.0	0.0
0.1	0.1	0.1	0.1	0.1	0.1	0.1	0.1	0.1
0.1	0.2	0.2	0.2	0.0	0.0	0.0	0.0	0.0
1.6	1.6	1.6	1.6	1.6	1.6	1.6	1.6	1.5
47.5	47.4	47.0	46.9	46.8	46.4	45.8	45.5	45.2
46.8	46.6	46.2	46.1	46.1	45.7	45.1	44.7	44.4
22.3	22.3	22.2	22.4	22.7	23.1	23.4	23.8	24.0
11.1	11.2	11.2	11.4	11.7	12.1	12.5	12.8	13.1
10.1	10.0	9.8	9.8	9.7	9.8	9.7	9.6	9.4
1.1	1.1	1.2	1.2	1.2	1.2	1.3	1.4	1.5
11.1	11.2	11.2	11.4	11.8	12.1	12.5	12.8	13.2
・	・	・	・	・	・	・	・	・
8.4	8.4	8.3	8.3	8.3	8.4	8.4	8.5	8.3
0.1	0.0	0.0	0.0	0.0	0.0	0.0	0.0	0.0
・	・	・	・	・	・	・	・	・
0.6	0.6	0.6	0.6	0.6	0.6	0.6	0.6	0.6
・	・	・	・	・	・	・	・	・
・	・	・	・	・	・	・	・	・
1.8	1.8	1.7	1.7	1.7	1.7	1.6	1.6	1.6
0.3	0.3	0.3	0.3	0.3	0.3	0.3	0.3	0.3
24.4	24.3	24.0	23.8	23.4	22.6	21.7	21.0	20.4
17.3	17.1	16.6	16.0	15.8	15.5	14.5	13.7	12.9
7.1	7.3	7.5	7.7	7.6	7.1	7.1	7.2	7.5
1.7	1.6	1.5	1.2	0.9	0.6	0.3	0.1	0.0
0.8	0.8	0.7	0.8	0.7	0.7	0.7	0.7	0.7
0.6	0.6	0.6	0.6	0.6	0.6	0.6	0.6	0.6
0.2	0.2	0.2	0.2	0.1	0.1	0.1	0.1	0.1
31.8	32.2	32.7	32.8	33.1	33.6	34.3	34.7	35.3
13.0	12.6	12.5	12.4	12.3	12.2	12.2	12.5	12.3
1.2	1.2	1.3	1.3	1.3	1.3	1.3	1.2	1.2
11.7	11.3	11.2	11.1	11.0	10.9	11.0	11.2	11.1
0.5	0.5	0.5	0.5	0.4	0.3	0.2	0.1	0.0

第5表　国民医療費，財源・年次別

(単位：億円)

年　　次	総　　数	公　費 総　数	国　庫	地　方3)	保　険　料 総　数	事業主	被保険者	その他 総　数 4)	患者負担 (再掲) 5)
昭和29年度 (1954)	2 152	344	251	94	986	516	470	822	822
30 （'55)	2 388	379	278	101	1 086	560	526	923	923
31 （'56)	2 583	440	329	110	1 168	605	564	975	975
32 （'57)	2 897	482	367	115	1 310	678	632	1 105	1 105
33 （'58)	3 230	535	414	121	1 494	753	741	1 202	1 202
34 （'59)	3 625	660	524	136	1 805	894	911	1 160	1 160
35 （'60)	4 095	804	642	162	2 063	1 009	1 053	1 229	1 229
36 （'61)	5 130	1 121	907	214	2 598	1 268	1 330	1 410	1 410
37 （'62)	6 132	1 451	1 193	258	3 146	1 546	1 600	1 536	1 536
38 （'63)	7 541	1 861	1 544	317	3 992	1 964	2 028	1 688	1 688
39 （'64)	9 389	2 259	1 875	384	5 095	2 450	2 645	2 036	2 036
40 （'65)	11 224	2 911	2 478	433	6 001	2 930	3 071	2 312	2 312
41 （'66)	13 002	3 412	2 923	489	6 970	3 360	3 610	2 620	2 620
42 （'67)	15 116	4 115	3 559	557	7 927	3 765	4 162	3 074	3 074
43 （'68)	18 016	5 057	4 439	618	9 314	4 436	4 878	3 645	3 645
44 （'69)	20 780	5 751	5 064	687	10 877	5 221	5 656	4 152	4 152
45 （'70)	24 962	6 901	6 031	869	13 241	6 396	6 845	4 820	4 820
46 （'71)	27 250	7 600	6 539	1 062	14 480	6 838	7 642	5 169	5 169
47 （'72)	33 994	10 149	8 677	1 471	17 858	8 395	9 463	5 987	5 986
48 （'73)	39 496	12 590	10 760	1 830	20 663	9 752	10 912	6 243	6 241
49 （'74)	53 786	17 959	15 428	2 530	28 604	13 590	15 014	7 224	7 209
50 （'75)	64 779	21 709	18 725	2 984	34 636	16 232	18 403	8 435	8 375
51 （'76)	76 684	25 884	22 481	3 403	41 069	19 226	21 843	9 731	9 600
52 （'77)	85 686	29 800	25 351	4 449	45 677	21 304	24 373	10 208	10 018
53 （'78)	100 042	35 137	30 060	5 077	52 965	24 359	28 606	11 940	11 692
54 （'79)	109 510	38 615	32 990	5 625	58 077	26 430	31 647	12 818	12 530
55 （'80)	119 805	42 545	36 464	6 081	63 722	28 789	34 934	13 538	13 215
56 （'81)	128 709	45 540	38 995	6 544	68 897	30 595	38 302	14 271	13 928
57 （'82)	138 659	49 353	42 146	7 208	74 376	32 691	41 686	14 929	14 560
58 （'83)	145 438	52 883	44 526	8 357	76 378	34 457	41 920	16 177	15 776
59 （'84)	150 932	52 017	43 163	8 854	81 012	35 430	45 582	17 904	17 492
60 （'85)	160 159	53 497	42 551	10 946	87 038	37 500	49 537	19 624	19 185
61 （'86)	170 690	56 422	44 607	11 815	93 201	40 300	52 901	21 067	20 611
62 （'87)	180 759	57 172	45 090	12 082	100 584	42 884	57 701	23 003	22 506
63 （'88)	187 554	59 024	46 039	12 984	104 831	44 823	60 008	23 700	23 173
平成元年度 （'89)	197 290	61 963	48 673	13 290	110 632	47 366	63 266	24 695	24 231
2 （'90)	206 074	64 699	50 787	13 912	116 069	50 402	65 667	25 307	24 884
3 （'91)	218 260	68 104	53 533	14 571	123 630	53 836	69 794	26 526	26 127
4 （'92)	234 784	71 473	55 916	15 557	135 208	59 005	76 203	28 103	27 716
5 （'93)	243 631	74 862	57 758	17 104	140 054	60 900	79 154	28 715	28 347
6 （'94)	257 908	80 359	61 675	18 684	146 870	63 780	83 090	30 679	30 330
7 （'95)	269 577	85 398	65 132	20 265	152 137	66 169	85 968	32 043	31 705
8 （'96)	284 542	93 106	69 106	24 000	159 931	69 451	90 479	31 505	31 175
9 （'97)	289 149	95 619	71 051	24 568	156 973	67 780	89 193	36 557	36 245
10 （'98)	295 823	98 672	72 811	25 861	157 790	67 602	90 189	39 360	39 061
11 （'99)	307 019	104 481	76 957	27 523	162 253	69 236	93 017	40 285	39 999
12 (2000)	301 418	99 949	74 302	25 646	160 910	68 318	92 592	40 561	40 291
13 （'01)	310 998	104 094	77 399	26 695	164 769	69 704	95 065	42 135	41 870
14 （'02)	309 507	105 447	78 113	27 334	160 762	67 750	93 011	43 298	43 062
15 （'03)	315 375	110 617	81 085	29 532	157 778	65 969	91 809	46 980	46 749
16 （'04)	321 111	115 218	84 121	31 097	159 476	66 131	93 345	46 417	46 196
17 （'05)	331 289	121 162	83 544	37 618	162 341	67 164	95 177	47 786	47 572
18 （'06)	331 276	121 746	82 367	39 379	161 773	66 529	95 244	47 757	47 555
19 （'07)	341 360	125 744	84 794	40 949	167 426	68 990	98 436	48 190	47 996
20 （'08)	348 084	129 053	87 234	41 819	169 709	71 110	98 599	49 323	49 141
21 （'09)	360 067	134 955	91 287	43 668	175 032	73 211	101 821	50 080	49 905
22 （'10)	374 202	142 610	97 038	45 572	181 319	75 380	105 939	50 274	47 525
23 （'11)	385 850	148 120	100 303	47 817	187 518	77 964	109 555	50 212	47 375
24 （'12)	392 117	151 500	101 134	50 366	191 203	79 427	111 776	49 414	46 579
25 （'13)	400 610	155 319	103 636	51 683	195 218	81 232	113 986	50 072	47 076
26 （'14)	408 071	158 525	105 369	53 157	198 740	83 292	115 448	50 806	47 792
27 （'15)	423 644	164 715	108 699	56 016	206 746	87 299	119 447	52 183	49 161
28 （'16)	421 381	162 840	107 180	55 659	206 971	87 783	119 189	51 570	48 603
29 （'17)	430 710	165 181	108 972	56 209	212 650	90 744	121 906	52 881	49 948
30 （'18)	433 949	166 049	110 400	55 649	213 727	92 023	121 705	54 173	51 267
令和元年度 （'19)	443 895	169 807	112 963	56 844	219 426	94 594	124 832	54 663	51 837

注：1）推計額は、単年度ごとの制度区分別給付額等を各制度において財源負担すべき者に割り当てたものである。
　　2）平成12年4月から介護保険制度が開始されたことに伴い、従来国民医療費の対象となっていた費用のうち介護保険の費用に移行したものがあるが、これらは平成12年度以降、国民医療費に含まれていない。
　　3）平成8年度から地方公共団体単独実施に係る医療費の把握方法を変更している。
　　4）その他の総数には原因者負担（公害健康被害の補償等に関する法律及び健康被害救済制度による救済給付等）を含む。
　　5）自動車交通事故による自動車損害賠償責任保険の支払いは、平成21年度までは患者負担に、平成22年度以降は原因者負担に含めており、原因者負担はその他の総数に含まれている。

第6表　国民医療費構成割合，財源・年次別

(単位：%)

年　　　次	総　　数	公　　費			保　険　料			その他	
		総　数	国　庫	地　方3)	総　数	事業主	被保険者	総　数4)	患者負担 (再掲) 5)
昭和 29 年度 (1954)	100.0	16.0	11.7	4.4	45.8	24.0	21.8	38.2	38.2
30　　('55)	100.0	15.9	11.6	4.2	45.5	23.5	22.0	38.7	38.7
31　　('56)	100.0	17.0	12.7	4.3	45.2	23.4	21.8	37.7	37.7
32　　('57)	100.0	16.6	12.7	4.0	45.2	23.4	21.8	38.1	38.1
33　　('58)	100.0	16.6	12.8	3.7	46.3	23.3	22.9	37.2	37.2
34　　('59)	100.0	18.2	14.5	3.8	49.8	24.7	25.1	32.0	32.0
35　　('60)	100.0	19.6	15.7	4.0	50.4	24.6	25.7	30.0	30.0
36　　('61)	100.0	21.9	17.7	4.2	50.6	24.7	25.9	27.5	27.5
37　　('62)	100.0	23.7	19.5	4.2	51.3	25.2	26.1	25.0	25.0
38　　('63)	100.0	24.7	20.5	4.2	52.9	26.0	26.9	22.4	22.4
39　　('64)	100.0	24.1	20.0	4.1	54.3	26.1	28.2	21.7	21.7
40　　('65)	100.0	25.9	22.1	3.9	53.5	26.1	27.4	20.6	20.6
41　　('66)	100.0	26.2	22.5	3.8	53.6	25.8	27.8	20.2	20.2
42　　('67)	100.0	27.2	23.5	3.7	52.4	24.9	27.5	20.3	20.3
43　　('68)	100.0	28.1	24.6	3.4	51.7	24.6	27.1	20.2	20.2
44　　('69)	100.0	27.7	24.4	3.3	52.3	25.1	27.2	20.0	20.0
45　　('70)	100.0	27.6	24.2	3.5	53.0	25.6	27.4	19.3	19.3
46　　('71)	100.0	27.9	24.0	3.9	53.1	25.1	28.0	19.0	19.0
47　　('72)	100.0	29.9	25.5	4.3	52.5	24.7	27.8	17.6	17.6
48　　('73)	100.0	31.9	27.2	4.6	52.3	24.7	27.6	15.8	15.8
49　　('74)	100.0	33.4	28.7	4.7	53.2	25.3	27.9	13.4	13.4
50　　('75)	100.0	33.5	28.9	4.6	53.5	25.1	28.4	13.0	12.9
51　　('76)	100.0	33.8	29.3	4.4	53.6	25.1	28.5	12.7	12.5
52　　('77)	100.0	34.8	29.6	5.2	53.3	24.9	28.4	11.9	11.7
53　　('78)	100.0	35.1	30.0	5.1	52.9	24.3	28.6	11.9	11.7
54　　('79)	100.0	35.3	30.1	5.1	53.0	24.1	28.9	11.7	11.4
55　　('80)	100.0	35.5	30.4	5.1	53.2	24.0	29.2	11.3	11.0
56　　('81)	100.0	35.4	30.3	5.1	53.5	23.8	29.8	11.1	10.8
57　　('82)	100.0	35.6	30.4	5.2	53.6	23.6	30.1	10.8	10.5
58　　('83)	100.0	36.4	30.6	5.7	52.5	23.7	28.8	11.1	10.8
59　　('84)	100.0	34.5	28.6	5.9	53.7	23.5	30.2	11.9	11.6
60　　('85)	100.0	33.4	26.6	6.8	54.3	23.4	30.9	12.3	12.0
61　　('86)	100.0	33.1	26.1	6.9	54.6	23.6	31.0	12.3	12.1
62　　('87)	100.0	31.6	24.9	6.7	55.6	23.7	31.9	12.7	12.5
63　　('88)	100.0	31.5	24.5	6.9	55.9	23.9	32.0	12.6	12.4
平成元年度 ('89)	100.0	31.4	24.7	6.7	56.1	24.0	32.1	12.5	12.3
2　　('90)	100.0	31.4	24.6	6.8	56.3	24.5	31.9	12.3	12.1
3　　('91)	100.0	31.2	24.5	6.7	56.6	24.7	32.0	12.2	12.0
4　　('92)	100.0	30.4	23.8	6.6	57.6	25.1	32.5	12.0	11.8
5　　('93)	100.0	30.7	23.7	7.0	57.5	25.0	32.5	11.8	11.6
6　　('94)	100.0	31.2	23.9	7.2	56.9	24.7	32.2	11.9	11.8
7　　('95)	100.0	31.7	24.2	7.5	56.4	24.5	31.9	11.9	11.8
8　　('96)	100.0	32.7	24.3	8.4	56.2	24.4	31.8	11.1	11.0
9　　('97)	100.0	33.1	24.6	8.5	54.3	23.4	30.8	12.6	12.5
10　　('98)	100.0	33.4	24.6	8.7	53.3	22.9	30.5	13.3	13.2
11　　('99)	100.0	34.0	25.1	9.0	52.8	22.6	30.3	13.1	13.0
12　(2000)	100.0	33.2	24.7	8.5	53.4	22.7	30.7	13.5	13.4
13　　('01)	100.0	33.5	24.9	8.6	53.0	22.4	30.6	13.5	13.5
14　　('02)	100.0	34.1	25.2	8.8	51.9	21.9	30.1	14.0	13.9
15　　('03)	100.0	35.1	25.7	9.4	50.0	20.9	29.1	14.9	14.8
16　　('04)	100.0	35.9	26.2	9.7	49.7	20.6	29.1	14.5	14.4
17　　('05)	100.0	36.6	25.2	11.4	49.0	20.3	28.7	14.4	14.4
18　　('06)	100.0	36.8	24.9	11.9	48.8	20.1	28.8	14.4	14.4
19　　('07)	100.0	36.8	24.8	12.0	49.0	20.2	28.8	14.1	14.1
20　　('08)	100.0	37.1	25.1	12.0	48.8	20.4	28.3	14.2	14.1
21　　('09)	100.0	37.5	25.4	12.1	48.6	20.3	28.3	13.9	13.9
22　　('10)	100.0	38.1	25.9	12.2	48.5	20.1	28.3	13.4	12.7
23　　('11)	100.0	38.4	26.0	12.4	48.6	20.2	28.4	13.0	12.3
24　　('12)	100.0	38.6	25.8	12.8	48.8	20.3	28.5	12.6	11.9
25　　('13)	100.0	38.8	25.9	12.9	48.7	20.3	28.5	12.5	11.8
26　　('14)	100.0	38.8	25.8	13.0	48.7	20.4	28.3	12.5	11.7
27　　('15)	100.0	38.9	25.7	13.2	48.8	20.6	28.2	12.3	11.6
28　　('16)	100.0	38.6	25.4	13.2	49.1	20.8	28.3	12.2	11.5
29　　('17)	100.0	38.4	25.3	13.1	49.4	21.1	28.3	12.3	11.6
30　　('18)	100.0	38.3	25.4	12.8	49.3	21.2	28.0	12.5	11.8
令和元年度 ('19)	100.0	38.3	25.4	12.8	49.4	21.3	28.1	12.3	11.7

注：第5表に同じ

第7表　国民医療費・構成割合，年次・診療種類別

診　療　種　類	平成20年度(2008)	21('09)	22('10)	23('11)	24('12)	25('13)	26('14)	27('15)	28('16)	29('17)	30('18)	令和元年度('19)
	国　民　医　療　費（億　円）											
総　　　　　　　数	348 084	360 067	374 202	385 850	392 117	400 610	408 071	423 644	421 381	430 710	433 949	443 895
医 科 診 療 医 療 費 1)	254 452	262 041	272 228	278 129	283 198	287 447	292 506	300 461	301 853	308 335	313 251	319 583
病　　　　　院	172 298	178 848	188 276	192 816	197 677	201 417	205 438	211 860	214 666	219 675	224 435	230 236
一 般 診 療 所	82 154	83 193	83 953	85 314	85 521	86 030	87 067	88 601	87 187	88 660	88 816	89 347
入 院 医 療 費	128 205	132 559	140 908	143 754	147 566	149 667	152 641	155 752	157 933	162 116	165 535	168 992
病　　　　　院	123 685	128 266	136 416	139 394	143 243	145 523	148 483	151 772	154 077	158 228	161 705	165 209
一 般 診 療 所	4 520	4 293	4 492	4 359	4 323	4 144	4 158	3 980	3 856	3 888	3 831	3 783
入 院 外 医 療 費	126 247	129 482	131 320	134 376	135 632	137 780	139 865	144 709	143 920	146 219	147 716	150 591
病　　　　　院	48 613	50 582	51 860	53 421	54 434	55 894	56 956	60 088	60 589	61 447	62 730	65 027
一 般 診 療 所	77 634	78 900	79 460	80 954	81 197	81 886	82 909	84 622	83 332	84 772	84 986	85 564
歯 科 診 療 医 療 費	25 777	25 587	26 020	26 757	27 132	27 368	27 900	28 294	28 574	29 003	29 579	30 150
薬 局 調 剤 医 療 費	53 955	58 228	61 412	66 288	67 105	71 118	72 846	79 831	75 867	78 108	75 687	78 411
入院時食事・生活医療費	8 152	8 161	8 297	8 231	8 130	8 082	8 021	8 014	7 917	7 954	7 917	7 901
訪 問 看 護 医 療 費	605	665	740	808	956	1 086	1 256	1 485	1 742	2 023	2 355	2 727
療 養 費 等 2)	5 143	5 384	5 505	5 637	5 597	5 509	5 543	5 558	5 427	5 287	5 158	5 124
補 装 具（再掲）	356	374	425	435	445	442	459	463	473	481	489	492
柔 道 整 復 師（再掲）	3 964	4 068	4 109	4 127	4 025	3 893	3 862	3 828	3 663	3 471	3 310	3 213
あん摩・マッサージ（再掲）	375	468	519	563	613	640	673	703	715	733	740	757
はり・きゅう（再掲）	268	298	317	354	360	367	382	396	410	416	416	441
	構　成　割　合（%）											
総　　　　　　　数	100.0	100.0	100.0	100.0	100.0	100.0	100.0	100.0	100.0	100.0	100.0	100.0
医 科 診 療 医 療 費 1)	73.1	72.8	72.7	72.1	72.2	71.8	71.7	70.9	71.6	71.6	72.2	72.0
病　　　　　院	49.5	49.7	50.3	50.0	50.4	50.3	50.3	50.0	50.9	51.0	51.7	51.9
一 般 診 療 所	23.6	23.1	22.4	22.1	21.8	21.5	21.3	20.9	20.7	20.6	20.5	20.1
入 院 医 療 費	36.8	36.8	37.7	37.3	37.6	37.4	37.4	36.8	37.5	37.6	38.1	38.1
病　　　　　院	35.5	35.6	36.5	36.1	36.5	36.3	36.4	35.8	36.6	36.7	37.3	37.2
一 般 診 療 所	1.3	1.2	1.2	1.1	1.1	1.0	1.0	0.9	0.9	0.9	0.9	0.9
入 院 外 医 療 費	36.3	36.0	35.1	34.8	34.6	34.4	34.3	34.2	34.2	33.9	34.0	33.9
病　　　　　院	14.0	14.0	13.9	13.8	13.9	14.0	14.0	14.2	14.4	14.3	14.5	14.6
一 般 診 療 所	22.3	21.9	21.2	21.0	20.7	20.4	20.3	20.0	19.8	19.7	19.6	19.3
歯 科 診 療 医 療 費	7.4	7.1	7.0	6.9	6.9	6.8	6.8	6.7	6.8	6.7	6.8	6.8
薬 局 調 剤 医 療 費	15.5	16.2	16.4	17.2	17.1	17.8	17.9	18.8	18.0	18.1	17.4	17.7
入院時食事・生活医療費	2.3	2.3	2.2	2.1	2.1	2.0	2.0	1.9	1.9	1.8	1.8	1.8
訪 問 看 護 医 療 費	0.2	0.2	0.2	0.2	0.2	0.3	0.3	0.4	0.4	0.5	0.5	0.6
療 養 費 等 2)	1.5	1.5	1.5	1.5	1.4	1.4	1.4	1.3	1.3	1.2	1.2	1.2
補 装 具（再掲）	0.1	0.1	0.1	0.1	0.1	0.1	0.1	0.1	0.1	0.1	0.1	0.1
柔 道 整 復 師（再掲）	1.1	1.1	1.1	1.1	1.0	1.0	0.9	0.9	0.9	0.8	0.8	0.7
あん摩・マッサージ（再掲）	0.1	0.1	0.1	0.1	0.2	0.2	0.2	0.2	0.2	0.2	0.2	0.2
はり・きゅう（再掲）	0.1	0.1	0.1	0.1	0.1	0.1	0.1	0.1	0.1	0.1	0.1	0.1

注：1）医科診療医療費は、平成20年度から項目を設けたもので、従来は一般診療医療費に含まれる。
　　2）療養費等は、平成20年度から項目を設けたもので、従来は一般診療医療費に含まれる。

第8表　国民医療費・構成割合・人口一人当たり国民医療費，診療種類・性・年齢階級別

令和元年度（2019）

性・年齢階級	総数	医科診療医療費			歯科診療 医療費	薬局調剤 医療費	入院時 食事・生活 医療費	訪問看護 医療費	療養費等
		総数	入院	入院外					
国民医療費（億円）									
総数	443 895	319 583	168 992	150 591	30 150	78 411	7 901	2 727	5 124
0 ～ 4歳	11 834	9 331	4 484	4 847	450	1 741	74	79	159
5 ～ 9	7 139	4 142	1 058	3 084	1 281	1 580	21	16	100
10 ～ 14	6 013	3 738	1 066	2 672	809	1 340	26	16	84
15 ～ 19	5 188	3 397	1 291	2 106	653	1 013	38	20	67
20 ～ 24	5 509	3 477	1 341	2 136	839	1 036	50	35	72
25 ～ 29	7 010	4 455	1 765	2 691	1 043	1 315	70	33	93
30 ～ 34	8 985	5 826	2 433	3 393	1 208	1 686	98	51	117
35 ～ 39	11 081	7 137	2 932	4 205	1 437	2 176	121	66	144
40 ～ 44	14 459	9 316	3 689	5 627	1 786	2 929	156	80	192
45 ～ 49	19 583	12 930	5 326	7 604	2 149	3 899	230	115	259
50 ～ 54	21 672	14 716	6 316	8 400	2 070	4 188	281	132	285
55 ～ 59	24 665	17 189	7 881	9 308	2 058	4 613	351	140	314
60 ～ 64	30 127	21 532	10 412	11 121	2 188	5 409	456	174	367
65 ～ 69	43 676	31 858	16 073	15 785	2 730	7 655	710	217	507
70 ～ 74	54 889	40 366	20 800	19 565	3 035	9 721	892	327	548
75 ～ 79	57 183	42 176	23 372	18 804	2 720	10 179	1 055	342	710
80 ～ 84	50 056	37 450	22 845	14 605	1 922	8 613	1 160	360	551
85 ～ 89	38 330	29 441	20 028	9 413	1 151	5 959	1 129	295	356
90歳以上	26 495	21 104	15 879	5 225	620	3 359	987	228	198
構成割合（%）									
総数	100.0	100.0	100.0	100.0	100.0	100.0	100.0	100.0	100.0
0 ～ 4歳	2.7	2.9	2.7	3.2	1.5	2.2	0.9	2.9	3.1
5 ～ 9	1.6	1.3	0.6	2.0	4.2	2.0	0.3	0.6	2.0
10 ～ 14	1.4	1.2	0.6	1.8	2.7	1.7	0.3	0.6	1.6
15 ～ 19	1.2	1.1	0.8	1.4	2.2	1.3	0.5	0.7	1.3
20 ～ 24	1.2	1.1	0.8	1.4	2.8	1.3	0.6	1.3	1.4
25 ～ 29	1.6	1.4	1.0	1.8	3.5	1.7	0.9	1.2	1.8
30 ～ 34	2.0	1.8	1.4	2.3	4.0	2.2	1.2	1.9	2.3
35 ～ 39	2.5	2.2	1.7	2.8	4.8	2.8	1.5	2.4	2.8
40 ～ 44	3.3	2.9	2.2	3.7	5.9	3.7	2.0	2.9	3.7
45 ～ 49	4.4	4.0	3.2	5.0	7.1	5.0	2.9	4.2	5.1
50 ～ 54	4.9	4.6	3.7	5.6	6.9	5.3	3.6	4.8	5.6
55 ～ 59	5.6	5.4	4.7	6.2	6.8	5.9	4.4	5.1	6.1
60 ～ 64	6.8	6.7	6.2	7.4	7.3	6.9	5.8	6.4	7.2
65 ～ 69	9.8	10.0	9.5	10.5	9.1	9.8	9.0	8.0	9.9
70 ～ 74	12.4	12.6	12.3	13.0	10.1	12.4	11.3	12.0	10.7
75 ～ 79	12.9	13.2	13.8	12.5	9.0	13.0	13.4	12.5	13.9
80 ～ 84	11.3	11.7	13.5	9.7	6.4	11.0	14.7	13.2	10.8
85 ～ 89	8.6	9.2	11.9	6.3	3.8	7.6	14.3	10.8	6.9
90歳以上	6.0	6.6	9.4	3.5	2.1	4.3	12.5	8.4	3.9
人口一人当たり国民医療費（千円）									
総数	351.8	253.3	133.9	119.4	23.9	62.1	6.3	2.2	4.1
0 ～ 4歳	248.7	196.1	94.2	101.9	9.5	36.6	1.5	1.7	3.3
5 ～ 9	140.0	81.2	20.7	60.5	25.1	31.0	0.4	0.3	2.0
10 ～ 14	112.4	69.9	19.9	49.9	15.1	25.0	0.5	0.3	1.6
15 ～ 19	89.1	58.4	22.2	36.2	11.2	17.4	0.7	0.3	1.1
20 ～ 24	86.2	54.4	21.0	33.4	13.1	16.2	0.8	0.6	1.1
25 ～ 29	112.3	71.4	28.3	43.1	16.7	21.1	1.1	0.5	1.5
30 ～ 34	133.1	86.3	36.0	50.2	17.9	25.0	1.4	0.8	1.7
35 ～ 39	146.8	94.5	38.8	55.7	19.0	28.8	1.6	0.9	1.9
40 ～ 44	165.9	106.9	42.3	64.5	20.5	33.6	1.8	0.9	2.2
45 ～ 49	199.8	131.9	54.3	77.6	21.9	39.8	2.3	1.2	2.6
50 ～ 54	253.0	171.8	73.7	98.1	24.2	48.9	3.3	1.5	3.3
55 ～ 59	319.9	222.9	102.2	120.7	26.7	59.8	4.5	1.8	4.1
60 ～ 64	400.5	286.2	138.4	147.8	29.1	71.9	6.1	2.3	4.9
65 ～ 69	501.5	365.8	184.6	181.2	31.3	87.9	8.1	2.5	5.8
70 ～ 74	631.9	464.7	239.5	225.3	34.9	111.9	10.3	3.8	6.3
75 ～ 79	789.7	582.5	322.8	259.7	37.6	140.6	14.6	4.7	9.8
80 ～ 84	939.5	702.9	428.8	274.1	36.1	161.7	21.8	6.8	10.3
85 ～ 89	1 061.2	815.1	554.5	260.6	31.9	165.0	31.2	8.2	9.9
90歳以上	1 147.5	914.0	687.7	226.3	26.8	145.5	42.7	9.9	8.6

第8表　国民医療費・構成割合・人口一人当たり国民医療費，診療種類・性・年齢階級別

令和元年度（2019）

性・年齢階級	総　数	医科診療医療費			歯科診療医療費	薬局調剤医療費	入院時食事・生活医療費	訪問看護医療費	療養費等
		総　数	入　院	入院外					
			国　民　医　療　費　（億円）						
男	215 471	157 258	83 800	73 458	13 675	37 069	3 623	1 346	2 500
0 ～ 4 歳	6 455	5 101	2 479	2 622	234	946	40	48	86
5 ～ 9	3 931	2 298	593	1 705	662	896	12	8	55
10 ～ 14	3 362	2 094	583	1 511	408	790	14	8	48
15 ～ 19	2 767	1 845	714	1 131	303	552	20	11	36
20 ～ 24	2 520	1 611	661	950	362	469	24	22	32
25 ～ 29	2 935	1 815	685	1 130	459	573	29	20	39
30 ～ 34	3 714	2 300	865	1 435	544	760	39	22	50
35 ～ 39	4 828	3 037	1 189	1 848	652	993	55	27	64
40 ～ 44	6 858	4 437	1 805	2 632	823	1 390	82	35	91
45 ～ 49	9 745	6 538	2 859	3 678	992	1 910	129	50	126
50 ～ 54	11 190	7 764	3 580	4 184	956	2 103	160	63	143
55 ～ 59	13 297	9 507	4 680	4 826	960	2 389	204	72	165
60 ～ 64	16 600	12 194	6 323	5 871	1 025	2 821	269	94	197
65 ～ 69	24 063	18 041	9 674	8 367	1 273	3 952	410	114	272
70 ～ 74	29 360	22 145	11 979	10 166	1 388	4 867	483	192	285
75 ～ 79	28 665	21 631	12 358	9 273	1 215	4 776	515	178	351
80 ～ 84	22 931	17 451	10 698	6 753	824	3 736	495	169	256
85 ～ 89	14 958	11 619	7 802	3 817	430	2 227	402	135	145
90 歳以上	7 294	5 832	4 274	1 559	165	917	241	79	59
			構　成　割　合　（%）						
男	100.0	100.0	100.0	100.0	100.0	100.0	100.0	100.0	100.0
0 ～ 4 歳	3.0	3.2	3.0	3.6	1.7	2.6	1.1	3.6	3.4
5 ～ 9	1.8	1.5	0.7	2.3	4.8	2.4	0.3	0.6	2.2
10 ～ 14	1.6	1.3	0.7	2.1	3.0	2.1	0.4	0.6	1.9
15 ～ 19	1.3	1.2	0.9	1.5	2.2	1.5	0.6	0.8	1.4
20 ～ 24	1.2	1.0	0.8	1.3	2.6	1.3	0.7	1.6	1.3
25 ～ 29	1.4	1.2	0.8	1.5	3.4	1.5	0.8	1.5	1.6
30 ～ 34	1.7	1.5	1.0	2.0	4.0	2.1	1.1	1.6	2.0
35 ～ 39	2.2	1.9	1.4	2.5	4.8	2.7	1.5	2.0	2.6
40 ～ 44	3.2	2.8	2.2	3.6	6.0	3.7	2.3	2.6	3.6
45 ～ 49	4.5	4.2	3.4	5.0	7.3	5.2	3.6	3.7	5.0
50 ～ 54	5.2	4.9	4.3	5.7	7.0	5.7	4.4	4.7	5.7
55 ～ 59	6.2	6.0	5.6	6.6	7.0	6.4	5.6	5.3	6.6
60 ～ 64	7.7	7.8	7.5	8.0	7.5	7.6	7.4	7.0	7.9
65 ～ 69	11.2	11.5	11.5	11.4	9.3	10.7	11.3	8.5	10.9
70 ～ 74	13.6	14.1	14.3	13.8	10.1	13.1	13.3	14.3	11.4
75 ～ 79	13.3	13.8	14.7	12.6	8.9	12.9	14.2	13.2	14.0
80 ～ 84	10.6	11.1	12.8	9.2	6.0	10.1	13.7	12.6	10.2
85 ～ 89	6.9	7.4	9.3	5.2	3.1	6.0	11.1	10.0	5.8
90 歳以上	3.4	3.7	5.1	2.1	1.2	2.5	6.7	5.9	2.4
			人口一人当たり国民医療費　（千円）						
男	350.9	256.1	136.5	119.6	22.3	60.4	5.9	2.2	4.1
0 ～ 4 歳	264.8	209.2	101.7	107.5	9.6	38.8	1.6	2.0	3.5
5 ～ 9	150.5	88.0	22.7	65.3	25.3	34.3	0.4	0.3	2.1
10 ～ 14	122.7	76.4	21.3	55.2	14.9	28.8	0.5	0.3	1.7
15 ～ 19	92.7	61.8	23.9	37.9	10.2	18.5	0.7	0.4	1.2
20 ～ 24	76.4	48.8	20.0	28.8	11.0	14.2	0.7	0.7	1.0
25 ～ 29	91.3	56.4	21.3	35.1	14.3	17.8	0.9	0.6	1.2
30 ～ 34	107.7	66.7	25.1	41.6	15.8	22.1	1.1	0.6	1.4
35 ～ 39	126.1	79.3	31.1	48.3	17.0	25.9	1.4	0.7	1.7
40 ～ 44	155.3	100.4	40.9	59.6	18.6	31.5	1.9	0.8	2.1
45 ～ 49	196.6	131.9	57.7	74.2	20.0	38.5	2.6	1.0	2.5
50 ～ 54	259.7	180.2	83.1	97.1	22.2	48.8	3.7	1.5	3.3
55 ～ 59	345.2	246.8	121.5	125.3	24.9	62.0	5.3	1.9	4.3
60 ～ 64	447.1	328.4	170.3	158.1	27.6	76.0	7.2	2.5	5.3
65 ～ 69	570.6	427.8	229.4	198.4	30.2	93.7	9.7	2.7	6.5
70 ～ 74	717.0	540.8	292.5	248.2	33.9	118.8	11.8	4.7	7.0
75 ～ 79	885.3	668.0	381.7	286.4	37.5	147.5	15.9	5.5	10.8
80 ～ 84	1 043.3	793.9	486.7	307.2	37.5	170.0	22.5	7.7	11.7
85 ～ 89	1 174.1	912.0	612.4	299.6	33.8	174.8	31.5	10.6	11.4
90 歳以上	1 261.9	1 009.1	739.4	269.7	28.6	158.6	41.7	13.7	10.3

第8表　国民医療費・構成割合・人口一人当たり国民医療費，診療種類・性・年齢階級別

令和元年度（2019）

性・年齢階級	総数	医科診療医療費			歯科診療医療費	薬局調剤医療費	入院時食事・生活医療費	訪問看護医療費	療養費等
		総数	入院	入院外					
国民医療費（億円）									
女	228 424	162 325	85 192	77 133	16 475	41 342	4 278	1 382	2 623
0～4歳	5 379	4 230	2 005	2 225	216	795	33	30	73
5～9	3 209	1 844	466	1 379	619	684	9	8	45
10～14	2 651	1 644	483	1 161	401	549	12	7	37
15～19	2 421	1 552	577	975	349	461	18	9	31
20～24	2 989	1 866	680	1 186	478	567	26	13	40
25～29	4 076	2 640	1 079	1 561	584	742	41	13	54
30～34	5 272	3 526	1 568	1 958	664	926	59	30	67
35～39	6 253	4 100	1 743	2 358	785	1 183	66	39	80
40～44	7 601	4 880	1 884	2 995	962	1 539	74	46	102
45～49	9 838	6 393	2 467	3 926	1 158	1 989	101	65	132
50～54	10 483	6 953	2 737	4 216	1 113	2 085	120	70	142
55～59	11 368	7 683	3 201	4 482	1 098	2 224	146	68	149
60～64	13 527	9 339	4 088	5 250	1 163	2 588	187	81	170
65～69	19 613	13 817	6 400	7 418	1 457	3 702	299	103	234
70～74	25 529	18 221	8 821	9 400	1 647	4 854	408	135	263
75～79	28 518	20 545	11 013	9 532	1 506	5 404	540	165	359
80～84	27 125	20 000	12 147	7 852	1 098	4 876	664	191	295
85～89	23 371	17 821	12 226	5 595	721	3 731	727	160	211
90歳以上	19 202	15 272	11 606	3 666	454	2 443	746	149	138
構成割合（％）									
女	100.0	100.0	100.0	100.0	100.0	100.0	100.0	100.0	100.0
0～4歳	2.4	2.6	2.4	2.9	1.3	1.9	0.8	2.2	2.8
5～9	1.4	1.1	0.5	1.8	3.8	1.7	0.2	0.6	1.7
10～14	1.2	1.0	0.6	1.5	2.4	1.3	0.3	0.5	1.4
15～19	1.1	1.0	0.7	1.3	2.1	1.1	0.4	0.7	1.2
20～24	1.3	1.1	0.8	1.5	2.9	1.4	0.6	0.9	1.5
25～29	1.8	1.6	1.3	2.0	3.5	1.8	1.0	0.9	2.1
30～34	2.3	2.2	1.8	2.5	4.0	2.2	1.4	2.2	2.6
35～39	2.7	2.5	2.0	3.1	4.8	2.9	1.5	2.8	3.0
40～44	3.3	3.0	2.2	3.9	5.8	3.7	1.7	3.3	3.9
45～49	4.3	3.9	2.9	5.1	7.0	4.8	2.4	4.7	5.0
50～54	4.6	4.3	3.2	5.5	6.8	5.0	2.8	5.1	5.4
55～59	5.0	4.7	3.8	5.8	6.7	5.4	3.4	4.9	5.7
60～64	5.9	5.8	4.8	6.8	7.1	6.3	4.4	5.9	6.5
65～69	8.6	8.5	7.5	9.6	8.8	9.0	7.0	7.5	8.9
70～74	11.2	11.2	10.4	12.2	10.0	11.7	9.5	9.8	10.0
75～79	12.5	12.7	12.9	12.4	9.1	13.1	12.6	11.9	13.7
80～84	11.9	12.3	14.3	10.2	6.7	11.8	15.5	13.8	11.2
85～89	10.2	11.0	14.4	7.3	4.4	9.0	17.0	11.6	8.0
90歳以上	8.4	9.4	13.6	4.8	2.8	5.9	17.4	10.8	5.3
人口一人当たり国民医療費（千円）									
女	352.7	250.7	131.6	119.1	25.4	63.8	6.6	2.1	4.1
0～4歳	231.8	182.3	86.4	95.9	9.3	34.3	1.4	1.3	3.2
5～9	128.9	74.1	18.7	55.4	24.9	27.5	0.4	0.3	1.8
10～14	101.6	63.0	18.5	44.5	15.4	21.1	0.5	0.3	1.4
15～19	85.4	54.7	20.4	34.4	12.3	16.2	0.6	0.3	1.1
20～24	96.8	60.4	22.0	38.4	15.5	18.3	0.8	0.4	1.3
25～29	134.7	87.3	35.7	51.6	19.3	24.5	1.4	0.4	1.8
30～34	159.5	106.7	47.5	59.2	20.1	28.0	1.8	0.9	2.0
35～39	168.0	110.1	46.8	63.3	21.1	31.8	1.8	1.0	2.2
40～44	176.7	113.5	43.8	69.6	22.4	35.8	1.7	1.1	2.4
45～49	203.0	131.9	50.9	81.0	23.9	41.1	2.1	1.3	2.7
50～54	246.2	163.3	64.3	99.0	26.2	49.0	2.8	1.6	3.3
55～59	294.6	199.1	82.9	116.1	28.4	57.6	3.8	1.8	3.9
60～64	355.0	245.1	107.3	137.8	30.5	67.9	4.9	2.1	4.5
65～69	436.6	307.6	142.5	165.1	32.4	82.4	6.7	2.3	5.2
70～74	556.1	396.9	192.1	204.7	35.9	105.7	8.9	3.0	5.7
75～79	712.4	513.2	275.1	238.1	37.6	135.0	13.5	4.1	9.0
80～84	866.6	639.0	388.1	250.9	35.1	155.8	21.2	6.1	9.4
85～89	999.6	762.3	522.9	239.3	30.9	159.6	31.1	6.8	9.0
90歳以上	1 108.6	881.7	670.1	211.7	26.2	141.0	43.1	8.6	8.0

第9表　国民医療費・構成割合・人口一人

年　齢　階　級	平成9年度(1997)	10('98)	11('99)	12(2000)	13('01)	14('02)	15('03)	16('04)	17('05)	18('06)
									国　民　医	
総　　　　　　数	289 149	295 823	307 019	301 418	310 998	309 507	315 375	321 111	331 289	331 276
65　歳　未　満	154 057	153 249	152 540	155 776	156 964	156 877	155 832	155 705	159 039	155 752
0　～　14　歳	18 066	18 653	20 078	20 806	20 625	20 531	20 197	20 055	21 948	21 070
15　～　44	48 560	48 018	46 587	48 674	48 486	50 311	48 505	48 502	49 477	46 324
45　～　64	87 431	86 578	85 875	86 296	87 853	86 035	87 130	87 148	87 614	88 358
0　～　39　歳（再掲）	…	…	56 761	59 569	59 081	60 638	58 592	58 361	60 693	57 538
40　～　64　歳（再掲）	…	…	95 780	96 208	97 883	96 239	97 240	97 344	98 346	98 214
65　歳　以　上	135 092	142 573	154 478	145 640	154 034	152 631	159 542	165 404	172 250	175 523
70　歳　以　上（再掲）	104 627	110 855	120 856	112 778	119 393	119 105	125 255	132 450	139 395	141 088
75　歳　以　上（再掲）	72 305	76 560	83 844	75 531	81 858	82 181	86 154	91 897	97 520	100 000
									構　　　成	
総　　　　　　数	100.0	100.0	100.0	100.0	100.0	100.0	100.0	100.0	100.0	100.0
65　歳　未　満	53.3	51.8	49.7	51.7	50.5	50.7	49.4	48.5	48.0	47.0
0　～　14　歳	6.2	6.3	6.5	6.9	6.6	6.6	6.4	6.2	6.6	6.4
15　～　44	16.8	16.2	15.2	16.1	15.6	16.3	15.4	15.1	14.9	14.0
45　～　64	30.2	29.3	28.0	28.6	28.2	27.8	27.6	27.1	26.4	26.7
0　～　39　歳（再掲）	…	…	18.5	19.8	19.0	19.6	18.6	18.2	18.3	17.4
40　～　64　歳（再掲）	…	…	31.2	31.9	31.5	31.1	30.8	30.3	29.7	29.6
65　歳　以　上	46.7	48.2	50.3	48.3	49.5	49.3	50.6	51.5	52.0	53.0
70　歳　以　上（再掲）	36.2	37.5	39.4	37.4	38.4	38.5	39.7	41.2	42.1	42.6
75　歳　以　上（再掲）	25.0	25.9	27.3	25.1	26.3	26.6	27.3	28.6	29.4	30.2
									人口一人当たり	
総　　　　　　数	229.2	233.9	242.3	237.5	244.3	242.9	247.1	251.5	259.3	259.3
65　歳　未　満	144.8	144.6	144.6	148.5	150.3	151.1	151.6	151.4	155.9	154.0
0　～　14　歳	93.3	97.9	107.1	112.4	112.8	113.4	112.8	113.1	124.8	120.9
15　～　44	94.5	93.9	91.5	96.4	96.3	100.2	97.0	97.7	101.0	95.2
45　～　64	245.2	241.9	239.7	240.4	245.5	242.2	246.0	245.9	247.1	251.9
0　～　39　歳（再掲）	…	…	91.9	97.4	97.1	100.2	97.6	98.2	103.9	99.0
40　～　64　歳（再掲）	…	…	219.1	220.1	224.8	222.2	224.7	224.5	225.7	228.1
65　歳　以　上	683.7	695.2	729.2	660.8	673.6	645.9	656.2	664.9	668.6	659.8
70　歳　以　上（再掲）	802.0	812.0	849.0	755.8	765.8	732.7	740.8	755.4	761.7	743.4
75　歳　以　上（再掲）	928.8	941.0	986.6	838.1	858.9	818.2	816.8	830.3	837.8	822.0

注：1）本表は平成9年度から推計している。
　　2）平成12年4月から介護保険制度が開始されたことに伴い、従来国民医療費の対象となっていた費用のうち介護
　　　保険の費用に移行したものがあるが、これらは平成12年度以降、国民医療費に含まれていない。

当たり国民医療費，年次・年齢階級別

	19 ('07)	20 ('08)	21 ('09)	22 ('10)	23 ('11)	24 ('12)	25 ('13)	26 ('14)	27 ('15)	28 ('16)	29 ('17)	30 ('18)	令和元年度 ('19)
療費（億円）													
	341 360	348 084	360 067	374 202	385 850	392 117	400 610	408 071	423 644	421 381	430 710	433 949	443 895
	158 378	158 085	160 587	167 027	171 354	171 257	169 498	169 005	172 368	169 797	171 173	171 121	173 266
	21 986	22 326	22 595	24 176	24 835	24 805	24 510	24 829	25 327	25 220	25 395	25 300	24 987
	48 212	48 362	48 951	49 959	51 258	52 068	52 004	52 244	53 231	52 560	52 690	52 403	52 232
	88 180	87 397	89 042	92 891	95 261	94 384	92 983	91 932	93 810	92 017	93 088	93 417	96 047
	59 449	59 323	59 739	61 805	62 694	62 858	61 970	62 114	62 964	62 494	62 848	62 927	62 760
	98 930	98 761	100 849	105 222	108 659	108 398	107 528	106 891	109 404	107 303	108 325	108 193	110 506
	182 982	189 999	199 479	207 176	214 497	220 860	231 112	239 066	251 276	251 584	259 537	262 828	270 629
	148 077	153 325	160 500	168 603	176 614	181 747	189 253	194 777	202 512	201 395	210 475	216 708	226 953
	105 479	109 711	117 335	124 685	131 226	135 540	140 949	144 413	151 629	153 796	161 129	165 138	172 064
割合（％）													
	100.0	100.0	100.0	100.0	100.0	100.0	100.0	100.0	100.0	100.0	100.0	100.0	100.0
	46.4	45.4	44.6	44.6	44.4	43.7	42.3	41.4	40.7	40.3	39.7	39.4	39.0
	6.4	6.4	6.3	6.5	6.4	6.3	6.1	6.1	6.0	6.0	5.9	5.8	5.6
	14.1	13.9	13.6	13.4	13.3	13.3	13.0	12.8	12.6	12.5	12.2	12.1	11.8
	25.8	25.1	24.7	24.8	24.7	24.1	23.2	22.5	22.1	21.8	21.6	21.5	21.6
	17.4	17.0	16.6	16.5	16.2	16.0	15.5	15.2	14.9	14.8	14.6	14.5	14.1
	29.0	28.4	28.0	28.1	28.2	27.6	26.8	26.2	25.8	25.5	25.2	24.9	24.9
	53.6	54.6	55.4	55.4	55.6	56.3	57.7	58.6	59.3	59.7	60.3	60.6	61.0
	43.4	44.0	44.6	45.1	45.8	46.4	47.2	47.7	47.8	47.8	48.9	49.9	51.1
	30.9	31.5	32.6	33.3	34.0	34.6	35.2	35.4	35.8	36.5	37.4	38.1	38.8
国民医療費（千円）													
	267.2	272.6	282.4	292.2	301.9	307.5	314.7	321.1	333.3	332.0	339.9	343.2	351.8
	157.9	158.9	163.0	169.4	174.8	177.1	177.7	179.6	184.9	183.9	187.0	188.3	191.9
	127.1	130.0	132.8	143.6	148.7	149.9	149.5	153.0	158.8	159.8	162.9	164.1	164.3
	99.8	101.0	103.3	106.1	109.6	113.0	114.4	116.6	120.1	120.4	122.7	124.2	126.0
	254.2	254.1	261.0	268.2	275.7	276.9	277.2	278.3	284.8	279.8	282.0	280.8	285.8
	103.6	104.7	107.0	112.1	115.7	118.2	118.7	121.2	124.8	125.6	128.0	129.7	130.9
	230.6	230.7	236.2	242.2	247.7	248.9	248.9	249.6	255.7	251.9	255.2	255.4	261.1
	666.3	673.4	687.7	702.7	720.9	717.2	724.5	724.4	741.9	727.3	738.3	738.7	754.2
	754.5	760.0	778.3	794.9	806.8	804.6	815.8	816.8	840.0	828.2	834.2	826.8	835.1
	830.3	830.0	855.8	878.5	892.2	892.1	903.3	907.3	929.0	909.6	921.7	918.7	930.6

第9表

年 齢 階 級	平成20年度 (2008)			21 ('09)			22 ('10)		
	総 数	入 院	入院外	総 数	入 院	入院外	総 数	入 院	入院外
				医 科 診 療					
総　　　数	254 452	128 205	126 247	262 041	132 559	129 482	272 228	140 908	131 320
65 歳 未 満	111 042	47 175	63 867	112 352	47 584	64 768	116 532	50 713	65 819
0〜14歳	16 044	5 314	10 730	16 131	5 440	10 691	17 133	6 140	10 993
15〜44	32 587	12 985	19 602	32 837	13 014	19 823	33 291	13 618	19 673
45〜64	62 412	28 876	33 536	63 385	29 131	34 254	66 109	30 955	35 154
0〜39歳（再掲）	40 928	15 211	25 717	40 994	15 249	25 745	42 172	16 392	25 780
40〜64歳（再掲）	70 114	31 964	38 150	71 358	32 336	39 023	74 360	34 321	40 040
65 歳 以 上	143 410	81 030	62 379	149 689	84 975	64 714	155 696	90 195	65 501
70 歳以上（再掲）	116 436	67 595	48 842	121 130	70 853	50 277	127 539	76 011	51 528
75 歳以上（再掲）	84 196	51 542	32 654	89 501	54 809	34 692	95 377	59 419	35 959
				構		成			
総　　　数	100.0	100.0	100.0	100.0	100.0	100.0	100.0	100.0	100.0
65 歳 未 満	43.6	36.8	50.6	42.9	35.9	50.0	42.8	36.0	50.1
0〜14歳	6.3	4.1	8.5	6.2	4.1	8.3	6.3	4.4	8.4
15〜44	12.8	10.1	15.5	12.5	9.8	15.3	12.2	9.7	15.0
45〜64	24.5	22.5	26.6	24.2	22.0	26.5	24.3	22.0	26.8
0〜39歳（再掲）	16.1	11.9	20.4	15.6	11.5	19.9	15.5	11.6	19.6
40〜64歳（再掲）	27.6	24.9	30.2	27.2	24.4	30.1	27.3	24.4	30.5
65 歳 以 上	56.4	63.2	49.4	57.1	64.1	50.0	57.2	64.0	49.9
70 歳以上（再掲）	45.8	52.7	38.7	46.2	53.5	38.8	46.9	53.9	39.2
75 歳以上（再掲）	33.1	40.2	25.9	34.2	41.3	26.8	35.0	42.2	27.4
				人 口 一 人 当 た り					
総　　　数	199.3	100.4	98.9	205.5	104.0	101.5	212.6	110.0	102.5
65 歳 未 満	111.6	47.4	64.2	114.1	48.3	65.8	118.2	51.4	66.8
0〜14歳	93.4	30.9	62.5	94.8	32.0	62.8	101.7	36.5	65.3
15〜44	68.0	27.1	40.9	69.3	27.5	41.8	70.7	28.9	41.8
45〜64	181.4	83.9	97.5	185.8	85.4	100.4	190.9	89.4	101.5
0〜39歳（再掲）	72.2	26.8	45.4	73.5	27.3	46.1	76.5	29.7	46.8
40〜64歳（再掲）	163.8	74.7	89.1	167.1	75.7	91.4	171.2	79.0	92.2
65 歳 以 上	508.3	287.2	221.1	516.1	293.0	223.1	528.1	305.9	222.2
70 歳以上（再掲）	577.1	335.0	242.1	587.4	343.6	243.8	601.3	358.3	242.9
75 歳以上（再掲）	637.0	389.9	247.0	652.8	399.8	253.0	672.0	418.6	253.3

注：医科診療医療費は平成20年度から推計している。

医科診療医療費，年次・入院－入院外・年齢階級別

	23('11)			24('12)			25('13)		
	総　数	入　院	入院外	総　数	入　院	入院外	総　数	入　院	入院外

医　　　療　　　費　　　（億円）

総数	入院	入院外	総数	入院	入院外	総数	入院	入院外
278 129	143 754	134 376	283 198	147 566	135 632	287 447	149 667	137 780
118 391	51 324	67 067	118 425	51 957	66 468	116 439	51 002	65 437
17 544	6 294	11 251	17 471	6 410	11 062	17 199	6 327	10 871
33 788	13 739	20 049	34 441	14 252	20 189	34 248	14 276	19 972
67 059	31 292	35 767	66 513	31 295	35 217	64 992	30 399	34 594
42 478	16 451	26 027	42 628	16 836	25 792	41 868	16 639	25 229
75 913	34 873	41 040	75 797	35 120	40 676	74 571	34 363	40 208
159 738	92 429	67 309	164 773	95 609	69 163	171 008	98 665	72 343
132 320	78 645	53 675	136 376	81 229	55 146	140 815	83 444	57 371
99 422	61 726	37 696	102 810	63 844	38 966	105 981	65 484	40 497

割　　　　　　合　　　　（％）

総数	入院	入院外	総数	入院	入院外	総数	入院	入院外
100.0	100.0	100.0	100.0	100.0	100.0	100.0	100.0	100.0
42.6	35.7	49.9	41.8	35.2	49.0	40.5	34.1	47.5
6.3	4.4	8.4	6.2	4.3	8.2	6.0	4.2	7.9
12.1	9.6	14.9	12.2	9.7	14.9	11.9	9.5	14.5
24.1	21.8	26.6	23.5	21.2	26.0	22.6	20.3	25.1
15.3	11.4	19.4	15.1	11.4	19.0	14.6	11.1	18.3
27.3	24.3	30.5	26.8	23.8	30.0	25.9	23.0	29.2
57.4	64.3	50.1	58.2	64.8	51.0	59.5	65.9	52.5
47.6	54.7	39.9	48.2	55.0	40.7	49.0	55.8	41.6
35.7	42.9	28.1	36.3	43.3	28.7	36.9	43.8	29.4

医　科　診　療　医　療　費　（千円）

総数	入院	入院外	総数	入院	入院外	総数	入院	入院外
217.6	112.5	105.1	222.1	115.7	106.4	225.8	117.6	108.2
120.7	52.3	68.4	122.4	53.7	68.7	122.1	53.5	68.6
105.0	37.7	67.4	105.6	38.7	66.9	104.9	38.6	66.3
72.2	29.4	42.9	74.7	30.9	43.8	75.3	31.4	43.9
194.0	90.5	103.5	195.1	91.8	103.3	193.8	90.6	103.1
78.4	30.4	48.0	80.2	31.7	48.5	80.2	31.9	48.3
173.0	79.5	93.5	174.0	80.6	93.4	172.6	79.5	93.1
536.9	310.7	226.2	535.1	310.5	224.6	536.1	309.3	226.8
604.4	359.3	245.2	603.7	359.6	244.1	607.0	359.7	247.3
676.0	419.7	256.3	676.7	420.2	256.5	679.2	419.7	259.5

第10表

年　齢　階　級	26('14)			27('15)			28('16)		
	総　数	入　院	入院外	総　数	入　院	入院外	総　数	入　院	入院外

医　　科　　診　　療

総　　　　　数	292 506	152 641	139 865	300 461	155 752	144 709	301 853	157 933	143 920
65 歳 未 満	115 709	50 451	65 257	116 644	50 213	66 431	115 466	49 708	65 758
0～14歳	17 399	6 416	10 983	17 618	6 496	11 123	17 566	6 475	11 091
15～44	34 224	14 160	20 064	34 587	14 153	20 434	34 251	14 028	20 223
45～64	64 086	29 876	34 211	64 438	29 564	34 875	63 649	29 205	34 444
0～39歳 （再掲）	41 825	16 545	25 280	42 076	16 519	25 557	41 878	16 449	25 428
40～64歳 （再掲）	73 883	33 906	39 977	74 567	33 693	40 874	73 588	33 258	40 330
65 歳 以 上	176 797	102 189	74 608	183 818	105 539	78 278	186 387	108 225	78 162
70 歳以上 （再掲）	144 815	86 094	58 722	149 016	88 178	60 838	150 079	89 985	60 094
75 歳以上 （再掲）	108 432	67 346	41 086	112 676	69 613	43 062	115 555	72 221	43 334

構　　　　　成

総　　　　　数	100.0	100.0	100.0	100.0	100.0	100.0	100.0	100.0	100.0
65 歳 未 満	39.6	33.1	46.7	38.8	32.2	45.9	38.3	31.5	45.7
0～14歳	5.9	4.2	7.9	5.9	4.2	7.7	5.8	4.1	7.7
15～44	11.7	9.3	14.3	11.5	9.1	14.1	11.3	8.9	14.1
45～64	21.9	19.6	24.5	21.4	19.0	24.1	21.1	18.5	23.9
0～39歳 （再掲）	14.3	10.8	18.1	14.0	10.6	17.7	13.9	10.4	17.7
40～64歳 （再掲）	25.3	22.2	28.6	24.8	21.6	28.2	24.4	21.1	28.0
65 歳 以 上	60.4	66.9	53.3	61.2	67.8	54.1	61.7	68.5	54.3
70 歳以上 （再掲）	49.5	56.4	42.0	49.6	56.6	42.0	49.7	57.0	41.8
75 歳以上 （再掲）	37.1	44.1	29.4	37.5	44.7	29.8	38.3	45.7	30.1

人　口　一　人　当　た　り

総　　　　　数	230.2	120.1	110.1	236.4	122.5	113.9	237.8	124.4	113.4
65 歳 未 満	123.0	53.6	69.4	125.1	53.9	71.3	125.0	53.8	71.2
0～14歳	107.2	39.5	67.7	110.5	40.7	69.8	111.3	41.0	70.3
15～44	76.4	31.6	44.8	78.0	31.9	46.1	78.4	32.1	46.3
45～64	194.0	90.4	103.6	195.6	89.7	105.9	193.5	88.8	104.7
0～39歳 （再掲）	81.6	32.3	49.3	83.4	32.8	50.7	84.2	33.1	51.1
40～64歳 （再掲）	172.5	79.2	93.3	174.3	78.7	95.5	172.7	78.1	94.7
65 歳 以 上	535.7	309.7	226.1	542.7	311.6	231.1	538.8	312.9	226.0
70 歳以上 （再掲）	607.3	361.0	246.3	618.1	365.7	252.3	617.2	370.1	247.1
75 歳以上 （再掲）	681.2	423.1	258.1	690.3	426.5	263.8	683.4	427.1	256.3

医科診療医療費，年次・入院－入院外・年齢階級別

	29('17)			30('18)			令和元年度('19)		
	総　数	入　院	入院外	総　数	入　院	入院外	総　数	入　院	入院外

医　　　療　　　費　　（億円）

総数	入院	入院外	総数	入院	入院外	総数	入院	入院外
308 335	162 116	146 219	313 251	165 535	147 716	319 583	168 992	150 591
115 891	49 697	66 194	116 391	49 844	66 547	117 189	49 995	67 194
17 608	6 542	11 066	17 573	6 670	10 903	17 212	6 609	10 603
34 069	13 818	20 251	33 992	13 667	20 325	33 608	13 451	20 158
64 215	29 337	34 877	64 826	29 507	35 319	66 369	29 936	36 433
41 823	16 375	25 448	41 989	16 499	25 489	41 504	16 371	25 133
74 068	33 322	40 746	74 402	33 345	41 058	75 685	33 624	42 060
192 444	112 419	80 025	196 860	115 691	81 169	202 395	118 997	83 397
156 889	94 457	62 432	163 136	98 600	64 536	170 537	102 924	67 613
121 023	75 981	45 041	125 183	78 999	46 183	130 171	82 124	48 047

割　　　　　　合　　　（%）

総数	入院	入院外	総数	入院	入院外	総数	入院	入院外
100.0	100.0	100.0	100.0	100.0	100.0	100.0	100.0	100.0
37.6	30.7	45.3	37.2	30.1	45.1	36.7	29.6	44.6
5.7	4.0	7.6	5.6	4.0	7.4	5.4	3.9	7.0
11.0	8.5	13.8	10.9	8.3	13.8	10.5	8.0	13.4
20.8	18.1	23.9	20.7	17.8	23.9	20.8	17.7	24.2
13.6	10.1	17.4	13.4	10.0	17.3	13.0	9.7	16.7
24.0	20.6	27.9	23.8	20.1	27.8	23.7	19.9	27.9
62.4	69.3	54.7	62.8	69.9	54.9	63.3	70.4	55.4
50.9	58.3	42.7	52.1	59.6	43.7	53.4	60.9	44.9
39.3	46.9	30.8	40.0	47.7	31.3	40.7	48.6	31.9

医　科　診　療　医　療　費　（千円）

総数	入院	入院外	総数	入院	入院外	総数	入院	入院外
243.3	127.9	115.4	247.7	130.9	116.8	253.3	133.9	119.4
126.6	54.3	72.3	128.1	54.9	73.2	129.8	55.4	74.4
112.9	42.0	71.0	114.0	43.3	70.7	113.2	43.4	69.7
79.3	32.2	47.1	80.6	32.4	48.2	81.0	32.4	48.6
194.5	88.9	105.7	194.9	88.7	106.2	197.5	89.1	108.4
85.2	33.3	51.8	86.6	34.0	52.6	86.5	34.1	52.4
174.5	78.5	96.0	175.6	78.7	96.9	178.8	79.5	99.4
547.5	319.8	227.7	553.3	325.2	228.1	564.0	331.6	232.4
621.8	374.4	247.4	622.4	376.2	246.2	627.5	378.7	248.8
692.3	434.6	257.6	696.4	439.5	256.9	704.0	444.2	259.9

年　齢　階　級	昭和59年度 (1984)	60 ('85)	61 ('86)	62 ('87)	63 ('88)	平成元年度 ('89)	2 ('90)
				歯　科　診　療			
総　　　　　数	16 071	16 778	17 996	18 653	19 268	19 617	20 354
0　〜　14　歳	2 171	2 378	2 415	2 431	2 455	2 322	2 510
15　〜　44	7 522	7 484	7 782	7 969	8 179	8 097	8 149
45　〜　64	4 860	5 155	5 807	6 124	6 340	6 691	6 860
0　〜　39　歳（再掲）	…	…	…	…	…	…	…
40　〜　64　歳（再掲）	…	…	…	…	…	…	…
65　歳　以　上	1 518	1 761	1 991	2 129	2 293	2 507	2 834
70　歳　以　上（再掲）	921	1 065	1 201	1 277	1 394	1 447	1 651
75　歳　以　上（再掲）	…	…	…	…	…	…	…
				構　　　成			
総　　　　　数	100.0	100.0	100.0	100.0	100.0	100.0	100.0
0　〜　14　歳	13.5	14.2	13.4	13.0	12.7	11.8	12.3
15　〜　44	46.8	44.6	43.2	42.7	42.4	41.3	40.0
45　〜　64	30.2	30.7	32.3	32.8	32.9	34.1	33.7
0　〜　39　歳（再掲）	…	…	…	…	…	…	…
40　〜　64　歳（再掲）	…	…	…	…	…	…	…
65　歳　以　上	9.4	10.5	11.1	11.4	11.9	12.8	13.9
70　歳　以　上（再掲）	5.7	6.3	6.7	6.8	7.2	7.4	8.1
75　歳　以　上（再掲）	…	…	…	…	…	…	…
				人　口　一　人　当　た　り			
総　　　　　数	13.4	13.9	14.8	15.3	15.7	15.9	16.5
0　〜　14　歳	8.2	9.1	9.5	9.8	10.2	10.0	11.1
15　〜　44	14.0	13.9	14.4	14.7	15.1	14.9	15.0
45　〜　64	17.3	18.0	19.8	20.6	20.6	21.3	21.7
0　〜　39　歳（再掲）	…	…	…	…	…	…	…
40　〜　64　歳（再掲）	…	…	…	…	…	…	…
65　歳　以　上	12.7	14.1	15.5	16.0	16.5	17.5	19.0
70　歳　以　上（再掲）	11.6	12.9	14.0	14.4	15.2	15.4	16.8
75　歳　以　上（再掲）	…	…	…	…	…	…	…

注：1）本表は昭和59年度から推計している。
　　2）平成12年4月から介護保険制度が開始されたことに伴い、従来国民医療費の対象となっていた費用のうち介護
　　　保険の費用に移行したものがあるが、これらは平成12年度以降、国民医療費に含まれていない。

一人当たり歯科診療医療費，年次・年齢階級別

3 ('91)	4 ('92)	5 ('93)	6 ('94)	7 ('95)	8 ('96)	9 ('97)	10 ('98)	11 ('99)	12 (2000)	13 ('01)
医　　療　　費　　（億円）										
21 190	22 966	23 155	23 523	23 837	25 430	25 344	25 197	25 437	25 569	26 041
2 528	2 589	2 372	2 219	2 023	1 976	1 764	1 992	2 014	2 058	1 952
8 505	9 142	9 003	8 648	8 486	8 813	8 632	8 250	7 766	7 601	7 764
7 157	7 790	8 161	8 542	8 856	9 642	9 684	9 343	9 407	9 460	9 455
…	…	…	…	…	…	…	…	8 347	8 176	8 050
…	…	…	…	…	…	…	…	10 839	10 944	11 122
3 000	3 447	3 620	4 114	4 472	4 998	5 265	5 612	6 251	6 450	6 869
1 794	2 092	2 233	2 502	2 718	3 110	3 278	3 541	3 953	4 193	4 448
…	…	…	…	…	…	1 748	1 873	2 067	2 227	2 490
割　　　　　合　　　（％）										
100.0	100.0	100.0	100.0	100.0	100.0	100.0	100.0	100.0	100.0	100.0
11.9	11.3	10.2	9.4	8.5	7.8	7.0	7.9	7.9	8.0	7.5
40.1	39.8	38.9	36.8	35.6	34.7	34.1	32.7	30.5	29.7	29.8
33.8	33.9	35.2	36.3	37.2	37.9	38.2	37.1	37.0	37.0	36.3
…	…	…	…	…	…	…	…	32.8	32.0	30.9
…	…	…	…	…	…	…	…	42.6	42.8	42.7
14.2	15.0	15.6	17.5	18.8	19.7	20.8	22.3	24.6	25.2	26.4
8.5	9.1	9.6	10.6	11.4	12.2	12.9	14.1	15.5	16.4	17.1
…	…	…	…	…	…	6.9	7.4	8.1	8.7	9.6
歯 科 診 療 医 療 費　　（千円）										
17.1	18.5	18.6	18.8	19.0	20.2	20.1	19.9	20.1	20.1	20.5
11.5	12.1	11.4	10.9	10.1	10.0	9.1	10.5	10.7	11.1	10.7
15.5	16.8	16.8	16.4	16.2	17.0	16.8	16.1	15.2	15.1	15.4
22.6	24.0	24.5	25.0	25.3	27.2	27.2	26.1	26.3	26.4	26.4
…	…	…	…	…	…	…	…	13.5	13.4	13.2
…	…	…	…	…	…	…	…	24.8	25.0	25.5
19.3	21.2	21.4	23.4	24.5	26.3	26.6	27.4	29.5	29.3	30.0
17.7	19.9	20.5	22.0	22.9	25.0	25.1	25.9	27.8	28.1	28.5
…	…	…	…	…	…	22.5	23.0	24.3	24.7	26.1

年　齢　階　級	平成14年度 (2002)	15 ('03)	16 ('04)	17 ('05)	18 ('06)	19 ('07)	20 ('08)
	歯　　科　　診　　療						
総　　　　　　数	25 875	25 375	25 377	25 766	25 039	24 996	25 777
0　〜　14　歳	2 043	1 912	1 865	1 979	1 832	1 939	1 977
15　〜　44	8 124	7 623	7 522	7 432	6 756	6 773	7 072
45　〜　64	8 918	8 991	8 659	8 690	8 617	8 413	8 281
0　〜　39　歳（再掲）	8 594	8 055	8 031	8 021	7 303	7 240	7 555
40　〜　64　歳（再掲）	10 492	10 472	10 014	10 080	9 902	9 885	9 776
65　歳　以　上	6 790	6 849	7 331	7 665	7 834	7 871	8 447
70　歳　以　上（再掲）	4 474	4 520	4 987	5 295	5 429	5 517	5 927
75　歳　以　上（再掲）	2 619	2 548	2 786	2 890	3 045	3 211	3 490
	構　　　　　　　　成						
総　　　　　　数	100.0	100.0	100.0	100.0	100.0	100.0	100.0
0　〜　14　歳	7.9	7.5	7.3	7.7	7.3	7.8	7.7
15　〜　44	31.4	30.0	29.6	28.8	27.0	27.1	27.4
45　〜　64	34.5	35.4	34.1	33.7	34.4	33.7	32.1
0　〜　39　歳（再掲）	33.2	31.7	31.6	31.1	29.2	29.0	29.3
40　〜　64　歳（再掲）	40.5	41.3	39.5	39.1	39.5	39.5	37.9
65　歳　以　上	26.2	27.0	28.9	29.7	31.3	31.5	32.8
70　歳　以　上（再掲）	17.3	17.8	19.7	20.6	21.7	22.1	23.0
75　歳　以　上（再掲）	10.1	10.0	11.0	11.2	12.2	12.8	13.5
	人　口　一　人　当　た　り						
総　　　　　　数	20.3	19.9	19.9	20.2	19.6	19.6	20.2
0　〜　14　歳	11.3	10.7	10.5	11.3	10.5	11.2	11.5
15　〜　44	16.2	15.2	15.2	15.2	13.9	14.0	14.8
45　〜　64	25.1	25.4	24.4	24.5	24.6	24.3	24.1
0　〜　39　歳（再掲）	14.2	13.4	13.5	13.7	12.6	12.6	13.3
40　〜　64　歳（再掲）	24.2	24.2	23.1	23.1	23.0	23.0	22.8
65　歳　以　上	28.7	28.2	29.5	29.8	29.4	28.7	29.9
70　歳　以　上（再掲）	27.5	26.7	28.4	28.9	28.6	28.1	29.4
75　歳　以　上（再掲）	26.1	24.2	25.2	24.8	25.0	25.3	26.4

一人当たり歯科診療医療費，年次・年齢階級別

21 ('09)	22 ('10)	23 ('11)	24 ('12)	25 ('13)	26 ('14)	27 ('15)	28 ('16)	29 ('17)	30 ('18)	令和元年度 ('19)
医 療 費 （億円）										
25 587	26 020	26 757	27 132	27 368	27 900	28 294	28 574	29 003	29 579	30 150
1 980	2 083	2 123	2 172	2 178	2 223	2 263	2 348	2 407	2 493	2 540
6 925	6 880	7 033	7 009	6 932	7 034	7 039	7 004	7 016	6 977	6 966
8 051	8 094	8 244	8 148	7 940	7 929	7 929	7 956	8 074	8 223	8 465
7 407	7 431	7 496	7 463	7 351	7 418	7 419	7 474	7 551	7 633	7 720
9 549	9 626	9 904	9 865	9 700	9 767	9 812	9 835	9 946	10 059	10 251
8 632	8 964	9 357	9 803	10 317	10 714	11 064	11 265	11 506	11 887	12 179
6 049	6 430	6 871	7 244	7 621	7 875	8 044	8 121	8 468	8 994	9 449
3 694	3 945	4 247	4 530	4 768	5 000	5 253	5 469	5 746	6 113	6 413
割 合 （%）										
100.0	100.0	100.0	100.0	100.0	100.0	100.0	100.0	100.0	100.0	100.0
7.7	8.0	7.9	8.0	8.0	8.0	8.0	8.2	8.3	8.4	8.4
27.1	26.4	26.3	25.8	25.3	25.2	24.9	24.5	24.2	23.6	23.1
31.5	31.1	30.8	30.0	29.0	28.4	28.0	27.8	27.8	27.8	28.1
28.9	28.6	28.0	27.5	26.9	26.6	26.2	26.2	26.0	25.8	25.6
37.3	37.0	37.0	36.4	35.4	35.0	34.7	34.4	34.3	34.0	34.0
33.7	34.4	35.0	36.1	37.7	38.4	39.1	39.4	39.7	40.2	40.4
23.6	24.7	25.7	26.7	27.8	28.2	28.4	28.4	29.2	30.4	31.3
14.4	15.2	15.9	16.7	17.4	17.9	18.6	19.1	19.8	20.7	21.3
歯 科 診 療 医 療 費 （千円）										
20.1	20.3	20.9	21.3	21.5	22.0	22.3	22.5	22.9	23.4	23.9
11.6	12.4	12.7	13.1	13.3	13.7	14.2	14.9	15.4	16.2	16.7
14.6	14.6	15.0	15.2	15.2	15.7	15.9	16.0	16.3	16.5	16.8
23.6	23.4	23.9	23.9	23.7	24.0	24.1	24.2	24.5	24.7	25.2
13.3	13.5	13.8	14.0	14.1	14.5	14.7	15.0	15.4	15.7	16.1
22.4	22.2	22.6	22.7	22.5	22.8	22.9	23.1	23.4	23.7	24.2
29.8	30.4	31.4	31.8	32.3	32.5	32.7	32.6	32.7	33.4	33.9
29.3	30.3	31.4	32.1	32.9	33.0	33.4	33.4	33.6	34.3	34.8
26.9	27.8	28.9	29.8	30.6	31.4	32.2	32.3	32.9	34.0	34.7

年　齢　階　級	平成15年度 (2003)	16 ('04)	17 ('05)	18 ('06)	19 ('07)	20 ('08)	21 ('09)
					薬　局　調　剤　医		
総　　　　　　数	38 907	41 935	45 608	47 061	51 222	53 955	58 228
0　〜　14　歳	2 797	3 330	3 312	3 552	3 903	3 836	4 014
15　〜　44	5 166	5 667	6 283	6 342	6 839	7 233	7 690
45　〜　64	10 314	10 903	11 682	11 728	12 416	13 404	14 238
0　〜　39　歳（再掲）	6 868	7 854	8 176	8 482	9 154	9 290	9 777
40　〜　64　歳（再掲）	11 409	12 046	13 101	13 140	14 003	15 182	16 166
65　歳　以　上	20 629	22 036	24 330	25 439	28 063	29 483	32 286
70　歳　以　上（再掲）	16 169	17 442	19 463	20 486	22 760	23 758	25 977
75　歳　以　上（再掲）	10 625	11 574	13 204	14 050	15 866	16 721	18 588
					構　　成　　割		
総　　　　　　数	100.0	100.0	100.0	100.0	100.0	100.0	100.0
0　〜　14　歳	7.2	7.9	7.3	7.5	7.6	7.1	6.9
15　〜　44	13.3	13.5	13.8	13.5	13.4	13.4	13.2
45　〜　64	26.5	26.0	25.6	24.9	24.2	24.8	24.5
0　〜　39　歳（再掲）	17.7	18.7	17.9	18.0	17.9	17.2	16.8
40　〜　64　歳（再掲）	29.3	28.7	28.7	27.9	27.3	28.1	27.8
65　歳　以　上	53.0	52.5	53.3	54.1	54.8	54.6	55.4
70　歳　以　上（再掲）	41.6	41.6	42.7	43.5	44.4	44.0	44.6
75　歳　以　上（再掲）	27.3	27.6	29.0	29.9	31.0	31.0	31.9
					人口一人当たり薬局調剤		
総　　　　　　数	30.5	32.8	35.7	36.8	40.1	42.3	45.7
0　〜　14　歳	15.6	18.8	18.8	20.4	22.6	22.3	23.6
15　〜　44	10.3	11.4	12.8	13.0	14.2	15.1	16.2
45　〜　64	29.1	30.8	32.9	33.4	35.8	39.0	41.7
0　〜　39　歳（再掲）	11.4	13.2	14.0	14.6	15.9	16.4	17.5
40　〜　64　歳（再掲）	26.4	27.8	30.1	30.5	32.6	35.5	37.9
65　歳　以　上	84.9	88.6	94.4	95.6	102.2	104.5	111.3
70　歳　以　上（再掲）	95.6	99.5	106.4	107.9	116.0	117.8	126.0
75　歳　以　上（再掲）	100.7	104.6	113.4	115.5	124.9	126.5	135.6

注：本表は平成15年度から推計している。

薬局調剤医療費，年次・年齢階級別

	22 ('10)	23 ('11)	24 ('12)	25 ('13)	26 ('14)	27 ('15)	28 ('16)	29 ('17)	30 ('18)	令和元年度 ('19)
療　費　（億円）										
	61 412	66 288	67 105	71 118	72 846	79 831	75 867	78 108	75 687	78 411
	4 347	4 567	4 572	4 575	4 645	4 879	4 748	4 821	4 684	4 662
	8 172	8 785	8 975	9 210	9 377	9 981	9 705	10 074	9 920	10 154
	15 243	16 427	16 292	16 745	16 682	18 230	17 258	17 690	17 256	18 110
	10 392	10 920	10 994	11 054	11 180	11 773	11 470	11 846	11 688	11 887
	17 370	18 859	18 846	19 476	19 524	21 317	20 241	20 740	20 173	21 038
	33 650	36 509	37 265	40 588	42 141	46 741	44 156	45 523	43 826	45 485
	27 232	29 891	30 482	33 073	34 191	37 425	35 099	36 690	35 872	37 831
	19 594	21 664	22 198	24 104	24 775	27 306	26 204	27 517	26 786	28 110
合　（%）										
	100.0	100.0	100.0	100.0	100.0	100.0	100.0	100.0	100.0	100.0
	7.1	6.9	6.8	6.4	6.4	6.1	6.3	6.2	6.2	5.9
	13.3	13.3	13.4	13.0	12.9	12.5	12.8	12.9	13.1	12.9
	24.8	24.8	24.3	23.5	22.9	22.8	22.7	22.6	22.8	23.1
	16.9	16.5	16.4	15.5	15.3	14.7	15.1	15.2	15.4	15.2
	28.3	28.4	28.1	27.4	26.8	26.7	26.7	26.6	26.7	26.8
	54.8	55.1	55.5	57.1	57.8	58.5	58.2	58.3	57.9	58.0
	44.3	45.1	45.4	46.5	46.9	46.9	46.3	47.0	47.4	48.2
	31.9	32.7	33.1	33.9	34.0	34.2	34.5	35.2	35.4	35.8
医療費　（千円）										
	48.0	51.9	52.6	55.9	57.3	62.8	59.8	61.6	59.9	62.1
	25.8	27.3	27.6	27.9	28.6	30.6	30.1	30.9	30.4	30.6
	17.4	18.8	19.5	20.3	20.9	22.5	22.2	23.5	23.5	24.5
	44.0	47.5	47.8	49.9	50.5	55.3	52.5	53.6	51.9	53.9
	18.8	20.2	20.7	21.2	21.8	23.3	23.1	24.1	24.1	24.8
	40.0	43.0	43.3	45.1	45.6	49.8	47.5	48.9	47.6	49.7
	114.1	122.7	121.0	127.2	127.7	138.0	127.7	129.5	123.2	126.8
	128.4	136.5	134.9	142.6	143.4	155.2	144.3	145.4	136.9	139.2
	138.1	147.3	146.1	154.5	155.6	167.3	155.0	157.4	149.0	152.0

第12表

（単位：億円）

傷 病 分 類	総 数	0～14歳	15～44	45～64	65 歳以上	70 歳以上（再掲）	75 歳以上（再掲）
総 数	254 452	16 044	32 587	62 412	143 410	116 436	84 196
Ⅰ 感 染 症 及 び 寄 生 虫 症	6 674	1 034	1 283	1 613	2 743	2 159	1 494
結　　　　　　核（再掲）	345	2	35	63	245	218	180
Ⅱ 新　　　生　　　物	32 659	385	3 005	10 395	18 873	14 492	9 715
悪　性　新　生　物（再掲）	28 190	241	1 704	8 888	17 358	13 361	8 980
Ⅲ 血液及び造血器の疾患並びに免疫機構の障害	1 956	177	459	402	917	766	577
Ⅳ 内 分 泌，栄 養 及 び 代 謝 疾 患	18 530	435	1 581	5 553	10 961	8 449	5 573
糖　　　尿　　　病（再掲）	11 559	22	596	3 524	7 417	5 724	3 771
Ⅴ 精 神 及 び 行 動 の 障 害	17 774	240	3 945	6 255	7 334	5 420	3 682
Ⅵ 神 経 系 の 疾 患	9 899	482	1 629	2 171	5 617	4 711	3 556
Ⅶ 眼 及 び 付 属 器 の 疾 患	9 144	562	1 257	1 909	5 417	4 401	3 008
白　　　内　　　障（再掲）	2 504	3	25	354	2 123	1 793	1 261
Ⅷ 耳 及 び 乳 様 突 起 の 疾 患	1 846	546	298	397	606	454	285
Ⅸ 循 環 器 系 の 疾 患	51 988	173	1 567	11 354	38 894	32 745	24 893
高 血 圧 性 疾 患（再掲）	17 873	3	389	4 569	12 911	10 699	7 897
虚 血 性 心 疾 患（再掲）	7 442	3	157	1 754	5 527	4 458	3 151
脳 血 管 疾 患（再掲）	15 390	29	384	2 863	12 114	10 467	8 296
Ⅹ 呼 吸 器 系 の 疾 患	19 689	5 948	3 496	2 421	7 824	6 867	5 544
急 性 上 気 道 感 症（再掲）	3 698	1 944	1 033	412	309	219	108
気管支炎及び慢性閉塞性肺疾患（再掲）	1 878	250	140	177	1 311	1 184	977
喘　　　　　　息（再掲）	3 502	1 451	508	467	1 075	902	675
Ⅺ 消 化 器 系 の 疾 患	16 127	404	2 421	4 362	8 940	7 214	5 159
胃 潰 瘍 及 び 十 二 指 腸 潰 瘍（再掲）	2 624	5	323	818	1 478	1 186	844
胃 炎 及 び 十 二 指 腸 炎（再掲）	2 583	25	429	706	1 422	1 141	787
肝　　　疾　　　患（再掲）	1 944	20	215	637	1 072	812	523
Ⅻ 皮 膚 及 び 皮 下 組 織 の 疾 患	4 460	991	1 297	857	1 315	1 059	746
ⅩⅢ 筋 骨 格 系 及 び 結 合 組 織 の 疾 患	18 770	389	1 856	4 735	11 790	9 617	6 614
ⅩⅣ 腎 尿 路 生 殖 器 系 の 疾 患	18 732	208	2 404	5 590	10 530	8 025	5 325
糸球体疾患，腎尿細管間質性疾患及び腎不全（再掲）	12 830	107	920	4 197	7 606	5 630	3 605
ⅩⅤ 妊 娠，分 娩 及 び 産 じ ょ く	1 746	8	1 731	6	-	-	-
ⅩⅥ 周 産 期 に 発 生 し た 病 態	1 511	1 438	70	1	2	2	0
ⅩⅦ 先 天 奇 形，変 形 及 び 染 色 体 異 常	1 395	915	233	122	125	91	57
ⅩⅧ 症状,徴候及び異常臨床所見･異常検査所見で他に分類されないもの	4 482	396	713	1 031	2 343	1 919	1 413
ⅩⅨ 損 傷，中 毒 及 び そ の 他 の 外 因 の 影 響	17 070	1 312	3 340	3 238	9 180	8 045	6 552

注：1）医科診療医療費は平成 20 年度から推計している。
　　2）傷病分類は、平成 27 年度までは I C D -10（2003 年版）、平成 28 年度からは I C D -10（2013 年版）に準拠した分類による。

平成 20 年度（2008）

入				院			入			院	外		
総 数	0～14歳	15～44	45～64	65 歳以上	70 歳以上（再掲）	75 歳以上（再掲）	総 数	0～14歳	15～44	45～64	65 歳以上	70 歳以上（再掲）	75 歳以上（再掲）
128 205	5 314	12 985	28 876	81 030	67 595	51 542	126 247	10 730	19 602	33 536	62 379	48 842	32 654
2 483	262	298	498	1 426	1 207	930	4 191	773	985	1 115	1 317	952	565
261	1	23	45	192	174	147	85	1	12	18	53	44	33
21 688	311	1 769	6 705	12 902	9 890	6 639	10 971	74	1 236	3 690	5 971	4 602	3 077
19 139	220	1 061	5 878	11 980	9 196	6 177	9 051	21	643	3 009	5 377	4 165	2 802
1 048	93	157	188	609	522	412	908	84	302	214	308	244	166
5 117	110	288	1 099	3 620	3 040	2 300	13 413	325	1 293	4 455	7 341	5 409	3 274
3 715	9	158	857	2 692	2 230	1 643	7 844	13	439	2 668	4 724	3 494	2 128
13 259	71	2 090	4 965	6 133	4 492	3 069	4 515	169	1 855	1 290	1 201	928	614
6 766	325	1 014	1 375	4 052	3 436	2 645	3 133	158	614	796	1 565	1 275	910
2 321	53	115	466	1 686	1 402	1 001	6 823	508	1 142	1 442	3 731	2 999	2 007
1 165	2	14	162	987	846	615	1 339	1	11	192	1 135	947	647
408	73	72	115	148	105	66	1 439	473	227	282	457	349	220
28 458	114	817	5 321	22 206	19 067	15 030	23 529	58	750	6 033	16 688	13 678	9 863
2 593	2	30	253	2 308	2 105	1 792	15 279	1	359	4 316	10 603	8 594	6 104
5 163	2	103	1 290	3 769	2 996	2 078	2 279	1	54	465	1 758	1 462	1 072
12 526	23	305	2 335	9 863	8 557	6 871	2 864	7	79	528	2 250	1 909	1 425
7 258	932	557	671	5 098	4 675	4 051	12 431	5 016	2 939	1 750	2 726	2 192	1 494
203	104	51	18	30	25	18	3 495	1 840	982	394	279	194	90
705	26	9	43	627	582	504	1 172	224	130	134	685	602	472
644	199	42	58	344	310	262	2 858	1 252	466	409	731	593	412
8 311	256	991	1 996	5 067	4 219	3 196	7 817	148	1 430	2 366	3 874	2 996	1 963
897	3	64	219	611	526	421	1 727	2	259	599	867	660	423
293	2	24	52	215	186	149	2 290	23	405	654	1 207	955	639
922	11	70	280	562	438	300	1 022	9	145	357	511	374	223
872	71	115	152	534	469	383	3 589	921	1 182	705	781	590	362
7 933	200	623	1 818	5 291	4 369	3 116	10 837	189	1 233	2 917	6 499	5 249	3 499
5 124	129	498	1 060	3 437	2 880	2 177	13 607	79	1 906	4 530	7 093	5 144	3 148
3 304	74	185	694	2 351	1 961	1 476	9 526	33	735	3 503	5 255	3 670	2 129
1 470	7	1 459	4	-	-	-	276	1	272	2	-	-	-
1 290	1 232	56	1	0	0	0	221	205	14	0	1	1	0
962	661	160	78	63	46	29	433	254	73	44	62	46	28
2 193	160	196	397	1 440	1 223	952	2 290	236	517	634	903	696	460
11 244	252	1 708	1 967	7 316	6 554	5 546	5 826	1 060	1 632	1 271	1 863	1 491	1 006

第13表

（単位：億円）

傷　病　分　類	総			数		
	総　数	0～14歳	15～44	45～64	65　歳以上	70　歳以上（再掲）	75　歳以上（再掲）
総　　　　　　　　　　　数	262 041	16 131	32 837	63 385	149 689	121 130	89 501
I　感　染　症　及　び　寄　生　虫　症	6 398	937	1 222	1 549	2 690	2 097	1 495
結　　　　　　　　核（再掲）	304	2	33	57	213	188	158
II　新　　　　生　　　　物	33 494	377	3 005	10 553	19 558	14 810	9 959
胃　の　悪　性　新　生　物（再掲）	3 202	0	85	829	2 288	1 805	1 243
結　腸　及　び　直　腸　の　悪　性　新　生　物（再掲）	4 740	0	159	1 503	3 078	2 315	1 530
肝　及　び　肝　内　胆　管　の　悪　性　新　生　物（再掲）	1 519	6	25	340	1 148	917	613
気　管，気　管　支　及　び　肺　の　悪　性　新　生　物（再掲）	3 459	0	76	975	2 407	1 813	1 212
乳　房　の　悪　性　新　生　物（再掲）	2 546	0	367	1 353	826	526	315
そ　の　他　の　悪　性　新　生　物（再掲）	13 693	234	1 015	4 090	8 355	6 360	4 340
III　血液及び造血器の疾患並びに免疫機構の障害	2 001	178	468	423	933	774	589
IV　内　分　泌，栄　養　及　び　代　謝　疾　患	18 700	442	1 592	5 573	11 093	8 488	5 767
糖　　　　尿　　　　病（再掲）	11 504	24	592	3 495	7 393	5 666	3 849
V　精　神　及　び　行　動　の　障　害	18 831	250	4 140	6 673	7 767	5 705	3 926
VI　神　経　系　の　疾　患	10 713	490	1 696	2 287	6 239	5 254	4 075
VII　眼　及　び　付　属　器　の　疾　患	9 130	539	1 179	1 899	5 513	4 438	3 069
白　　　　内　　　　障（再掲）	2 539	2	23	361	2 153	1 802	1 277
VIII　耳　及　び　乳　様　突　起　の　疾　患	1 804	519	284	385	616	458	296
IX　循　環　器　系　の　疾　患	54 350	164	1 611	11 521	41 054	34 502	26 726
高　血　圧　性　疾　患（再掲）	18 241	3	393	4 570	13 276	10 936	8 255
虚　血　性　心　疾　患（再掲）	7 599	3	159	1 777	5 660	4 531	3 256
そ　の　他　の　心　疾　患（再掲）	8 474	107	403	1 349	6 614	5 762	4 700
脳　　　　梗　　　　塞（再掲）	10 132	4	106	1 220	8 801	7 852	6 528
そ　の　他　の　脳　血　管　疾　患（再掲）	6 458	24	300	1 786	4 348	3 516	2 608
X　呼　吸　器　系　の　疾　患	20 369	6 173	3 656	2 385	8 154	7 151	5 908
急　性　上　気　道　感　染　症（再掲）	3 605	1 875	1 054	390	286	194	113
気　管　支　炎　及　び　慢　性　閉　塞　性　肺　疾　患（再掲）	1 904	242	139	175	1 347	1 213	1 015
喘　　　　　　　　息（再掲）	3 433	1 407	505	465	1 056	879	671
XI　消　化　器　系　の　疾　患	16 322	398	2 463	4 361	9 100	7 309	5 333
胃　潰　瘍　及　び　十　二　指　腸　潰　瘍（再掲）	2 524	5	307	783	1 429	1 133	825
胃　炎　及　び　十　二　指　腸　炎（再掲）	2 608	25	426	699	1 458	1 168	829
肝　　　　疾　　　　患（再掲）	1 936	18	210	631	1 077	816	540
XII　皮　膚　及　び　皮　下　組　織　の　疾　患	4 381	942	1 267	857	1 314	1 052	769
XIII　筋　骨　格　系　及　び　結　合　組　織　の　疾　患	19 505	407	1 863	4 800	12 435	10 135	7 186
XIV　腎　尿　路　生　殖　器　系　の　疾　患	19 301	209	2 387	5 750	10 955	8 360	5 739
糸球体疾患，腎尿細管間質性疾患及び腎不全（再掲）	13 405	111	939	4 345	8 009	5 975	4 000
XV　妊　娠，分　娩　及　び　産　じ　ょ　く	1 821	7	1 807	6	1	1	0
XVI　周　産　期　に　発　生　し　た　病　態	1 597	1 535	60	1	1	0	0
XVII　先　天　奇　形，変　形　及　び　染　色　体　異　常	1 419	934	235	129	121	87	56
XVIII　症状，徴候及び異常臨床所見・異常検査所見で他に分類されないもの	4 131	334	657	915	2 225	1 842	1 409
XIX　損　傷，中　毒　及　び　そ　の　他　の　外　因　の　影　響	17 774	1 296	3 243	3 317	9 918	8 666	7 199

入院－入院外・年齢階級・傷病分類・年次別

	入			院				入		院	外		
総　数	0～14歳	15～44	45～64	65歳以上	70歳以上（再掲）	75歳以上（再掲）	総　数	0～14歳	15～44	45～64	65歳以上	70歳以上（再掲）	75歳以上（再掲）
132 559	5 440	13 014	29 131	84 975	70 853	54 809	129 482	10 691	19 823	34 254	64 714	50 277	34 692
2 363	233	272	458	1 401	1 183	929	4 035	705	951	1 091	1 289	914	566
227	1	21	39	167	150	129	77	1	12	18	46	38	29
21 886	304	1 732	6 606	13 244	10 062	6 790	11 608	73	1 274	3 947	6 315	4 749	3 168
2 281	0	49	565	1 667	1 327	929	921	0	36	264	621	478	315
2 990	0	81	873	2 035	1 570	1 080	1 751	0	78	629	1 043	744	450
1 254	5	18	273	959	769	514	265	0	8	68	189	148	99
2 558	0	45	710	1 803	1 357	908	900	0	31	265	604	456	304
874	0	109	428	337	231	150	1 672	0	257	925	489	296	166
9 503	214	746	2 971	5 572	4 155	2 774	4 190	20	269	1 118	2 783	2 205	1 566
1 063	87	149	196	630	539	424	938	90	319	227	302	235	165
4 755	106	259	985	3 406	2 878	2 239	13 944	336	1 333	4 588	7 687	5 610	3 528
3 425	10	142	771	2 502	2 082	1 580	8 079	14	450	2 724	4 891	3 584	2 268
14 122	70	2 234	5 280	6 539	4 771	3 261	4 709	180	1 907	1 394	1 228	934	665
7 371	332	1 055	1 459	4 525	3 848	3 029	3 341	158	641	827	1 714	1 406	1 046
2 257	45	109	471	1 632	1 337	950	6 873	494	1 070	1 427	3 882	3 101	2 119
1 197	1	13	169	1 014	859	623	1 342	1	10	192	1 139	943	654
411	71	67	116	158	113	72	1 394	449	217	269	459	345	225
30 071	106	852	5 447	23 665	20 317	16 253	24 279	57	759	6 074	17 390	14 185	10 472
2 461	1	25	219	2 215	2 024	1 762	15 781	1	368	4 351	11 060	8 912	6 493
5 272	2	106	1 310	3 854	3 037	2 140	2 328	1	54	467	1 806	1 494	1 115
6 234	69	269	918	4 978	4 388	3 641	2 240	38	134	431	1 636	1 374	1 059
7 995	3	75	910	7 007	6 300	5 315	2 137	1	31	310	1 794	1 552	1 213
5 622	18	250	1 561	3 793	3 082	2 308	836	5	50	225	555	434	300
7 737	1 045	541	679	5 471	5 024	4 384	12 632	5 128	3 115	1 706	2 683	2 127	1 524
174	90	41	15	28	23	17	3 431	1 785	1 013	375	258	171	96
736	17	10	42	667	618	541	1 168	225	130	133	680	594	474
589	186	36	50	318	287	246	2 844	1 221	469	416	739	592	425
8 340	246	977	1 974	5 144	4 272	3 285	7 982	152	1 487	2 387	3 956	3 037	2 048
837	3	55	203	577	493	397	1 687	2	252	580	852	641	427
280	2	23	49	206	179	147	2 328	22	403	650	1 252	989	681
912	10	68	277	557	438	308	1 024	8	141	354	520	379	232
873	63	109	159	542	477	394	3 508	880	1 159	698	771	575	375
8 162	216	616	1 798	5 533	4 581	3 350	11 342	191	1 247	3 002	6 903	5 553	3 836
5 207	134	470	1 046	3 557	2 988	2 293	14 094	76	1 917	4 703	7 398	5 373	3 446
3 492	79	176	707	2 530	2 125	1 628	9 913	32	763	3 639	5 480	3 850	2 373
1 559	5	1 548	4	1	0	0	262	1	259	2	1	0	0
1 373	1 322	49	1	0	0	0	224	213	11	0	0	0	0
975	676	157	82	60	42	27	444	258	77	47	62	46	29
1 901	115	152	315	1 319	1 144	932	2 230	218	505	600	906	698	477
12 133	263	1 667	2 054	8 149	7 278	6 197	5 641	1 033	1 576	1 263	1 770	1 388	1 001

（単位：億円）

傷　病　分　類	総数						
	総　数	0～14歳	15～44	45～64	65　歳以上	70　歳以上（再掲）	75　歳以上（再掲）
総　　　　　　　　　　　　　　　数	272 228	17 133	33 291	66 109	155 696	127 539	95 377
Ⅰ　感　染　症　及　び　寄　生　虫　症	6 743	1 091	1 240	1 610	2 802	2 221	1 593
結　　　　　　　　　　　核（再掲）	313	2	34	57	220	190	157
Ⅱ　新　　　　　　生　　　　　　物	34 750	436	3 094	11 075	20 146	15 347	10 324
胃　の　悪　性　新　生　物（再掲）	3 239	0	85	840	2 314	1 847	1 282
結腸及び直腸の悪性新生物（再掲）	4 988	0	165	1 612	3 211	2 424	1 625
肝及び肝内胆管の悪性新生物（再掲）	1 515	7	20	339	1 150	934	645
気管，気管支及び肺の悪性新生物（再掲）	3 811	1	86	1 125	2 599	1 944	1 290
乳　房　の　悪　性　新　生　物（再掲）	2 529	0	356	1 339	834	548	332
そ　の　他　の　悪　性　新　生　物（再掲）	14 230	274	1 055	4 321	8 580	6 578	4 452
Ⅲ　血液及び造血器の疾患並びに免疫機構の障害	2 214	207	525	468	1 014	846	648
Ⅳ　内　分　泌，栄　養　及　び　代　謝　疾　患	19 828	480	1 708	5 923	11 717	9 116	6 296
糖　　　　　　尿　　　　　　病（再掲）	12 149	25	640	3 739	7 745	6 021	4 136
Ⅴ　精　神　及　び　行　動　の　障　害	19 590	297	4 219	6 886	8 188	6 150	4 278
Ⅵ　神　　経　　系　　の　　疾　　患	11 666	543	1 813	2 523	6 786	5 788	4 564
Ⅶ　眼　及　び　付　属　器　の　疾　患	9 571	580	1 196	2 031	5 764	4 684	3 278
白　　　　　　内　　　　　　障（再掲）	2 586	2	25	368	2 192	1 854	1 337
Ⅷ　耳　及　び　乳　様　突　起　の　疾　患	1 864	573	291	386	615	462	301
Ⅸ　循　　環　　器　　系　　の　　疾　　患	56 601	179	1 697	12 057	42 668	36 199	28 356
高　　血　　圧　　性　　疾　　患（再掲）	18 830	3	399	4 641	13 786	11 513	8 836
虚　　血　　性　　心　　疾　　患（再掲）	7 420	3	154	1 775	5 488	4 451	3 227
そ　の　他　の　心　疾　患（再掲）	9 010	118	425	1 488	6 980	6 122	5 023
脳　　　　　梗　　　　　塞（再掲）	10 707	5	116	1 286	9 300	8 333	6 986
そ　の　他　の　脳　血　管　疾　患（再掲）	6 984	26	329	1 977	4 652	3 771	2 820
Ⅹ　呼　　吸　　器　　系　　の　　疾　　患	21 140	6 269	3 557	2 563	8 751	7 736	6 450
急　性　上　気　道　感　染　症（再掲）	3 642	1 930	1 016	407	290	200	117
気管支炎及び慢性閉塞性肺疾患（再掲）	1 936	246	138	188	1 363	1 229	1 031
喘　　　　　　　　　　　　息（再掲）	3 612	1 530	520	490	1 072	899	694
Ⅺ　消　　化　　器　　系　　の　　疾　　患	16 503	441	2 524	4 374	9 165	7 496	5 563
胃　潰　瘍　及　び　十　二　指　腸　潰　瘍（再掲）	2 434	5	296	744	1 389	1 119	830
胃　炎　及　び　十　二　指　腸　炎（再掲）	2 642	26	431	705	1 479	1 205	869
肝　　　　　疾　　　　　患（再掲）	1 871	20	208	605	1 038	801	536
Ⅻ　皮　膚　及　び　皮　下　組　織　の　疾　患	4 642	1 023	1 319	916	1 385	1 118	818
ⅩⅢ　筋　骨　格　系　及　び　結　合　組　織　の　疾　患	20 263	450	1 898	4 961	12 954	10 725	7 779
ⅩⅣ　腎　尿　路　生　殖　器　系　の　疾　患	19 390	230	2 380	5 867	10 913	8 502	5 960
糸球体疾患，腎尿細管間質性疾患及び腎不全（再掲）	14 368	163	1 050	4 704	8 451	6 466	4 452
ⅩⅤ　妊　娠，分　娩　及　び　産　じ　ょ　く	2 056	6	2 041	8	1	1	0
ⅩⅥ　周　産　期　に　発　生　し　た　病　態	1 760	1 691	65	2	1	1	0
ⅩⅦ　先　天　奇　形，変　形　及　び　染　色　体　異　常	1 608	1 086	252	146	125	91	56
ⅩⅧ　症状,徴候及び異常臨床所見・異常検査所見で他に分類されないもの	4 081	336	604	871	2 270	1 889	1 444
ⅩⅨ　損　傷，中　毒　及　び　そ　の　他　の　外　因　の　影　響	17 958	1 215	2 868	3 442	10 432	9 168	7 668

入院－入院外・年齢階級・傷病分類・年次別

平成 22 年度（2010）

入					院		入			院		外	
総　数	0～14歳	15～44	45～64	65歳以上	70歳以上（再掲）	75歳以上（再掲）	総　数	0～14歳	15～44	45～64	65歳以上	70歳以上（再掲）	75歳以上（再掲）
140 908	6 140	13 618	30 955	90 195	76 011	59 419	131 320	10 993	19 673	35 154	65 501	51 528	35 959
2 653	278	284	533	1 559	1 323	1 030	4 090	814	956	1 077	1 243	898	563
238	1	22	39	175	156	133	75	1	12	18	44	34	24
23 413	360	1 825	7 078	14 150	10 868	7 404	11 338	76	1 268	3 997	5 996	4 479	2 920
2 375	0	52	587	1 736	1 400	988	863	0	33	253	578	447	294
3 225	0	83	947	2 195	1 700	1 188	1 764	0	81	665	1 017	724	438
1 267	6	13	272	976	797	553	248	1	7	67	174	136	92
2 849	1	52	819	1 977	1 490	999	962	0	34	306	622	454	290
930	0	111	451	368	262	172	1 599	0	245	888	466	286	159
10 196	253	781	3 176	5 986	4 536	3 048	4 034	21	274	1 145	2 594	2 042	1 404
1 229	108	184	221	716	615	489	985	100	341	247	297	230	158
5 059	116	286	1 041	3 615	3 091	2 436	14 769	364	1 421	4 882	8 102	6 025	3 861
3 527	11	154	792	2 571	2 165	1 656	8 622	14	487	2 947	5 175	3 857	2 480
14 593	92	2 253	5 382	6 867	5 127	3 536	4 998	206	1 966	1 504	1 322	1 023	743
8 056	379	1 134	1 625	4 919	4 237	3 390	3 610	165	679	899	1 868	1 552	1 174
2 462	48	121	540	1 753	1 447	1 044	7 109	532	1 075	1 491	4 011	3 236	2 234
1 243	1	14	171	1 057	905	670	1 343	1	11	197	1 135	949	667
442	80	73	121	168	122	79	1 422	493	217	265	446	340	222
31 599	119	914	5 851	24 715	21 379	17 243	25 003	61	784	6 206	17 952	14 820	11 112
2 460	2	24	215	2 218	2 047	1 798	16 369	1	375	4 426	11 567	9 466	7 038
5 129	2	103	1 307	3 717	2 974	2 113	2 291	1	51	468	1 771	1 477	1 114
6 699	77	290	1 030	5 300	4 701	3 924	2 312	40	135	458	1 680	1 420	1 099
8 526	4	83	970	7 469	6 740	5 729	2 181	1	33	316	1 831	1 593	1 257
6 114	20	275	1 739	4 080	3 321	2 505	870	6	54	238	572	450	315
8 554	1 129	587	758	6 079	5 608	4 925	12 586	5 140	2 970	1 805	2 672	2 128	1 525
186	98	43	17	27	22	17	3 457	1 831	972	391	263	177	101
781	15	12	52	702	652	571	1 154	231	127	137	661	577	460
629	210	37	51	330	299	256	2 983	1 319	483	439	742	601	438
8 579	278	998	1 996	5 307	4 490	3 516	7 924	163	1 526	2 378	3 858	3 006	2 047
832	2	56	193	580	501	412	1 602	2	240	551	809	618	418
273	2	22	48	202	179	148	2 369	24	410	657	1 278	1 026	721
869	11	70	253	535	428	305	1 003	9	138	352	504	373	231
938	71	117	173	577	511	424	3 704	952	1 202	742	807	607	395
8 521	251	636	1 874	5 761	4 841	3 621	11 742	199	1 262	3 088	7 193	5 884	4 158
5 480	153	499	1 087	3 740	3 197	2 502	13 910	77	1 881	4 780	7 172	5 306	3 459
3 844	103	191	760	2 790	2 383	1 863	10 525	59	859	3 945	5 661	4 084	2 589
1 803	5	1 792	6	1	0	0	253	1	249	2	1	0	0
1 515	1 457	55	2	1	0	0	245	234	10	0	0	0	0
1 138	807	170	96	65	47	29	471	279	82	50	60	44	27
1 944	125	138	309	1 372	1 198	977	2 138	211	466	562	898	691	467
12 932	287	1 552	2 264	8 829	7 911	6 774	5 026	928	1 317	1 178	1 603	1 257	894

（単位：億円）

傷　病　分　類	総 数	0 ～ 14歳	15 ～ 44	45 ～ 64	65 歳以上	70 歳以上（再掲）	75 歳以上（再掲）
総　　　　　　　　　　　　　　　数	278 129	17 544	33 788	67 059	159 738	132 320	99 422
Ⅰ　感　染　症　及　び　寄　生　虫　症	6 518	1 023	1 198	1 511	2 786	2 261	1 675
結　　　　　　　　　核（再掲）	290	2	33	51	204	183	158
ウ　イ　ル　ス　肝　炎（再掲）	1 794	6	187	660	941	707	464
Ⅱ　新　　　　生　　　　物	36 381	438	3 188	11 543	21 213	16 211	10 765
悪　性　新　生　物（再掲）	31 831	286	1 845	10 027	19 673	15 066	10 024
胃　の　悪　性　新　生　物（再掲）	3 267	0	85	837	2 345	1 884	1 310
結腸及び直腸の悪性新生物（再掲）	5 283	0	174	1 706	3 403	2 595	1 701
肝及び肝内胆管の悪性新生物（再掲）	1 528	9	21	342	1 156	938	652
気管，気管支及び肺の悪性新生物（再掲）	4 070	1	89	1 201	2 779	2 065	1 329
乳　房　の　悪　性　新　生　物（再掲）	2 667	0	380	1 399	888	588	344
子　宮　の　悪　性　新　生　物（再掲）	849	0	158	410	282	191	113
Ⅲ　血液及び造血器の疾患並びに免疫機構の障害	2 356	217	562	493	1 084	916	711
Ⅳ　内　分　泌，栄　養　及　び　代　謝　疾　患	19 928	507	1 772	5 873	11 775	9 303	6 511
糖　　　　尿　　　　病（再掲）	12 152	25	665	3 703	7 759	6 107	4 237
Ⅴ　精　神　及　び　行　動　の　障　害	19 050	316	4 146	6 744	7 844	5 997	4 200
血管性及び詳細不明の認知症（再掲）	1 786	0	2	78	1 706	1 622	1 459
統合失調症，統合失調症型障害及び妄想性障害（再掲）	10 253	10	2 127	4 560	3 556	2 347	1 303
気分（感情）障害（躁うつ病を含む）（再掲）	3 203	9	944	1 014	1 236	976	690
Ⅵ　神　　経　　系　　の　　疾　　患	11 973	559	1 839	2 531	7 044	6 129	4 919
ア　ル　ツ　ハ　イ　マ　ー　病（再掲）	2 196	0	1	76	2 119	2 030	1 847
Ⅶ　眼　及　び　付　属　器　の　疾　患	9 730	573	1 174	2 079	5 903	4 853	3 402
白　　　　内　　　　障（再掲）	2 637	2	26	377	2 232	1 903	1 367
Ⅷ　耳　及　び　乳　様　突　起　の　疾　患	1 842	538	293	383	628	482	316
Ⅸ　循　環　器　系　の　疾　患	57 926	172	1 761	12 251	43 741	37 385	29 314
高　血　圧　性　疾　患（再掲）	19 082	2	397	4 593	14 090	11 877	9 157
心疾患（高血圧性のものを除く）（再掲）	17 020	115	612	3 402	12 891	11 009	8 605
虚　血　性　心　疾　患（再掲）	7 553	3	166	1 818	5 566	4 543	3 283
脳　血　管　疾　患（再掲）	17 894	31	469	3 291	14 102	12 318	9 978
Ⅹ　呼　吸　器　系　の　疾　患	21 707	6 395	3 573	2 608	9 130	8 135	6 808
肺　　　　　　　　炎（再掲）	3 506	450	133	240	2 683	2 520	2 262
慢　性　閉　塞　性　肺　疾　患（再掲）	1 441	6	24	135	1 275	1 163	986
喘　　　　　　　　息（再掲）	3 557	1 476	511	499	1 071	905	697
Ⅺ　消　化　器　系　の　疾　患	16 505	426	2 549	4 335	9 195	7 606	5 684
胃　及　び　十　二　指　腸　の　疾　患（再掲）	4 784	28	676	1 361	2 719	2 234	1 648
肝　　　　疾　　　　患（再掲）	1 810	18	195	591	1 006	788	539
Ⅻ　皮　膚　及　び　皮　下　組　織　の　疾　患	4 894	1 072	1 384	983	1 455	1 188	883
ⅩⅢ　筋　骨　格　系　及　び　結　合　組　織　の　疾　患	20 898	466	1 946	5 136	13 350	11 188	8 168
関　　　　節　　　　症（再掲）	4 815	3	94	1 034	3 685	3 154	2 305
脊椎障害（脊椎症を含む）（再掲）	4 931	3	166	1 014	3 747	3 194	2 349
ⅩⅣ　腎　尿　路　生　殖　器　系　の　疾　患	19 833	234	2 404	6 021	11 174	8 869	6 292
糸球体疾患，腎尿細管間質性疾患及び腎不全（再掲）	14 726	168	1 070	4 840	8 648	6 769	4 738
ⅩⅤ　妊　娠，分　娩　及　び　産　じ　ょ　く	2 122	5	2 108	8	1	1	0
ⅩⅥ　周　産　期　に　発　生　し　た　病　態	1 876	1 808	64	4	0	0	0
ⅩⅦ　先　天　奇　形，変　形　及　び　染　色　体　異　常	1 740	1 196	270	149	125	91	58
ⅩⅧ　症状，徴候及び異常臨床所見・異常検査所見で他に分類されないもの	3 954	323	575	821	2 235	1 910	1 503
ⅩⅨ　損　傷，中　毒　及　び　そ　の　他　の　外　因　の　影　響	18 898	1 278	2 981	3 584	11 055	9 795	8 211
骨　　　　　　　　折（再掲）	10 245	362	1 007	1 625	7 252	6 626	5 762

入院－入院外・年齢階級・傷病分類・年次別

平成23年度（2011）

入				院			入		院		外		
総　数	0～14歳	15～44	45～64	65歳以上	70歳以上（再掲）	75歳以上（再掲）	総　数	0～14歳	15～44	45～64	65歳以上	70歳以上（再掲）	75歳以上（再掲）
143 754	6 294	13 739	31 292	92 429	78 645	61 726	134 376	11 251	20 049	35 767	67 309	53 675	37 696
2 575	245	274	493	1 562	1 353	1 089	3 944	778	925	1 017	1 223	909	586
225	1	21	35	168	153	135	66	1	12	16	36	29	23
416	4	37	123	252	205	152	1 378	3	150	536	689	502	312
24 359	364	1 885	7 345	14 765	11 375	7 663	12 023	74	1 303	4 198	6 448	4 836	3 102
21 708	263	1 135	6 508	13 801	10 646	7 179	10 124	23	710	3 519	5 872	4 419	2 845
2 404	0	52	590	1 762	1 428	1 009	863	0	33	247	583	456	302
3 384	0	87	1 002	2 295	1 801	1 234	1 899	0	87	703	1 109	794	466
1 276	8	14	276	979	798	557	252	1	7	66	178	140	95
3 027	1	53	863	2 109	1 576	1 025	1 043	0	35	337	670	489	304
973	0	122	469	382	271	173	1 694	0	258	930	506	317	171
607	-	106	296	205	141	84	243	0	52	114	76	50	29
1 306	110	190	234	773	670	539	1 049	107	372	260	311	246	172
4 825	119	283	956	3 468	3 016	2 435	15 102	388	1 489	4 918	8 307	6 287	4 076
3 314	11	153	721	2 430	2 077	1 630	8 838	15	512	2 982	5 329	4 029	2 607
13 943	88	2 136	5 198	6 521	4 956	3 439	5 108	228	2 010	1 546	1 323	1 041	760
1 486	0	1	70	1 414	1 341	1 200	300	0	0	8	291	282	259
8 738	7	1 452	3 958	3 322	2 198	1 217	1 515	3	675	602	235	149	86
1 544	4	244	477	820	659	476	1 659	5	701	536	417	318	215
8 208	388	1 152	1 612	5 055	4 446	3 623	3 765	170	687	918	1 989	1 683	1 296
1 548	0	1	60	1 487	1 419	1 287	648	0	0	16	632	611	559
2 540	52	126	564	1 797	1 492	1 065	7 189	521	1 048	1 515	4 106	3 361	2 338
1 276	2	15	179	1 080	929	680	1 361	1	11	198	1 152	974	687
437	75	73	118	172	127	82	1 405	463	221	265	456	355	234
32 481	114	967	6 047	25 352	22 062	17 784	25 445	59	793	6 204	18 389	15 323	11 530
2 327	2	19	180	2 126	1 996	1 787	16 755	1	378	4 413	11 963	9 881	7 369
12 409	75	425	2 485	9 424	8 066	6 344	4 611	40	187	917	3 467	2 943	2 261
5 273	2	114	1 355	3 803	3 060	2 165	2 279	1	52	463	1 763	1 483	1 118
14 825	24	382	2 730	11 689	10 248	8 377	3 068	7	87	561	2 413	2 070	1 601
9 000	1 146	596	796	6 462	5 990	5 269	12 707	5 249	2 977	1 813	2 668	2 145	1 539
3 301	408	87	202	2 604	2 456	2 213	205	42	45	38	79	65	49
725	2	5	47	671	628	554	715	4	19	89	604	535	432
586	180	32	51	322	294	255	2 971	1 296	479	447	749	611	442
8 725	273	997	2 030	5 426	4 623	3 621	7 780	153	1 552	2 305	3 770	2 982	2 063
1 018	4	69	228	716	628	518	3 766	24	607	1 132	2 003	1 606	1 130
865	10	65	260	530	429	310	946	8	130	332	476	359	229
1 004	73	119	194	617	549	462	3 889	999	1 265	788	838	639	421
8 732	253	632	1 919	5 929	5 046	3 799	12 166	213	1 315	3 218	7 421	6 142	4 369
2 438	1	44	556	1 838	1 569	1 141	2 377	2	50	478	1 848	1 586	1 165
2 203	1	55	472	1 675	1 415	1 044	2 727	2	111	542	2 072	1 779	1 304
5 555	160	505	1 081	3 809	3 286	2 599	14 277	74	1 898	4 940	7 365	5 583	3 692
3 892	109	195	743	2 845	2 462	1 954	10 834	59	875	4 096	5 803	4 306	2 783
1 867	4	1 857	6	0	0	0	255	1	251	2	1	0	0
1 595	1 537	54	4	0	0	0	281	271	10	0	0	0	0
1 233	887	183	97	66	47	30	506	309	87	52	59	44	28
1 824	112	119	270	1 323	1 191	1 011	2 130	211	456	551	912	719	492
13 544	294	1 590	2 328	9 332	8 416	7 215	5 354	984	1 390	1 257	1 723	1 380	997
8 378	139	655	1 181	6 403	5 915	5 220	1 867	222	352	444	849	711	542

（単位：億円）

傷　病　分　類	総数	0～14歳	15～44	45～64	65歳以上	70歳以上（再掲）	75歳以上（再掲）
総　　　　　　　　　　　　　数	283 198	17 471	34 441	66 513	164 773	136 376	102 810
Ⅰ　感　染　症　及　び　寄　生　虫　症	6 578	1 014	1 252	1 484	2 829	2 302	1 722
腸　　管　　感　　染　　症（再掲）	1 476	542	416	181	337	290	238
結　　　　　　　　　　核（再掲）	270	2	31	44	193	174	149
ウ　イ　ル　ス　肝　炎（再掲）	1 722	6	183	619	914	685	459
Ⅱ　新　　　　生　　　　物	38 120	464	3 316	11 698	22 641	17 231	11 439
悪　　性　　新　　生　　物（再掲）	33 267	307	1 922	10 089	20 949	15 976	10 621
胃　の　悪　性　新　生　物（再掲）	3 376	0	87	827	2 462	1 971	1 376
結腸及び直腸の悪性新生物（再掲）	5 474	0	181	1 692	3 601	2 749	1 818
肝及び肝内胆管の悪性新生物（再掲）	1 542	9	21	321	1 191	962	678
気管，気管支及び肺の悪性新生物（再掲）	4 236	1	95	1 205	2 935	2 170	1 383
乳　房　の　悪　性　新　生　物（再掲）	2 883	0	399	1 469	1 015	669	391
子　宮　の　悪　性　新　生　物（再掲）	851	0	155	406	290	194	115
Ⅲ　血液及び造血器の疾患並びに免疫機構の障害	2 396	224	573	494	1 105	934	729
Ⅳ　内　分　泌，栄　養　及　び　代　謝　疾　患	19 949	534	1 793	5 680	11 942	9 443	6 678
糖　　　　尿　　　　病（再掲）	12 088	28	675	3 564	7 821	6 150	4 305
Ⅴ　精　神　及　び　行　動　の　障　害	18 879	345	4 065	6 541	7 928	6 056	4 254
血管性及び詳細不明の認知症（再掲）	1 739	0	2	71	1 666	1 587	1 433
統合失調症，統合失調症型障害及び妄想性障害（再掲）	10 081	8	2 064	4 386	3 624	2 400	1 343
気分（感情）障害（躁うつ病を含む）（再掲）	3 232	8	929	1 013	1 282	1 009	716
神経症性障害，ストレス関連障害及び身体表現性障害（再掲）	1 341	45	541	349	406	326	237
Ⅵ　神　経　系　の　疾　患	12 385	560	1 825	2 541	7 459	6 512	5 281
ア　ル　ツ　ハ　イ　マ　ー　病（再掲）	2 474	0	1	76	2 396	2 302	2 110
Ⅶ　眼　及　び　付　属　器　の　疾　患	10 135	594	1 188	2 119	6 234	5 117	3 583
白　　　内　　　障（再掲）	2 708	2	26	376	2 304	1 964	1 407
Ⅷ　耳　及　び　乳　様　突　起　の　疾　患	1 902	549	302	386	665	511	338
Ⅸ　循　環　器　系　の　疾　患	57 973	177	1 814	11 917	44 065	37 628	29 586
高　血　圧　性　疾　患（再掲）	18 740	1	386	4 329	14 024	11 808	9 151
心疾患（高血圧性のものを除く）（再掲）	17 351	119	642	3 400	13 190	11 273	8 820
虚　血　性　心　疾　患（再掲）	7 421	2	163	1 756	5 500	4 498	3 252
脳　血　管　疾　患（再掲）	17 772	31	494	3 216	14 030	12 239	9 931
Ⅹ　呼　吸　器　系　の　疾　患	21 507	5 980	3 603	2 596	9 329	8 312	6 969
肺　　　　　　　　炎（再掲）	3 256	338	136	230	2 553	2 392	2 136
慢　性　閉　塞　性　肺　疾　患（再掲）	1 410	6	25	128	1 252	1 143	970
喘　　　　　　　　息（再掲）	3 487	1 449	510	492	1 037	874	671
Ⅺ　消　化　器　系　の　疾　患	16 685	430	2 619	4 277	9 359	7 741	5 832
胃及び十二指腸の疾患（再掲）	4 566	30	661	1 269	2 607	2 142	1 590
肝　　　疾　　　患（再掲）	1 734	16	187	560	971	764	527
Ⅻ　皮　膚　及　び　皮　下　組　織　の　疾　患	5 008	1 066	1 389	1 007	1 546	1 256	935
ⅩⅢ　筋　骨　格　系　及　び　結　合　組　織　の　疾　患	21 647	490	1 962	5 198	13 997	11 746	8 600
炎　症　性　多　発　性　関　節　障　害（再掲）	2 749	36	307	976	1 429	1 072	691
関　　　　節　　　　症（再掲）	5 129	3	96	1 081	3 949	3 371	2 466
脊椎障害（脊椎症を含む）（再掲）	5 019	3	164	1 007	3 845	3 283	2 417
骨の骨密度及び構造の障害（再掲）	1 383	12	43	131	1 197	1 088	890
ⅩⅣ　腎　尿　路　生　殖　器　系　の　疾　患	20 144	239	2 434	5 903	11 568	9 174	6 543
糸球体疾患，腎尿細管間質性疾患及び腎不全（再掲）	14 901	175	1 053	4 703	8 970	7 015	4 942
ⅩⅤ　妊　娠，分　娩　及　び　産　じ　ょ　く	2 302	5	2 287	9	1	1	0
ⅩⅥ　周　産　期　に　発　生　し　た　病　態	1 974	1 906	64	4	0	0	0
ⅩⅦ　先　天　奇　形，変　形　及　び　染　色　体　異　常	1 840	1 263	285	156	135	97	62
ⅩⅧ　症状，徴候及び異常臨床所見・異常検査所見で他に分類されないもの	3 930	322	578	792	2 238	1 919	1 526
ⅩⅨ　損　傷，中　毒　及　び　そ　の　他　の　外　因　の　影　響	19 844	1 312	3 091	3 710	11 731	10 394	8 734
骨　　　　　　　　折（再掲）	10 850	376	1 061	1 696	7 718	7 058	6 153

入院－入院外・年齢階級・傷病分類・年次別

入　　院							入　　院　　外						
総　数	0〜14歳	15〜44	45〜64	65歳以上	70歳以上（再掲）	75歳以上（再掲）	総　数	0〜14歳	15〜44	45〜64	65歳以上	70歳以上（再掲）	75歳以上（再掲）
147 566	6 410	14 252	31 295	95 609	81 229	63 844	135 632	11 062	20 189	35 217	69 163	55 146	38 966
2 606	247	274	488	1 596	1 384	1 120	3 973	766	977	996	1 233	918	602
538	161	79	57	241	219	190	938	381	337	124	96	71	48
208	1	19	29	158	145	128	63	1	12	15	35	28	21
411	4	36	128	244	194	146	1 311	3	147	491	671	491	314
25 621	392	1 997	7 450	15 783	12 105	8 149	12 499	72	1 320	4 249	6 859	5 126	3 290
22 742	283	1 197	6 536	14 726	11 310	7 619	10 525	24	725	3 553	6 223	4 667	3 002
2 502	0	54	589	1 860	1 500	1 062	873	0	33	238	603	471	314
3 542	0	94	1 000	2 448	1 924	1 330	1 931	0	87	691	1 153	825	488
1 294	8	14	261	1 010	819	580	248	1	7	60	181	143	98
3 137	1	57	860	2 219	1 649	1 060	1 099	0	38	345	716	522	323
1 072	0	134	500	438	310	198	1 811	0	265	969	577	360	193
605	0	104	292	209	141	85	246	0	51	115	80	53	30
1 297	115	183	227	771	669	543	1 099	108	390	268	334	265	186
4 770	143	286	906	3 435	3 003	2 454	15 178	390	1 507	4 774	8 507	6 440	4 224
3 198	12	151	674	2 360	2 027	1 609	8 890	16	524	2 890	5 461	4 122	2 696
13 754	97	2 099	4 995	6 562	4 983	3 464	5 125	247	1 966	1 546	1 365	1 073	790
1 431	0	1	63	1 367	1 297	1 166	308	0	0	8	300	290	268
8 580	5	1 413	3 783	3 378	2 245	1 254	1 502	3	650	602	246	156	90
1 572	4	245	470	852	683	493	1 660	4	684	542	430	326	223
343	19	101	77	146	124	97	998	26	440	272	260	202	140
8 412	385	1 128	1 603	5 297	4 667	3 832	3 973	175	697	938	2 163	1 845	1 448
1 700	0	1	60	1 639	1 567	1 432	774	0	0	16	757	734	678
2 654	54	131	571	1 898	1 567	1 112	7 482	541	1 057	1 548	4 336	3 550	2 471
1 319	2	16	181	1 121	963	702	1 389	1	11	195	1 183	1 000	705
471	83	79	121	187	138	90	1 431	465	223	265	477	374	248
32 744	119	1 031	6 007	25 587	22 234	17 935	25 229	58	783	5 910	18 477	15 394	11 651
2 186	1	18	152	2 015	1 901	1 720	16 554	1	368	4 176	12 009	9 907	7 432
12 755	79	455	2 517	9 704	8 305	6 528	4 596	39	187	883	3 487	2 968	2 293
5 190	1	114	1 317	3 759	3 031	2 144	2 230	1	49	439	1 741	1 466	1 108
14 717	24	406	2 677	11 610	10 162	8 313	3 055	7	88	540	2 420	2 078	1 618
9 052	1 010	614	782	6 647	6 159	5 423	12 455	4 970	2 989	1 815	2 682	2 152	1 545
3 050	295	90	192	2 473	2 326	2 087	206	43	46	37	80	66	50
695	2	6	40	647	608	539	715	4	19	87	605	535	431
572	196	31	45	300	274	237	2 915	1 253	478	446	737	599	434
9 021	280	1 035	2 052	5 655	4 813	3 791	7 664	150	1 584	2 225	3 704	2 928	2 041
957	4	64	208	681	598	497	3 609	25	596	1 061	1 926	1 545	1 094
840	9	62	253	516	420	304	893	7	125	307	455	344	223
1 058	70	128	203	657	579	485	3 950	995	1 262	805	888	677	450
9 266	273	646	1 995	6 352	5 410	4 077	12 382	217	1 316	3 203	7 645	6 336	4 523
693	13	34	163	483	399	294	2 056	22	273	814	947	673	397
2 723	1	47	606	2 070	1 757	1 275	2 406	2	49	475	1 880	1 614	1 191
2 262	1	54	474	1 733	1 465	1 077	2 757	2	110	533	2 112	1 818	1 340
373	7	29	35	302	284	251	1 009	5	14	96	894	804	639
5 751	165	537	1 096	3 953	3 406	2 694	14 392	73	1 897	4 807	7 615	5 768	3 848
3 980	114	199	732	2 936	2 541	2 020	10 921	61	854	3 972	6 034	4 475	2 922
2 043	3	2 033	7	0	0	0	259	1	255	2	1	0	0
1 670	1 611	55	4	0	0	0	304	295	9	0	0	0	0
1 310	939	193	103	75	52	33	530	324	92	53	60	45	29
1 728	105	110	235	1 277	1 159	998	2 202	217	468	556	961	761	528
14 339	317	1 695	2 452	9 875	8 900	7 642	5 506	995	1 397	1 258	1 856	1 494	1 092
8 902	152	706	1 253	6 791	6 277	5 551	1 949	224	355	443	927	781	603

（単位：億円）

傷　病　分　類	総			数		
	総　数	0 〜 14 歳	15 〜 44	45 〜 64	65　歳 以上	70　歳 以上 （再掲）	75　歳 以上 （再掲）
総　　　　　　　　　　　　　　　　　数	287 447	17 199	34 248	64 992	171 008	140 815	105 981
Ⅰ　感　染　症　及　び　寄　生　虫　症	6 318	943	1 177	1 359	2 839	2 308	1 731
腸　　管　　感　　染　　症（再掲）	1 294	460	366	157	311	266	217
結　　　　　　　　　　核（再掲）	265	2	29	43	190	173	147
ウ　イ　ル　ス　肝　炎（再掲）	1 573	4	162	519	888	670	456
Ⅱ　新　　　　生　　　　物	38 850	476	3 372	11 385	23 618	17 811	11 747
悪　　性　　新　　生　　物（再掲）	33 792	319	1 952	9 753	21 768	16 452	10 867
胃　の　悪　性　新　生　物（再掲）	3 335	0	86	747	2 501	1 987	1 387
結腸及び直腸の悪性新生物（再掲）	5 577	0	192	1 638	3 747	2 828	1 867
肝及び肝内胆管の悪性新生物（再掲）	1 478	9	20	292	1 157	935	657
気管，気管支及び肺の悪性新生物（再掲）	4 255	1	91	1 128	3 036	2 222	1 391
乳　房　の　悪　性　新　生　物（再掲）	3 015	0	412	1 499	1 105	718	413
子　宮　の　悪　性　新　生　物（再掲）	854	0	155	394	305	201	120
Ⅲ　血液及び造血器の疾患並びに免疫機構の障害	2 478	225	604	496	1 153	974	760
Ⅳ　内　分　泌，栄　養　及　び　代　謝　疾　患	20 147	539	1 785	5 479	12 344	9 696	6 873
糖　　　　　尿　　　　　病（再掲）	12 076	29	673	3 382	7 992	6 236	4 384
Ⅴ　精　神　及　び　行　動　の　障　害	18 810	365	3 994	6 374	8 076	6 093	4 276
血管性及び詳細不明の認知症（再掲）	1 692	0	1	64	1 626	1 547	1 399
統合失調症, 統合失調症型障害及び妄想性障害（再掲）	9 916	8	1 980	4 205	3 723	2 428	1 366
気分（感情）障害（躁うつ病を含む）（再掲）	3 287	10	917	1 026	1 334	1 042	740
神経症性障害, ストレス関連障害及び身体表現性障害（再掲）	1 377	48	549	359	421	335	244
Ⅵ　神　経　系　の　疾　患	12 768	557	1 854	2 539	7 818	6 823	5 552
ア　ル　ツ　ハ　イ　マ　ー　病（再掲）	2 684	0	1	73	2 610	2 513	2 313
Ⅶ　眼　及　び　付　属　器　の　疾　患	10 431	577	1 146	2 089	6 619	5 423	3 764
白　　　　内　　　　障（再掲）	2 777	2	27	358	2 389	2 035	1 445
Ⅷ　耳　及　び　乳　様　突　起　の　疾　患	1 878	527	300	370	682	529	349
Ⅸ　循　環　器　系　の　疾　患	58 817	178	1 839	11 561	45 238	38 453	30 173
高　血　圧　性　疾　患（再掲）	18 890	1	379	4 117	14 392	12 066	9 361
心疾患（高血圧性のものを除く）（再掲）	17 878	119	674	3 365	13 720	11 681	9 104
虚　血　性　心　疾　患（再掲）	7 503	3	167	1 702	5 630	4 580	3 290
脳　血　管　疾　患（再掲）	17 730	30	489	3 095	14 116	12 259	9 946
Ⅹ　呼　吸　器　系　の　疾　患	21 211	5 666	3 403	2 553	9 588	8 529	7 141
肺　　　　　　　　炎（再掲）	3 168	239	106	227	2 596	2 431	2 172
慢　性　閉　塞　性　肺　疾　患（再掲）	1 514	48	28	129	1 309	1 187	999
喘　　　　　　　　息（再掲）	3 445	1 396	500	501	1 048	878	673
Ⅺ　消　化　器　系　の　疾　患	17 015	434	2 653	4 257	9 671	7 941	5 951
胃　及　び　十　二　指　腸　の　疾　患（再掲）	4 537	29	645	1 243	2 619	2 131	1 568
肝　　　　疾　　　　患（再掲）	1 722	15	181	540	986	771	535
Ⅻ　皮　膚　及　び　皮　下　組　織　の　疾　患	5 091	1 069	1 376	1 022	1 624	1 313	971
ⅩⅢ　筋　骨　格　系　及　び　結　合　組　織　の　疾　患	22 422	515	1 985	5 160	14 762	12 355	9 025
炎　症　性　多　発　性　関　節　障　害（再掲）	2 873	35	315	978	1 545	1 160	745
関　　　　　節　　　　　症（再掲）	5 352	2	98	1 080	4 171	3 546	2 582
脊　椎　障　害（脊　椎　症　を　含　む）（再掲）	5 150	3	169	984	3 994	3 408	2 507
骨　の　骨　密　度　及　び　構　造　の　障　害（再掲）	1 427	12	43	129	1 243	1 130	925
ⅩⅣ　腎　尿　路　生　殖　器　系　の　疾　患	20 440	261	2 432	5 726	12 020	9 452	6 756
糸球体疾患, 腎尿細管間質性疾患及び腎不全（再掲）	15 061	161	1 012	4 529	9 359	7 248	5 114
ⅩⅤ　妊　娠，分　娩　及　び　産　じ　ょ　く	2 336	5	2 320	9	1	1	0
ⅩⅥ　周　産　期　に　発　生　し　た　病　態	2 005	1 936	64	5	0	0	0
ⅩⅦ　先　天　奇　形，変　形　及　び　染　色　体　異　常	1 883	1 296	294	154	140	99	61
ⅩⅧ　症状, 徴候及び異常臨床所見・異常検査所見で他に分類されないもの	4 083	331	596	805	2 351	2 005	1 584
ⅩⅨ　損　傷，中　毒　及　び　そ　の　他　の　外　因　の　影　響	20 466	1 300	3 052	3 650	12 464	11 011	9 266
骨　　　　　　　　　折（再掲）	11 313	378	1 057	1 685	8 193	7 470	6 525

入院－入院外・年齢階級・傷病分類・年次別

平成 25 年度（2013）

入				院			入		院		外		
総数	0～14歳	15～44	45～64	65歳以上	70歳以上（再掲）	75歳以上（再掲）	総数	0～14歳	15～44	45～64	65歳以上	70歳以上（再掲）	75歳以上（再掲）
149 667	6 327	14 276	30 399	98 665	83 444	65 484	137 780	10 871	19 972	34 594	72 343	57 371	40 497
2 513	204	260	448	1 600	1 386	1 125	3 805	739	917	910	1 239	922	605
472	127	72	51	222	200	173	822	333	294	106	89	65	44
205	1	19	29	156	145	126	60	1	10	14	34	28	21
364	2	32	100	231	186	143	1 209	2	130	420	657	483	313
25 834	403	2 012	7 142	16 277	12 381	8 286	13 016	72	1 360	4 243	7 341	5 430	3 461
22 835	295	1 195	6 219	15 125	11 523	7 716	10 957	23	757	3 534	6 643	4 929	3 151
2 458	0	53	526	1 879	1 504	1 064	876	0	33	221	622	483	323
3 593	0	101	967	2 526	1 963	1 356	1 984	0	91	672	1 221	866	511
1 238	8	14	238	978	795	560	241	1	7	54	179	141	97
3 100	0	52	787	2 260	1 664	1 053	1 155	0	38	341	776	558	338
1 107	-	138	506	463	322	202	1 908	0	274	993	641	396	210
599	0	103	278	218	145	89	255	0	52	116	87	56	32
1 297	109	185	212	791	688	559	1 181	116	419	284	362	286	200
4 740	142	286	841	3 470	3 029	2 483	15 408	397	1 499	4 638	8 875	6 667	4 390
3 123	13	150	615	2 346	2 012	1 605	8 953	16	524	2 767	5 646	4 224	2 779
13 632	102	2 068	4 808	6 654	4 987	3 463	5 178	263	1 926	1 566	1 423	1 106	814
1 383	0	1	56	1 326	1 256	1 130	309	0	0	8	301	291	269
8 427	5	1 361	3 605	3 456	2 263	1 272	1 490	3	619	601	267	164	95
1 609	6	245	471	887	705	509	1 677	4	671	555	447	337	230
359	20	110	80	149	126	99	1 018	28	440	279	271	209	144
8 603	384	1 142	1 584	5 492	4 838	3 980	4 165	173	711	955	2 325	1 985	1 571
1 814	-	1	58	1 756	1 682	1 543	871	0	0	15	855	831	771
2 701	54	127	552	1 968	1 622	1 141	7 729	523	1 019	1 537	4 650	3 801	2 623
1 359	2	16	173	1 168	1 002	723	1 418	1	11	185	1 221	1 033	722
468	84	79	113	193	144	93	1 411	443	221	257	490	384	256
33 326	119	1 051	5 901	26 255	22 701	18 245	25 491	59	789	5 660	18 983	15 752	11 928
2 172	1	17	139	2 015	1 902	1 720	16 718	1	363	3 978	12 377	10 164	7 641
13 222	78	479	2 511	10 154	8 651	6 765	4 656	41	196	853	3 566	3 030	2 338
5 298	2	117	1 290	3 889	3 116	2 186	2 205	1	50	413	1 741	1 464	1 104
14 667	24	400	2 575	11 668	10 163	8 318	3 064	7	89	520	2 448	2 095	1 629
9 120	913	591	779	6 837	6 332	5 572	12 091	4 752	2 813	1 775	2 751	2 197	1 570
2 986	212	70	191	2 513	2 364	2 121	182	27	36	36	83	68	51
723	6	5	42	670	624	551	791	42	23	88	638	562	448
576	204	32	47	294	270	234	2 868	1 192	468	454	754	608	439
9 181	280	1 033	2 012	5 856	4 955	3 887	7 833	154	1 620	2 245	3 815	2 986	2 065
915	5	60	186	664	580	480	3 622	24	585	1 058	1 955	1 551	1 088
846	9	60	247	531	429	314	876	6	121	293	456	342	221
1 077	68	126	205	679	597	499	4 014	1 001	1 251	817	945	716	472
9 675	290	650	1 972	6 763	5 741	4 309	12 747	225	1 335	3 187	8 000	6 614	4 716
676	12	32	146	485	404	300	2 197	23	283	832	1 060	756	445
2 900	1	49	616	2 234	1 887	1 358	2 452	2	49	464	1 937	1 659	1 224
2 338	1	56	464	1 816	1 533	1 123	2 812	2	113	520	2 178	1 875	1 385
381	7	28	36	310	291	257	1 045	5	15	93	933	839	667
5 848	165	537	1 071	4 075	3 490	2 772	14 591	95	1 896	4 655	7 945	5 963	3 984
4 003	105	196	704	2 997	2 577	2 055	11 058	56	816	3 825	6 361	4 672	3 060
2 079	3	2 067	8	0	0	0	257	1	253	2	1	1	0
1 689	1 629	55	4	0	0	0	316	308	8	0	0	0	0
1 322	947	199	102	75	51	30	561	349	95	52	64	48	31
1 758	105	112	232	1 309	1 185	1 023	2 324	225	484	573	1 042	820	561
14 805	325	1 696	2 412	10 371	9 316	8 015	5 661	974	1 356	1 237	2 094	1 695	1 251
9 265	152	703	1 243	7 167	6 604	5 852	2 048	225	354	442	1 026	867	672

（単位：億円）

傷　病　分　類	総数	0～14歳	15～44	45～64	65歳以上	70歳以上（再掲）	75歳以上（再掲）
総　　　　　　　　　　　　数	292 506	17 399	34 224	64 086	176 797	144 815	108 432
I　感　染　症　及　び　寄　生　虫　症	6 456	920	1 159	1 373	3 004	2 418	1 784
腸　　管　　感　　染　　症（再掲）	1 281	445	367	156	313	265	214
結　　　　　　　　　核（再掲）	254	2	26	38	189	172	148
ウ　イ　ル　ス　肝　炎（再掲）	1 688	5	155	546	982	730	483
II　新　　　　生　　　　物	39 637	457	3 356	11 180	24 645	18 463	12 056
悪　　性　　新　　生　　物（再掲）	34 488	305	1 969	9 544	22 669	17 014	11 126
胃　の　悪　性　新　生　物（再掲）	3 299	0	81	686	2 532	1 994	1 382
結腸及び直腸の悪性新生物（再掲）	5 701	0	192	1 595	3 914	2 936	1 924
肝及び肝内胆管の悪性新生物（再掲）	1 470	8	17	270	1 175	946	663
気管，気管支及び肺の悪性新生物（再掲）	4 315	1	89	1 057	3 168	2 310	1 421
乳　房　の　悪　性　新　生　物（再掲）	3 194	0	428	1 549	1 217	779	444
子　宮　の　悪　性　新　生　物（再掲）	865	0	151	397	317	206	119
III　血液及び造血器の疾患並びに免疫機構の障害	2 433	222	608	476	1 128	949	732
IV　内　分　泌，栄　養　及　び　代　謝　疾　患	20 294	528	1 786	5.330	12 650	9 882	6 955
糖　　　　　尿　　　　　病（再掲）	12 196	29	672	3 286	8 209	6 370	4 439
V　精　神　及　び　行　動　の　障　害	19 020	392	3 982	6 322	8 324	6 191	4 322
血管性及び詳細不明の認知症（再掲）	1 648	0	1	60	1 586	1 509	1 363
統合失調症，統合失調症型障害及び妄想性障害（再掲）	9 919	8	1 929	4 090	3 891	2 493	1 405
気分（感情）障害（躁うつ病を含む）（再掲）	3 361	9	907	1 059	1 387	1 071	753
神経症性障害，ストレス関連障害及び身体表現性障害（再掲）	1 426	52	558	373	443	351	254
VI　神　経　系　の　疾　患	13 140	551	1 849	2 587	8 154	7 089	5 758
ア　ル　ツ　ハ　イ　マ　ー　病（再掲）	2 819	0	1	69	2 748	2 647	2 433
VII　眼　及　び　付　属　器　の　疾　患	10 724	582	1 115	2 078	6 949	5 645	3 912
白　　　　内　　　　障（再掲）	2 616	2	24	321	2 270	1 910	1 351
VIII　耳　及　び　乳　様　突　起　の　疾　患	1 887	527	293	360	707	548	363
IX　循　環　器　系　の　疾　患	58 892	180	1 813	11 070	45 829	38 821	30 299
高　血　圧　性　疾　患（再掲）	18 513	2	362	3 830	14 319	11 950	9 227
心疾患（高血圧性のものを除く）（再掲）	18 203	122	685	3 314	14 082	11 939	9 263
虚　血　性　心　疾　患（再掲）	7 430	3	163	1 614	5 650	4 576	3 274
脳　血　管　疾　患（再掲）	17 821	30	495	3 026	14 271	12 360	9 964
X　呼　吸　器　系　の　疾　患	21 772	5 695	3 527	2 597	9 953	8 829	7 371
肺　　　　　　　炎（再掲）	3 237	260	99	218	2 661	2 492	2 223
慢　性　閉　塞　性　肺　疾　患（再掲）	1 460	6	24	122	1 308	1 185	987
喘　　　　　　　息（再掲）	3 403	1 387	497	494	1 025	853	649
XI　消　化　器　系　の　疾　患	16 865	431	2 575	4 147	9 711	7 909	5 909
胃　及　び　十　二　指　腸　の　疾　患（再掲）	4 427	27	621	1 196	2 582	2 074	1 512
肝　　　　　疾　　　　　患（再掲）	1 703	15	179	516	994	769	533
XII　皮　膚　及　び　皮　下　組　織　の　疾　患	5 263	1 096	1 378	1 057	1 732	1 387	1 016
XIII　筋　骨　格　系　及　び　結　合　組　織　の　疾　患	22 847	533	1 955	5 106	15 253	12 716	9 263
炎　症　性　多　発　性　関　節　障　害（再掲）	2 829	34	298	913	1 583	1 192	768
関　　　　　節　　　　　症（再掲）	5 427	4	93	1 073	4 257	3 598	2 618
脊　椎　障　害（脊　椎　症　を　含　む）（再掲）	5 426	3	173	1 000	4 250	3 615	2 651
骨　の　骨　密　度　及　び　構　造　の　障　害（再掲）	1 469	12	45	128	1 283	1 164	950
XIV　腎　尿　路　生　殖　器　系　の　疾　患	21 085	273	2 455	5 651	12 707	9 935	7 041
糸球体疾患，腎尿細管間質性疾患及び腎不全（再掲）	15 346	167	995	4 372	9 813	7 582	5 337
XV　妊　娠，分　娩　及　び　産　じ　ょ　く	2 347	4	2 332	11	1	1	0
XVI　周　産　期　に　発　生　し　た　病　態	2 091	2 021	64	6	0	0	0
XVII　先　天　奇　形，変　形　及　び　染　色　体　異　常	1 942	1 341	299	156	146	103	65
XVIII　症状，徴候及び異常臨床所見・異常検査所見で他に分類されないもの	4 143	332	598	800	2 413	2 050	1 616
XIX　損　傷，中　毒　及　び　そ　の　他　の　外　因　の　影　響	21 667	1 316	3 080	3 782	13 490	11 882	9 968
骨　　　　　　　折（再掲）	12 065	387	1 063	1 714	8 901	8 101	7 070

入院－入院外・年齢階級・傷病分類・年次別

入　院							入　院　外						
総　数	0～14歳	15～44	45～64	65歳以上	70歳以上（再掲）	75歳以上（再掲）	総　数	0～14歳	15～44	45～64	65歳以上	70歳以上（再掲）	75歳以上（再掲）
152 641	6 416	14 160	29 876	102 189	86 094	67 346	139 865	10 983	20 064	34 211	74 608	58 722	41 086
2 543	200	248	433	1 662	1 432	1 149	3 913	720	911	940	1 342	986	635
480	128	77	51	224	201	172	801	317	290	105	89	64	43
199	0	16	25	157	145	128	55	1	9	13	32	27	20
371	3	26	99	243	196	146	1 316	2	128	448	738	534	336
26 160	386	1 974	6 911	16 889	12 785	8 468	13 477	71	1 381	4 268	7 756	5 678	3 588
23 126	282	1 188	5 997	15 659	11 868	7 865	11 362	23	781	3 548	7 010	5 146	3 260
2 430	0	49	481	1 900	1 507	1 059	870	0	32	205	632	487	324
3 676	0	99	937	2 640	2 041	1 396	2 025	0	93	658	1 274	895	528
1 233	7	11	220	995	805	565	236	1	6	50	180	141	97
3 111	1	49	727	2 335	1 718	1 067	1 204	0	40	330	833	592	354
1 160	0	147	515	497	343	217	2 034	0	281	1 033	720	437	228
609	0	100	282	227	149	87	256	0	51	115	89	57	32
1 175	103	162	180	730	636	516	1 258	118	446	296	398	313	216
4 682	132	274	798	3 478	3 026	2 475	15 611	396	1 512	4 531	9 172	6 856	4 480
3 079	12	137	575	2 355	2 013	1 600	9 117	17	535	2 711	5 854	4 357	2 839
13 826	104	2 089	4 744	6 888	5 089	3 521	5 194	288	1 893	1 577	1 436	1 101	801
1 364	0	1	54	1 309	1 241	1 115	284	0	0	6	277	268	248
8 460	5	1 346	3 497	3 612	2 326	1 310	1 458	3	583	593	279	167	95
1 680	4	248	494	934	732	522	1 681	5	658	565	453	339	230
380	20	112	86	162	136	106	1 046	32	445	287	282	215	148
8 913	381	1 131	1 617	5 784	5 079	4 174	4 228	170	718	969	2 369	2 010	1 584
1 946	-	1	55	1 890	1 813	1 659	873	0	0	14	858	834	773
2 641	50	122	512	1 957	1 599	1 128	8 083	532	993	1 566	4 992	4 046	2 785
1 140	1	13	135	992	843	610	1 476	1	11	186	1 278	1 067	740
477	85	77	111	203	152	99	1 410	441	215	249	504	396	264
33 955	119	1 061	5 831	26 944	23 213	18 558	24 937	61	752	5 239	18 885	15 607	11 741
2 129	1	16	128	1 984	1 873	1 700	16 384	1	346	3 702	12 335	10 077	7 527
13 573	79	489	2 498	10 508	8 912	6 941	4 630	43	196	816	3 574	3 027	2 322
5 290	1	115	1 230	3 943	3 144	2 202	2 140	1	48	384	1 707	1 432	1 072
14 858	23	407	2 539	11 889	10 328	8 396	2 964	6	89	487	2 382	2 031	1 568
9 414	929	587	773	7 126	6 593	5 792	12 358	4 766	2 941	1 824	2 826	2 236	1 579
3 057	234	65	183	2 575	2 423	2 171	180	26	34	35	86	69	52
717	2	5	39	671	625	547	743	4	19	83	637	560	440
536	190	28	42	277	254	220	2 867	1 197	470	452	748	599	428
9 099	274	997	1 943	5 885	4 952	3 890	7 765	157	1 578	2 205	3 826	2 957	2 020
891	4	55	177	654	566	469	3 536	23	566	1 019	1 928	1 508	1 044
849	9	61	237	543	434	316	854	6	118	279	451	335	216
1 116	73	121	208	713	625	525	4 147	1 022	1 257	848	1 019	761	490
9 879	299	635	1 962	6 983	5 898	4 414	12 968	234	1 320	3 144	8 270	6 818	4 849
646	12	29	127	478	400	299	2 183	23	269	786	1 106	792	468
2 934	1	44	615	2 273	1 905	1 373	2 493	2	49	458	1 983	1 693	1 245
2 530	1	59	480	1 991	1 674	1 222	2 895	2	114	520	2 259	1 941	1 430
401	7	29	38	327	306	270	1 067	6	16	90	956	858	680
6 005	166	536	1 035	4 268	3 654	2 902	15 081	107	1 920	4 616	8 439	6 280	4 139
4 091	105	193	669	3 124	2 688	2 143	11 255	62	801	3 703	6 689	4 894	3 195
2 084	3	2 073	9	0	0	0	263	1	259	2	1	0	0
1 755	1 693	56	6	0	0	0	336	328	8	0	0	0	0
1 352	973	198	101	80	54	34	590	368	101	55	66	49	31
1 735	104	107	215	1 309	1 190	1 031	2 408	228	491	585	1 104	861	586
15 829	342	1 712	2 488	11 288	10 115	8 670	5 838	974	1 368	1 294	2 202	1 767	1 298
9 958	161	719	1 263	7 816	7 188	6 364	2 107	226	345	451	1 085	913	706

（単位：億円）

傷　病　分　類	総　数	0～14歳	15～44	45～64	65歳以上	70歳以上（再掲）	75歳以上（再掲）
総　　　　　　　　数	300 461	17 618	34 587	64 438	183 818	149 016	112 676
Ⅰ　感　染　症　及　び　寄　生　虫　症	7 515	958	1 206	1 639	3 712	2 918	2 122
腸　　管　　感　　染　　症（再掲）	1 278	435	363	159	320	270	219
結　　　　　　　　　核（再掲）	244	1	25	33	184	165	143
ウ　イ　ル　ス　肝　炎（再掲）	2 575	4	184	794	1 593	1 169	763
Ⅱ　新　　　　生　　　　物	41 257	471	3 416	11 325	26 045	19 219	12 688
悪　　性　　新　　生　　物（再掲）	35 889	324	2 021	9 623	23 921	17 684	11 687
胃　の　悪　性　新　生　物（再掲）	3 358	0	87	673	2 597	2 019	1 407
結腸及び直腸の悪性新生物（再掲）	5 873	0	196	1 576	4 101	3 030	2 023
肝及び肝内胆管の悪性新生物（再掲）	1 423	8	17	244	1 154	924	655
気管,気管支及び肺の悪性新生物（再掲）	4 503	1	97	1 061	3 345	2 398	1 476
乳　房　の　悪　性　新　生　物（再掲）	3 395	0	444	1 619	1 331	836	482
子　宮　の　悪　性　新　生　物（再掲）	884	0	150	403	332	211	128
Ⅲ　血液及び造血器の疾患並びに免疫機構の障害	2 605	234	649	515	1 207	1 004	781
Ⅳ　内　分　泌,　栄　養　及　び　代　謝　疾　患	20 752	552	1 818	5 290	13 091	10 125	7 224
糖　　　　尿　　　　病（再掲）	12 356	32	674	3 223	8 427	6 472	4 568
Ⅴ　精　神　及　び　行　動　の　障　害	19 242	434	4 031	6 262	8 515	6 220	4 412
血管性及び詳細不明の認知症（再掲）	1 627	0	1	56	1 570	1 490	1 353
統合失調症,統合失調症型障害及び妄想性障害（再掲）	9 849	10	1 901	3 969	3 969	2 475	1 439
気分（感情）障害（躁うつ病を含む）（再掲）	3 484	12	922	1 097	1 454	1 109	786
神経症性障害,ストレス関連障害及び身体表現性障害（再掲）	1 534	56	599	402	478	374	275
Ⅵ　神　　経　　系　　の　　疾　　患	13 637	545	1 882	2 649	8 561	7 394	6 061
ア　ル　ツ　ハ　イ　マ　ー　病（再掲）	2 996	0	1	63	2 932	2 823	2 605
Ⅶ　眼　及　び　付　属　器　の　疾　患	11 085	587	1 109	2 089	7 301	5 877	4 122
白　　　　内　　　　障（再掲）	2 651	1	23	307	2 319	1 939	1 384
Ⅷ　耳　及　び　乳　様　突　起　の　疾　患	1 899	522	295	358	724	556	377
Ⅸ　循　　環　　器　　系　　の　　疾　　患	59 818	190	1 843	10 915	46 869	39 403	31 034
高　血　圧　性　疾　患（再掲）	18 500	2	353	3 671	14 475	11 984	9 339
心疾患（高血圧性のものを除く）（再掲）	18 848	127	698	3 333	14 691	12 350	9 676
虚　　血　　性　　心　　疾　　患（再掲）	7 562	3	165	1 602	5 792	4 639	3 353
脳　　血　　管　　疾　　患（再掲）	17 966	34	509	3 002	14 422	12 424	10 099
Ⅹ　呼　　吸　　器　　系　　の　　疾　　患	22 230	5 720	3 618	2 675	10 217	8 991	7 537
肺　　　　　　　　炎（再掲）	3 382	297	134	234	2 718	2 528	2 252
慢　性　閉　塞　性　肺　疾　患（再掲）	1 473	5	25	119	1 324	1 189	990
喘　　　　　　　　息（再掲）	3 507	1 437	519	517	1 035	847	647
Ⅺ　消　　化　　器　　系　　の　　疾　　患	17 170	443	2 607	4 189	9 931	7 997	6 035
胃　及　び　十　二　指　腸　の　疾　患（再掲）	4 381	27	618	1 181	2 554	2 023	1 483
肝　　　　疾　　　　患（再掲）	1 727	15	181	516	1 015	772	545
Ⅻ　皮　膚　及　び　皮　下　組　織　の　疾　患	5 469	1 123	1 417	1 092	1 837	1 453	1 072
ⅩⅢ　筋　骨　格　系　及　び　結　合　組　織　の　疾　患	23 261	522	1 919	5 055	15 764	13 024	9 628
炎　症　性　多　発　性　関　節　障　害（再掲）	2 852	36	286	883	1 647	1 235	819
関　　　　節　　　　症（再掲）	5 530	3	96	1 070	4 361	3 633	2 666
脊　椎　障　害（脊　椎　症　を　含　む）（再掲）	5 510	3	167	984	4 355	3 680	2 742
骨　の　骨　密　度　及　び　構　造　の　障　害（再掲）	1 523	13	43	128	1 339	1 207	993
ⅩⅣ　腎　尿　路　生　殖　器　系　の　疾　患	21 592	282	2 454	5 613	13 243	10 233	7 363
糸球体疾患,腎尿細管間質性疾患及び腎不全（再掲）	15 637	171	973	4 283	10 210	7 787	5 569
ⅩⅤ　妊　娠,　分　娩　及　び　産　じ　ょ　く	2 345	4	2 329	12	1	1	0
ⅩⅥ　周　産　期　に　発　生　し　た　病　態	2 088	2 018	63	7	0	0	0
ⅩⅦ　先　天　奇　形,　変　形　及　び　染　色　体　異　常	1 984	1 369	302	164	150	103	67
ⅩⅧ　症状,徴候及び異常臨床所見・異常検査所見で他に分類されないもの	4 299	339	616	820	2 524	2 124	1 682
ⅩⅨ　損　傷,　中　毒　及　び　そ　の　他　の　外　因　の　影　響	22 212	1 305	3 012	3 770	14 125	12 374	10 473
骨　　　　　　　　折（再掲）	12 503	382	1 015	1 718	9 388	8 511	7 480

入院－入院外・年齢階級・傷病分類・年次別

入院							入院外						
総数	0～14歳	15～44	45～64	65歳以上	70歳以上（再掲）	75歳以上（再掲）	総数	0～14歳	15～44	45～64	65歳以上	70歳以上（再掲）	75歳以上（再掲）
155 752	6 496	14 153	29 564	105 539	88 178	69 613	144 709	11 123	20 434	34 875	78 278	60 838	43 062
2 665	202	248	436	1 779	1 517	1 220	4 851	755	958	1 204	1 933	1 401	902
484	127	77	51	229	205	176	793	308	287	108	91	64	43
190	0	16	22	152	139	123	54	1	9	12	32	26	20
427	3	23	99	302	242	179	2 149	1	162	695	1 291	927	584
26 664	400	1 982	6 813	17 469	13 058	8 765	14 593	71	1 434	4 512	8 576	6 160	3 922
23 543	302	1 201	5 872	16 169	12 103	8 127	12 347	23	820	3 752	7 752	5 582	3 560
2 383	-	49	448	1 886	1 487	1 056	975	0	38	225	712	533	351
3 753	0	99	908	2 746	2 094	1 460	2 120	0	97	668	1 355	936	564
1 172	7	11	195	960	771	548	251	1	6	49	195	152	107
3 174	1	51	705	2 418	1 758	1 094	1 329	0	46	356	927	641	382
1 228	-	154	542	533	362	231	2 167	0	290	1 078	798	474	251
618	-	99	283	235	151	93	266	0	51	119	96	60	35
1 206	106	152	180	767	664	542	1 400	127	497	336	440	340	239
4 729	134	274	780	3 542	3 063	2 530	16 023	419	1 545	4 511	9 549	7 062	4 694
3 049	13	135	551	2 350	1 996	1 603	9 307	19	539	2 673	6 077	4 477	2 964
13 748	112	2 086	4 587	6 962	5 043	3 544	5 494	322	1 944	1 675	1 553	1 177	868
1 326	-	1	49	1 276	1 205	1 089	302	0	0	7	294	284	264
8 339	6	1 322	3 350	3 661	2 296	1 334	1 510	3	579	619	308	179	105
1 717	7	251	491	969	750	538	1 767	5	671	606	485	359	247
402	19	123	89	170	140	111	1 132	37	475	313	308	233	163
9 206	376	1 149	1 638	6 043	5 268	4 359	4 431	168	733	1 011	2 519	2 126	1 701
2 039	-	1	49	1 989	1 907	1 751	957	0	0	14	943	916	854
2 680	50	120	495	2 015	1 635	1 165	8 406	537	989	1 594	5 286	4 242	2 957
1 146	1	11	126	1 007	854	625	1 505	1	11	181	1 312	1 084	760
481	86	76	108	210	156	104	1 419	436	219	250	514	400	273
34 767	126	1 090	5 847	27 703	23 693	19 088	25 051	63	753	5 068	19 167	15 711	11 946
2 096	1	16	119	1 961	1 844	1 676	16 404	1	337	3 552	12 514	10 139	7 663
14 148	82	496	2 531	11 040	9 283	7 300	4 700	44	202	802	3 651	3 067	2 376
5 437	2	116	1 231	4 088	3 223	2 283	2 125	1	49	371	1 704	1 416	1 070
15 022	27	420	2 529	12 046	10 411	8 532	2 943	6	88	472	2 376	2 014	1 567
9 722	982	620	786	7 334	6 746	5 940	12 508	4 738	2 997	1 889	2 883	2 245	1 597
3 174	262	90	195	2 628	2 455	2 197	208	35	44	39	90	72	55
722	2	5	37	677	626	548	751	4	19	81	647	563	442
570	220	29	44	276	250	216	2 937	1 216	489	472	759	597	430
9 184	279	986	1 914	6 004	5 009	3 971	7 986	164	1 621	2 274	3 927	2 988	2 064
854	5	52	166	631	541	446	3 526	22	566	1 015	1 923	1 482	1 037
854	9	61	233	551	434	323	873	6	120	282	464	338	222
1 162	72	126	209	755	657	551	4 308	1 050	1 291	883	1 082	796	521
10 152	285	620	1 940	7 306	6 113	4 631	13 110	237	1 299	3 115	8 459	6 911	4 996
642	13	26	119	484	407	312	2 210	23	260	765	1 163	828	507
3 004	1	46	611	2 346	1 930	1 397	2 526	2	50	458	2 015	1 703	1 269
2 601	1	55	475	2 070	1 730	1 283	2 908	2	112	509	2 285	1 950	1 459
426	7	27	38	354	328	291	1 097	6	16	90	985	879	702
6 141	172	530	1 032	4 406	3 744	3 003	15 451	109	1 924	4 581	8 837	6 489	4 360
4 153	107	191	654	3 201	2 729	2 195	11 484	64	782	3 629	7 009	5 058	3 374
2 084	3	2 071	9	0	0	0	261	1	257	2	1	0	0
1 744	1 682	55	7	0	0	0	345	337	8	0	0	0	0
1 366	985	197	105	80	53	34	618	383	105	59	70	51	33
1 750	103	104	206	1 338	1 213	1 055	2 548	236	513	614	1 186	911	627
16 304	339	1 666	2 472	11 828	10 547	9 110	5 908	966	1 346	1 298	2 297	1 827	1 363
10 351	157	679	1 269	8 246	7 556	6 730	2 152	225	336	448	1 143	955	750

（単位：億円）

傷　病　分　類	総　数	0 ～ 14歳	15 ～ 44	45 ～ 64	65 歳以上	70 歳以上（再掲）	75 歳以上（再掲）
			総			数	
総　　　　　　　　　　数	301 853	17 566	34 251	63 649	186 387	150 079	115 555
Ⅰ　感 染 症 及 び 寄 生 虫 症	6 967	911	1 194	1 469	3 394	2 671	2 021
腸 管 感 染 症（再掲）	1 294	439	376	155	324	272	225
結 核（再掲）	242	2	24	33	184	164	143
ウ イ ル ス 性 肝 炎（再掲）	2 013	3	166	619	1 226	894	612
Ⅱ　新 生 物＜腫瘍＞	42 485	496	3 405	11 388	27 196	19 820	13 314
悪 性 新 生 物＜腫瘍＞（再掲）	37 067	347	2 041	9 666	25 013	18 255	12 267
胃 の 悪 性 新 生 物＜腫瘍＞（再掲）	3 360	0	82	641	2 637	2 028	1 432
結腸及び直腸の悪性新生物＜腫瘍＞（再掲）	5 738	0	183	1 462	4 093	2 997	2 052
肝及び肝内胆管の悪性新生物＜腫瘍＞（再掲）	1 374	9	17	222	1 125	894	653
気管，気管支及び肺の悪性新生物＜腫瘍＞（再掲）	5 161	1	106	1 214	3 840	2 695	1 661
乳 房 の 悪 性 新 生 物＜腫瘍＞（再掲）	3 425	0	440	1 611	1 373	850	509
子 宮 の 悪 性 新 生 物＜腫瘍＞（再掲）	898	0	149	410	339	211	131
Ⅲ　血液及び造血器の疾患並びに免疫機構の障害	2 654	237	665	525	1 228	1 004	793
Ⅳ　内 分 泌， 栄 養 及 び 代 謝 疾 患	20 584	546	1 816	5 153	13 068	10 041	7 328
糖 尿 病（再掲）	12 132	32	662	3 102	8 336	6 354	4 575
Ⅴ　精 神 及 び 行 動 の 障 害	19 062	457	3 912	6 126	8 567	6 162	4 457
血 管 性 及 び 詳 細 不 明 の 認 知 症（再掲）	1 587	0	1	50	1 536	1 451	1 321
統合失調症，統合失調症型障害及び妄想性障害（再掲）	9 649	9	1 799	3 825	4 016	2 448	1 476
気分（感情）障害（躁うつ病を含む）（再掲）	3 454	11	884	1 100	1 459	1 099	795
神経症性障害, ストレス関連障害及び身体表現性障害（再掲）	1 553	58	600	409	486	378	283
Ⅵ　神 経 系 の 疾 患	13 857	545	1 868	2 664	8 780	7 543	6 268
ア ル ツ ハ イ マ ー 病（再掲）	3 067	0	1	59	3 007	2 892	2 683
Ⅶ　眼 及 び 付 属 器 の 疾 患	10 851	595	1 083	2 050	7 122	5 674	4 068
白 内 障（再掲）	2 442	2	21	278	2 141	1 769	1 288
Ⅷ　耳 及 び 乳 様 突 起 の 疾 患	1 866	514	284	345	723	555	390
Ⅸ　循 環 器 系 の 疾 患	59 333	196	1 725	10 649	46 764	39 082	31 230
高 血 圧 性 疾 患（再掲）	17 981	2	339	3 498	14 142	11 635	9 205
心疾患（高血圧性のものを除く）（再掲）	19 378	130	723	3 410	15 114	12 622	10 043
虚 血 性 心 疾 患（再掲）	7 399	3	161	1 562	5 673	4 491	3 301
脳 血 管 疾 患（再掲）	17 739	36	492	2 925	14 285	12 235	10 073
Ⅹ　呼 吸 器 系 の 疾 患	22 591	5 580	3 652	2 693	10 667	9 378	7 971
肺 炎（再掲）	3 682	321	153	232	2 975	2 769	2 491
慢 性 閉 塞 性 肺 疾 患（再掲）	1 467	6	25	117	1 319	1 174	981
喘 息（再掲）	3 383	1 329	502	524	1 028	834	648
Ⅺ　消 化 器 系 の 疾 患	17 351	441	2 644	4 183	10 082	8 078	6 206
胃 及 び 十 二 指 腸 の 疾 患（再掲）	4 142	27	581	1 102	2 432	1 911	1 430
肝 疾 患（再掲）	1 682	16	184	502	980	739	534
Ⅻ　皮 膚 及 び 皮 下 組 織 の 疾 患	5 529	1 117	1 398	1 115	1 899	1 493	1 127
ⅩⅢ　筋 骨 格 系 及 び 結 合 組 織 の 疾 患	23 326	536	1 882	5 001	15 907	13 043	9 883
炎 症 性 多 発 性 関 節 障 害（再掲）	2 830	34	274	847	1 676	1 247	857
関 節 症（再掲）	5 503	3	91	1 063	4 346	3 585	2 680
脊 椎 障 害（脊 椎 症 を 含 む）（再掲）	5 469	3	166	970	4 330	3 635	2 784
骨 の 骨 密 度 及 び 構 造 の 障 害（再掲）	1 570	14	44	127	1 384	1 244	1 041
ⅩⅣ　腎 尿 路 生 殖 器 系 の 疾 患	21 619	277	2 402	5 473	13 468	10 354	7 627
糸球体疾患, 腎尿細管間質性疾患及び腎不全（再掲）	15 598	166	929	4 138	10 364	7 859	5 753
ⅩⅤ　妊 娠， 分 娩 及 び 産 じょ く	2 345	3	2 328	13	1	1	0
ⅩⅥ　周 産 期 に 発 生 し た 病 態	2 115	2 042	63	9	1	0	0
ⅩⅦ　先 天 奇 形， 変 形 及 び 染 色 体 異 常	2 056	1 413	314	171	157	107	70
ⅩⅧ　症状, 徴候及び異常臨床所見・異常検査所見で他に分類されないもの	4 289	342	621	816	2 510	2 092	1 672
ⅩⅨ　損 傷， 中 毒 及 び そ の 他 の 外 因 の 影 響	22 974	1 317	2 997	3 807	14 854	12 981	11 131
骨 折（部 位 不 明 を 除 く）（再掲）	13 128	382	1 014	1 743	9 989	9 030	8 008

入院－入院外・年齢階級・傷病分類・年次別

平成 28 年度（2016）

入				院			入		院		外		
総　数	0～14歳	15～44	45～64	65歳以上	70歳以上（再掲）	75歳以上（再掲）	総　数	0～14歳	15～44	45～64	65歳以上	70歳以上（再掲）	75歳以上（再掲）
157 933	6 475	14 028	29 205	108 225	89 985	72 221	143 920	11 091	20 223	34 444	78 162	60 094	43 334
2 593	190	243	409	1 750	1 492	1 232	4 374	721	951	1 059	1 644	1 180	789
486	121	77	50	237	211	184	808	317	298	105	87	61	42
189	1	15	21	152	139	124	53	1	9	12	31	25	19
329	1	19	72	236	191	151	1 684	1	147	546	990	702	461
27 039	423	1 975	6 688	17 952	13 299	9 122	15 446	72	1 430	4 700	9 243	6 521	4 192
23 915	325	1 218	5 744	16 629	12 334	8 460	13 151	22	823	3 922	8 384	5 921	3 807
2 304	0	42	402	1 860	1 461	1 058	1 056	0	39	239	778	567	373
3 710	0	93	849	2 768	2 091	1 488	2 028	0	90	613	1 325	905	564
1 146	9	11	178	949	757	556	227	1	6	44	177	136	97
3 259	1	49	684	2 526	1 817	1 155	1 902	0	57	530	1 314	877	506
1 247	0	156	543	548	367	242	2 177	0	284	1 069	825	483	267
624	-	99	286	238	149	95	274	0	50	124	100	61	36
1 186	107	148	173	758	650	542	1 468	130	517	352	469	354	251
4 694	132	273	746	3 543	3 058	2 570	15 890	414	1 544	4 407	9 525	6 983	4 758
2 953	11	131	516	2 294	1 940	1 585	9 179	21	531	2 586	6 041	4 414	2 990
13 638	110	2 032	4 458	7 038	5 022	3 605	5 423	347	1 880	1 668	1 528	1 140	852
1 307	-	1	44	1 262	1 187	1 075	280	0	0	6	274	264	246
8 187	6	1 262	3 214	3 705	2 272	1 370	1 462	3	537	611	311	175	105
1 724	6	243	495	980	749	549	1 730	5	641	606	478	351	246
412	18	124	90	181	149	119	1 141	40	477	319	306	229	164
9 415	380	1 141	1 633	6 261	5 433	4 558	4 442	165	727	1 031	2 519	2 110	1 709
2 130	-	1	47	2 083	1 995	1 842	937	0	0	13	924	897	841
2 446	49	113	463	1 821	1 458	1 061	8 405	547	969	1 588	5 301	4 216	3 006
986	1	10	106	869	729	545	1 455	1	11	172	1 272	1 040	743
491	85	73	107	225	170	119	1 375	428	211	238	498	385	271
35 265	133	1 061	5 873	28 198	23 965	19 542	24 068	63	663	4 775	18 566	15 117	11 689
2 070	1	15	113	1 941	1 825	1 672	15 911	1	324	3 385	12 201	9 810	7 533
14 759	85	518	2 627	11 528	9 629	7 688	4 619	45	205	783	3 586	2 993	2 356
5 367	2	113	1 210	4 041	3 145	2 266	2 033	1	48	351	1 632	1 346	1 035
14 948	30	409	2 484	12 025	10 330	8 567	2 791	7	83	440	2 261	1 905	1 506
10 029	905	615	760	7 749	7 128	6 339	12 562	4 675	3 037	1 933	2 918	2 250	1 633
3 452	279	103	192	2 879	2 693	2 433	230	42	51	41	96	76	58
714	2	5	37	670	613	538	753	4	19	80	650	560	443
505	159	27	44	275	250	220	2 878	1 170	474	480	753	584	428
9 350	270	993	1 906	6 181	5 146	4 140	8 000	171	1 650	2 277	3 902	2 932	2 066
812	5	46	150	612	522	436	3 330	23	535	952	1 820	1 389	994
839	10	61	230	539	422	320	843	6	123	272	441	318	214
1 180	68	119	208	785	683	583	4 349	1 049	1 279	907	1 114	810	544
10 356	284	610	1 939	7 523	6 265	4 866	12 970	252	1 272	3 061	8 384	6 778	5 017
613	11	23	105	474	396	314	2 218	23	251	742	1 202	851	544
3 021	1	40	611	2 368	1 931	1 422	2 482	2	50	452	1 978	1 654	1 258
2 637	1	56	478	2 102	1 749	1 340	2 832	2	110	492	2 228	1 886	1 445
480	7	28	40	405	377	338	1 090	7	16	88	979	867	703
6 287	170	530	1 028	4 560	3 870	3 164	15 332	107	1 872	4 445	8 908	6 484	4 464
4 221	104	193	649	3 275	2 783	2 279	11 377	62	737	3 489	7 089	5 076	3 475
2 091	2	2 078	11	0	0	0	253	2	249	2	1	0	0
1 767	1 703	55	9	1	0	0	348	339	8	0	0	0	0
1 426	1 025	206	108	86	57	37	630	387	108	63	71	50	34
1 677	96	97	194	1 290	1 164	1 022	2 612	247	524	622	1 220	928	649
17 002	343	1 664	2 491	12 503	11 126	9 719	5 972	974	1 332	1 315	2 351	1 855	1 412
10 937	156	683	1 287	8 811	8 052	7 226	2 191	226	331	456	1 178	978	782

（単位：億円）

傷　病　分　類	総 数						
	総　数	0～14歳	15～44	45～64	65歳以上	70歳以上（再掲）	75歳以上（再掲）
総　　　　　　　　　　　　　数	308 335	17 608	34 069	64 215	192 444	156 889	121 023
Ⅰ　感　染　症　及　び　寄　生　虫　症	6 531	891	1 130	1 331	3 180	2 561	1 967
腸　　管　　感　　染　　症（再掲）	1 209	398	336	152	323	274	228
結　　　　　　　　　　　　核（再掲）	230	1	23	30	174	158	137
ウ　イ　ル　ス　性　肝　炎（再掲）	1 572	4	143	471	954	719	503
Ⅱ　新　　　生　　　物＜腫瘍＞	43 761	506	3 370	11 525	28 361	21 081	14 137
悪　性　新　生　物＜腫瘍＞（再掲）	38 187	347	2 025	9 756	26 059	19 397	13 006
胃　の　悪　性　新　生　物＜腫瘍＞（再掲）	3 369	0	82	619	2 668	2 080	1 469
結腸及び直腸の悪性新生物＜腫瘍＞（再掲）	5 826	1	181	1 452	4 192	3 122	2 137
肝及び肝内胆管の悪性新生物＜腫瘍＞（再掲）	1 324	10	17	210	1 088	873	638
気管, 気管支及び肺の悪性新生物＜腫瘍＞（再掲）	5 248	1	105	1 178	3 964	2 888	1 801
乳　房　の　悪　性　新　生　物＜腫瘍＞（再掲）	3 495	0	425	1 624	1 446	925	550
子　宮　の　悪　性　新　生　物＜腫瘍＞（再掲）	949	0	150	436	363	233	141
Ⅲ　血液及び造血器の疾患並びに免疫機構の障害	2 771	238	687	555	1 291	1 062	840
Ⅳ　内　分　泌, 栄　養　及　び　代　謝　疾　患	20 983	575	1 838	5 187	13 383	10 440	7 605
糖　　　　　尿　　　　　病（再掲）	12 236	34	662	3 085	8 455	6 555	4 718
Ⅴ　精　神　及　び　行　動　の　障　害	19 084	487	3 858	6 064	8 676	6 338	4 586
血管性及び詳細不明の認知症（再掲）	1 593	0	1	49	1 543	1 461	1 333
統合失調症, 統合失調症型障害及び妄想性障害（再掲）	9 471	10	1 703	3 713	4 045	2 521	1 523
気分（感情）障害（躁うつ病を含む）（再掲）	3 495	11	877	1 120	1 488	1 139	821
神経症性障害, ストレス関連障害及び身体表現性障害（再掲）	1 622	64	626	432	500	394	297
Ⅵ　神　経　系　の　疾　患	14 259	559	1 862	2 735	9 103	7 872	6 555
ア　ル　ツ　ハ　イ　マ　ー　病（再掲）	3 179	0	1	56	3 122	3 012	2 810
Ⅶ　眼　及　び　付　属　器　の　疾　患	11 139	627	1 077	2 090	7 346	5 923	4 264
白　　　　　内　　　　　障（再掲）	2 423	2	20	267	2 135	1 779	1 298
Ⅷ　耳　及　び　乳　様　突　起　の　疾　患	1 869	488	293	352	736	572	409
Ⅸ　循　環　器　系　の　疾　患	60 771	200	1 732	10 747	48 092	40 611	32 492
高　血　圧　性　疾　患（再掲）	17 903	2	334	3 432	14 135	11 776	9 317
心疾患（高血圧性のものを除く）（再掲）	20 390	136	722	3 544	15 987	13 489	10 772
虚　血　性　心　疾　患（再掲）	7 498	3	156	1 581	5 758	4 604	3 394
脳　　血　　管　　疾　　患（再掲）	18 081	36	496	2 934	14 615	12 621	10 380
Ⅹ　呼　吸　器　系　の　疾　患	22 892	5 490	3 659	2 784	10 960	9 695	8 247
肺　　　　　　　　　炎（再掲）	3 645	264	104	219	3 058	2 854	2 574
慢　性　閉　塞　性　肺　疾　患（再掲）	1 446	6	23	111	1 307	1 168	970
喘　　　　　　　　　息（再掲）	3 337	1 270	490	543	1 034	842	653
Ⅺ　消　化　器　系　の　疾　患	17 423	434	2 612	4 168	10 209	8 281	6 389
胃　及　び　十　二　指　腸　の　疾　患（再掲）	3 953	25	542	1 040	2 346	1 868	1 405
肝　　　　　疾　　　　　患（再掲）	1 694	17	181	512	984	752	544
Ⅻ　皮　膚　及　び　皮　下　組　織　の　疾　患	5 650	1 141	1 393	1 155	1 961	1 563	1 189
ⅩⅢ　筋　骨　格　系　及　び　結　合　組　織　の　疾　患	24 452	552	1 908	5 195	16 797	13 865	10 578
炎　症　性　多　発　性　関　節　障　害（再掲）	2 912	33	272	844	1 763	1 336	929
関　　　　　節　　　　　症（再掲）	5 814	3	93	1 139	4 579	3 777	2 836
脊　椎　障　害（脊　椎　症　を　含　む）（再掲）	5 695	3	172	990	4 530	3 820	2 943
骨　の　骨　密　度　及　び　構　造　の　障　害（再掲）	1 620	14	44	127	1 435	1 295	1 087
ⅩⅣ　腎　尿　路　生　殖　器　系　の　疾　患	21 955	274	2 392	5 432	13 858	10 876	8 041
糸球体疾患, 腎尿細管間質性疾患及び腎不全（再掲）	15 889	167	905	4 113	10 706	8 278	6 047
ⅩⅤ　妊　娠, 分　娩　及　び　産　じょ　く	2 312	3	2 295	12	1	1	0
ⅩⅥ　周　産　期　に　発　生　し　た　病　態	2 128	2 053	65	10	1	0	0
ⅩⅦ　先　天　奇　形, 変　形　及　び　染　色　体　異　常	2 119	1 445	325	183	166	116	74
ⅩⅧ　症状, 徴候及び異常臨床所見・異常検査所見で他に分類されないもの	4 421	344	623	831	2 624	2 195	1 747
ⅩⅨ　損　傷, 中　毒　及　び　そ　の　他　の　外　因　の　影　響	23 814	1 303	2 952	3 859	15 699	13 838	11 902
骨　折（部　位　不　明　を　除　く）（再掲）	13 969	382	1 029	1 832	10 727	9 751	8 665

入				院			入			院	外		
総数	0～14歳	15～44	45～64	65歳以上	70歳以上（再掲）	75歳以上（再掲）	総数	0～14歳	15～44	45～64	65歳以上	70歳以上（再掲）	75歳以上（再掲）
162 116	6 542	13 818	29 337	112 419	94 457	75 981	146 219	11 066	20 251	34 877	80 025	62 432	45 041
2 537	185	231	381	1 740	1 500	1 248	3 994	706	898	950	1 440	1 060	719
481	121	73	50	237	213	185	728	276	263	102	86	62	42
179	0	15	20	143	133	118	51	1	8	11	31	25	19
258	2	16	51	189	159	128	1 314	1	127	420	765	560	375
27 391	433	1 937	6 641	18 380	13 877	9 529	16 370	73	1 432	4 883	9 981	7 205	4 607
24 192	325	1 191	5 674	17 002	12 852	8 821	13 995	22	834	4 083	9 056	6 545	4 184
2 265	0	43	373	1 849	1 475	1 074	1 104	0	39	247	818	605	395
3 738	0	92	837	2 808	2 156	1 539	2 088	0	90	615	1 383	966	598
1 099	9	11	168	911	734	541	225	1	6	42	177	139	97
3 249	0	48	648	2 553	1 895	1 216	1 999	0	57	530	1 411	993	585
1 244	0	147	535	562	390	255	2 251	0	278	1 089	884	536	296
649	-	98	300	251	164	101	300	0	53	136	112	69	39
1 218	103	146	177	791	682	569	1 553	134	541	377	500	381	271
4 799	135	276	752	3 636	3 168	2 662	16 184	439	1 562	4 435	9 748	7 272	4 944
2 985	12	129	515	2 329	1 989	1 623	9 251	21	533	2 571	6 125	4 566	3 095
13 547	114	1 971	4 349	7 112	5 156	3 706	5 538	372	1 886	1 715	1 564	1 182	880
1 308	-	1	44	1 264	1 192	1 082	285	0	0	5	279	269	251
8 023	7	1 190	3 101	3 725	2 337	1 414	1 448	3	512	612	320	184	109
1 738	5	240	491	1 003	779	568	1 757	5	637	629	485	360	253
437	21	132	96	188	156	125	1 185	43	494	336	312	238	171
9 652	396	1 126	1 648	6 482	5 662	4 766	4 607	163	737	1 086	2 621	2 210	1 789
2 209	-	1	44	2 164	2 079	1 932	970	0	0	12	957	933	878
2 467	50	108	458	1 850	1 501	1 096	8 672	577	969	1 632	5 495	4 422	3 168
973	1	9	100	864	732	549	1 450	1	11	168	1 271	1 048	749
494	82	76	108	229	174	124	1 375	406	217	244	507	398	284
36 736	137	1 075	6 035	29 490	25 274	20 628	24 035	63	657	4 712	18 602	15 337	11 864
2 077	1	14	107	1 954	1 845	1 692	15 826	1	320	3 324	12 181	9 931	7 626
15 713	91	518	2 761	12 344	10 417	8 349	4 676	46	203	783	3 644	3 073	2 423
5 499	1	111	1 238	4 149	3 263	2 363	1 999	1	45	343	1 610	1 341	1 031
15 318	29	415	2 498	12 376	10 719	8 874	2 764	6	81	436	2 240	1 903	1 506
10 217	905	577	754	7 982	7 375	6 566	12 675	4 585	3 082	2 030	2 978	2 320	1 681
3 449	238	69	182	2 960	2 776	2 514	196	25	35	38	98	79	59
690	2	5	33	650	598	519	756	4	18	78	657	570	451
496	157	24	43	272	248	218	2 840	1 114	466	499	761	594	435
9 456	267	966	1 890	6 334	5 325	4 302	7 967	168	1 646	2 277	3 876	2 955	2 087
771	5	41	132	593	508	426	3 182	20	501	908	1 753	1 359	979
849	10	59	236	544	431	330	845	6	123	276	440	321	213
1 214	71	114	208	821	719	616	4 437	1 070	1 279	947	1 141	844	573
11 170	299	627	2 056	8 188	6 852	5 346	13 282	253	1 281	3 139	8 609	7 014	5 232
620	11	22	100	488	411	328	2 292	23	250	743	1 276	926	601
3 284	1	42	672	2 570	2 091	1 544	2 529	2	51	467	2 009	1 686	1 292
2 817	1	60	488	2 269	1 895	1 456	2 877	2	112	502	2 261	1 925	1 487
494	7	27	38	421	394	353	1 126	7	17	89	1 014	901	734
6 504	173	533	1 035	4 764	4 090	3 351	15 451	101	1 859	4 398	9 093	6 785	4 691
4 333	104	193	646	3 390	2 914	2 390	11 557	63	711	3 467	7 316	5 364	3 657
2 066	2	2 053	10	0	0	0	246	1	242	2	1	0	0
1 771	1 705	56	9	1	0	0	357	348	9	1	0	0	0
1 452	1 044	209	112	87	60	38	667	401	116	71	79	56	36
1 688	98	95	180	1 315	1 192	1 053	2 733	246	528	651	1 309	1 003	694
17 736	343	1 643	2 532	13 218	11 849	10 382	6 078	960	1 309	1 327	2 481	1 989	1 520
11 674	156	700	1 361	9 458	8 687	7 813	2 294	226	329	471	1 269	1 064	852

（単位：億円）

傷　病　分　類	総 数	0 ～ 14歳	15 ～ 44	45 ～ 64	65 歳以上	70 歳以上（再掲）	75 歳以上（再掲）
総　　　　　　　　　数	313 251	17 573	33 992	64 826	196 860	163 136	125 183
Ⅰ　感　染　症　及　び　寄　生　虫　症	6 426	867	1 140	1 326	3 094	2 526	1 928
腸　管　感　染　症（再掲）	1 230	407	346	155	322	275	227
結　　　　　　　　核（再掲）	220	1	24	30	165	150	132
ウ　イ　ル　ス　性　肝　炎（再掲）	1 517	4	149	460	904	689	477
Ⅱ　新　　　生　　　物＜腫瘍＞	45 256	515	3 288	11 733	29 720	22 681	15 024
悪　性　新　生　物＜腫瘍＞（再掲）	39 546	361	1 979	9 906	27 301	20 862	13 822
胃　の　悪　性　新　生　物＜腫瘍＞（再掲）	3 403	0	78	603	2 721	2 167	1 516
結腸及び直腸の悪性新生物＜腫瘍＞（再掲）	5 921	0	180	1 425	4 316	3 301	2 236
肝及び肝内胆管の悪性新生物＜腫瘍＞（再掲）	1 273	7	15	191	1 059	870	635
気管，気管支及び肺の悪性新生物＜腫瘍＞（再掲）	5 573	1	104	1 205	4 264	3 202	1 968
乳　房　の　悪　性　新　生　物＜腫瘍＞（再掲）	3 600	0	405	1 654	1 542	1 033	609
子　宮　の　悪　性　新　生　物＜腫瘍＞（再掲）	993	0	152	461	379	249	146
Ⅲ　血液及び造血器の疾患並びに免疫機構の障害	2 829	232	716	575	1 308	1 092	860
Ⅳ　内　分　泌，栄　養　及　び　代　謝　疾　患	20 959	579	1 846	5 171	13 363	10 636	7 687
糖　　　尿　　　病（再掲）	12 059	35	648	3 036	8 340	6 600	4 701
Ⅴ　精　神　及　び　行　動　の　障　害	19 206	516	3 793	6 043	8 854	6 629	4 734
血管性及び詳細不明の認知症（再掲）	1 627	0	1	48	1 578	1 503	1 370
統合失調症，統合失調症型障害及び妄想性障害（再掲）	9 361	8	1 610	3 638	4 105	2 665	1 577
気分（感情）障害（躁うつ病を含む）（再掲）	3 539	11	865	1 135	1 527	1 191	850
神経症性障害，ストレス関連障害及び身体表現性障害（再掲）	1 663	67	632	452	513	410	304
Ⅵ　神　経　系　の　疾　患	14 989	598	1 919	2 857	9 616	8 415	7 000
ア　ル　ツ　ハ　イ　マ　ー　病（再掲）	3 431	0	1	56	3 374	3 264	3 050
Ⅶ　眼　及　び　付　属　器　の　疾　患	11 481	638	1 061	2 129	7 653	6 288	4 505
白　　　内　　　障（再掲）	2 696	2	22	287	2 385	2 025	1 470
Ⅷ　耳　及　び　乳　様　突　起　の　疾　患	1 906	497	296	358	755	601	430
Ⅸ　循　環　器　系　の　疾　患	60 596	200	1 688	10 585	48 123	41 235	32 872
高　血　圧　性　疾　患（再掲）	17 481	2	323	3 319	13 838	11 715	9 224
心疾患（高血圧性のものを除く）（再掲）	20 463	134	707	3 481	16 142	13 821	11 010
虚　血　性　心　疾　患（再掲）	7 165	2	143	1 486	5 534	4 516	3 310
脳　血　管　疾　患（再掲）	18 019	35	473	2 889	14 622	12 790	10 498
Ⅹ　呼　吸　器　系　の　疾　患	23 032	5 334	3 677	2 816	11 204	9 993	8 487
肺　　　　　　　炎（再掲）	3 750	272	109	225	3 143	2 947	2 651
慢　性　閉　塞　性　肺　疾　患（再掲）	1 514	5	23	113	1 374	1 242	1 027
喘　　　　　　　息（再掲）	3 359	1 235	514	574	1 036	851	654
Ⅺ　消　化　器　系　の　疾　患	17 839	447	2 622	4 236	10 534	8 687	6 665
胃　及　び　十　二　指　腸　の　疾　患（再掲）	3 790	24	521	993	2 251	1 822	1 364
肝　　　疾　　　患（再掲）	1 677	15	174	507	982	761	547
Ⅻ　皮　膚　及　び　皮　下　組　織　の　疾　患	5 837	1 151	1 440	1 207	2 039	1 655	1 253
ⅩⅢ　筋　骨　格　系　及　び　結　合　組　織　の　疾　患	25 184	583	1 887	5 331	17 383	14 532	11 096
炎　症　性　多　発　性　関　節　障　害（再掲）	2 942	38	267	829	1 807	1 407	984
関　　　　節　　　　症（再掲）	6 062	3	92	1 197	4 770	3 969	2 961
脊　椎　障　害（脊　椎　症　を　含　む）（再掲）	5 829	3	165	1 012	4 648	3 965	3 064
骨　の　骨　密　度　及　び　構　造　の　障　害（再掲）	1 587	14	42	125	1 406	1 273	1 071
ⅩⅣ　腎　尿　路　生　殖　器　系　の　疾　患	22 336	272	2 385	5 462	14 217	11 420	8 404
糸球体疾患，腎尿細管間質性疾患及び腎不全（再掲）	16 142	162	869	4 108	11 003	8 726	6 335
ⅩⅤ　妊　娠，分　娩　及　び　産　じ　ょ　く	2 278	3	2 260	14	1	1	0
ⅩⅥ　周　産　期　に　発　生　し　た　病　態	2 082	2 011	58	11	1	0	0
ⅩⅦ　先　天　奇　形，変　形　及　び　染　色　体　異　常	2 123	1 458	331	187	147	100	63
ⅩⅧ　症状，徴候及び異常臨床所見・異常検査所見で他に分類されないもの	4 470	341	634	842	2 653	2 250	1 776
ⅩⅨ　損　傷，中　毒　及　び　そ　の　他　の　外　因　の　影　響	24 421	1 332	2 953	3 942	16 194	14 396	12 398
骨　　　　　　　折（再掲）	15 232	439	1 075	1 947	11 771	10 771	9 575

入院－入院外・年齢階級・傷病分類・年次別

平成 30 年度（2018）

入院 総数	0〜14歳	15〜44	45〜64	65歳以上	70歳以上(再掲)	75歳以上(再掲)	入院外 総数	0〜14歳	15〜44	45〜64	65歳以上	70歳以上(再掲)	75歳以上(再掲)
165 535	6 670	13 667	29 507	115 691	98 600	78 999	147 716	10 903	20 325	35 319	81 169	64 536	46 183
2 460	166	234	375	1 685	1 469	1 218	3 966	701	905	951	1 409	1 057	710
469	112	73	49	236	213	184	760	295	273	106	86	63	42
171	0	15	20	135	125	113	49	1	9	10	30	25	18
269	2	27	58	183	153	123	1 247	1	122	402	722	536	355
27 966	442	1 878	6 666	18 980	14 704	10 013	17 290	73	1 410	5 067	10 740	7 977	5 011
24 696	338	1 153	5 669	17 536	13 604	9 264	14 851	23	826	4 237	9 765	7 258	4 558
2 232	0	39	349	1 844	1 499	1 089	1 171	0	39	254	877	668	427
3 808	0	89	818	2 901	2 280	1 609	2 113	0	91	607	1 415	1 020	627
1 047	7	9	150	882	727	535	226	1	6	41	177	143	100
3 366	0	48	649	2 669	2 039	1 291	2 207	0	56	555	1 595	1 163	678
1 288	0	140	547	601	431	282	2 312	0	265	1 107	940	602	327
682	0	100	318	263	174	106	311	0	52	143	116	75	40
1 183	94	143	170	777	681	569	1 646	138	573	405	531	412	291
4 756	141	274	729	3 612	3 188	2 670	16 202	438	1 572	4 441	9 751	7 448	5 017
2 880	12	122	489	2 257	1 954	1 585	9 179	22	526	2 547	6 084	4 646	3 116
13 616	118	1 929	4 309	7 260	5 401	3 829	5 590	399	1 864	1 734	1 594	1 228	905
1 329	-	1	42	1 286	1 220	1 106	298	0	0	5	292	283	265
7 957	6	1 137	3 034	3 780	2 470	1 465	1 404	3	473	603	325	194	111
1 789	6	242	499	1 042	823	595	1 750	6	623	636	486	368	256
447	21	127	103	197	166	132	1 217	46	505	349	316	244	172
10 264	436	1 172	-1 740	6 916	6 103	5 128	4 725	162	747	1 117	2 700	2 312	1 872
2 411	-	1	44	2 366	2 279	2 119	1 020	0	0	11	1 008	986	931
2 580	47	104	457	1 972	1 635	1 184	8 901	591	957	1 672	5 681	4 654	3 320
1 228	1	11	117	1 099	949	707	1 467	1	11	170	1 286	1 076	764
509	84	77	108	240	189	135	1 398	413	219	250	515	412	295
36 882	138	1 035	5 964	29 746	25 831	21 015	23 714	62	653	4 621	18 378	15 404	11 857
2 002	1	13	96	1 892	1 801	1 658	15 480	1	310	3 223	11 946	9 914	7 566
15 738	91	498	2 687	12 462	10 676	8 536	4 725	43	208	794	3 679	3 145	2 474
5 205	1	98	1 148	3 958	3 186	2 293	1 959	1	44	338	1 576	1 330	1 017
15 325	29	396	2 467	12 434	10 905	9 010	2 694	6	77	423	2 188	1 886	1 488
10 503	933	606	773	8 192	7 609	6 769	12 529	4 402	3 072	2 043	3 012	2 384	1 718
3 550	249	72	186	3 043	2 865	2 589	200	23	36	39	101	82	62
750	1	4	34	710	659	570	764	4	19	78	664	583	457
476	151	25	42	258	237	210	2 882	1 084	489	532	778	613	444
9 876	281	950	1 934	6 710	5 718	4 586	7 963	165	1 672	2 301	3 824	2 968	2 078
735	4	37	120	573	499	418	3 055	19	485	873	1 678	1 323	946
837	9	51	230	547	439	336	839	5	123	277	434	322	212
1 253	69	112	209	862	766	654	4 585	1 082	1 328	998	1 177	889	599
11 820	321	614	2 149	8 735	7 400	5 773	13 365	262	1 273	3 182	8 648	7 132	5 324
623	11	20	95	497	428	341	2 319	27	247	735	1 310	979	643
3 535	1	39	721	2 774	2 280	1 670	2 527	2	53	477	1 996	1 688	1 291
2 964	1	56	507	2 400	2 033	1 566	2 865	2	109	506	2 248	1 932	1 499
459	7	25	36	390	365	329	1 128	7	17	88	1 016	908	742
6 738	172	531	1 050	4 985	4 346	3 562	15 598	100	1 854	4 412	9 232	7 074	4 842
4 477	101	192	648	3 537	3 085	2 525	11 665	61	677	3 460	7 467	5 641	3 810
2 035	2	2 021	12	0	0	0	243	1	239	2	1	0	0
1 772	1 711	50	11	1	0	0	309	301	8	0	0	0	0
1 480	1 070	211	114	85	56	36	643	388	120	73	63	44	27
1 631	91	91	167	1 282	1 174	1 037	2 839	249	543	676	1 371	1 075	738
18 211	354	1 635	2 571	13 651	12 329	10 822	6 209	978	1 317	1 372	2 543	2 067	1 576
12 625	156	708	1 425	10 337	9 552	8 597	2 607	283	367	522	1 435	1 219	978

（単位：億円）

傷　病　分　類	総　数	0〜14歳	15〜44	45・64	65歳以上	70歳以上（再掲）	75歳以上（再掲）
総　　　　　　　　　　　　　　　数	319 583	17 212	33 608	66 369	202 395	170 537	130 171
Ⅰ　感　染　症　及　び　寄　生　虫　症	6 250	848	1 090	1 278	3 034	2 534	1 928
腸　　管　　感　　染　　症（再掲）	1 175	374	318	152	331	289	238
結　　　　　　　　　　核（再掲）	213	2	22	27	161	148	130
ウ　イ　ル　ス　性　肝　炎（再掲）	1 300	3	126	389	780	613	421
Ⅱ　新　　　　生　　　　物＜腫瘍＞	47 459	520	3 303	12 275	31 360	24 571	16 100
悪　性　新　生　物＜腫瘍＞（再掲）	41 534	366	2 014	10 341	28 813	22 587	14 794
胃　の　悪　性　新　生　物＜腫瘍＞（再掲）	3 394	0	73	574	2 747	2 241	1 554
結腸及び直腸の悪性新生物＜腫瘍＞（再掲）	6 112	0	181	1 471	4 459	3 497	2 348
肝及び肝内胆管の悪性新生物＜腫瘍＞（再掲）	1 247	8	15	184	1 039	871	631
気管，気管支及び肺の悪性新生物＜腫瘍＞（再掲）	6 146	1	105	1 325	4 716	3 648	2 220
乳　房　の　悪　性　新　生　物＜腫瘍＞（再掲）	3 909	0	428	1 805	1 676	1 163	676
子　宮　の　悪　性　新　生　物＜腫瘍＞（再掲）	1 039	0	151	486	402	276	156
Ⅲ　血液及び造血器の疾患並びに免疫機構の障害	3 063	249	771	631	1 412	1 191	929
Ⅳ　内　分　泌，栄　養　及　び　代　謝　疾　患	21 310	587	1 855	5 258	13 609	11 059	7 957
糖　　　　　尿　　　　　病（再掲）	12 154	35	641	3 046	8 432	6 822	4 832
Ⅴ　精　神　及　び　行　動　の　障　害	19 139	533	3 726	6 001	8 878	6 803	4 806
血管性及び詳細不明の認知症（再掲）	1 653	0	1	46	1 606	1 533	1 393
統合失調症，統合失調症型障害及び妄想性障害（再掲）	9 168	8	1 515	3 554	4 091	2 758	1 604
気分（感情）障害（躁うつ病を含む）（再掲）	3 535	12	848	1 147	1 527	1 214	860
神経症性障害，ストレス関連障害及び身体表現性障害（再掲）	1 700	70	646	472	513	416	306
Ⅵ　神　　経　　系　　の　　疾　　患	15 529	593	1 934	2 981	10 021	8 861	7 350
ア　ル　ツ　ハ　イ　マ　ー　病（再掲）	3 609	0	1	56	3 552	3 449	3 226
Ⅶ　眼　及　び　付　属　器　の　疾　患	11 757	610	1 022	2 210	7 916	6 609	4 697
白　　　　　内　　　　　障（再掲）	2 777	2	21	299	2 455	2 111	1 518
Ⅷ　耳　及　び　乳　様　突　起　の　疾　患	1 894	474	295	369	755	612	438
Ⅸ　循　環　器　系　の　疾　患	61 369	202	1 666	10 672	48 828	42 481	33 787
高　血　圧　性　疾　患（再掲）	17 427	2	310	3 300	13 815	11 881	9 325
心疾患（高血圧性のものを除く）（再掲）	20 887	138	704	3 510	16 535	14 393	11 480
虚　　血　　性　　心　　疾　　患（再掲）	6 983	3	130	1 436	5 414	4 502	3 299
脳　　血　　管　　疾　　患（再掲）	18 250	34	463	2 932	14 821	13 122	10 724
Ⅹ　呼　吸　器　系　の　疾　患	22 822	5 099	3 519	2 855	11 348	10 207	8 638
肺　　　　　　　　　　炎（再掲）	3 798	270	116	230	3 182	2 997	2 695
慢　性　閉　塞　性　肺　疾　患（再掲）	1 531	5	23	114	1 388	1 262	1 043
喘　　　　　　　　　　息（再掲）	3 345	1 165	507	615	1 059	878	668
Ⅺ　消　化　器　系　の　疾　患	18 090	451	2 614	4 350	10 674	8 945	6 831
胃　及　び　十　二　指　腸　の　疾　患（再掲）	3 643	22	482	967	2 171	1 788	1 329
肝　　　　　疾　　　　　患（再掲）	1 698	13	177	525	983	776	546
Ⅻ　皮　膚　及　び　皮　下　組　織　の　疾　患	6 082	1 161	1 492	1 295	2 134	1 756	1 322
ⅩⅢ　筋　骨　格　系　及　び　結　合　組　織　の　疾　患	25 839	552	1 856	5 494	17 938	15 204	11 612
炎　症　性　多　発　性　関　節　障　害（再掲）	2 949	39	257	816	1 838	1 467	1 034
関　　　　　節　　　　　症（再掲）	6 345	3	93	1 263	4 986	4 190	3 108
脊　椎　障　害（脊　椎　症　を　含　む）（再掲）	5 904	3	164	1 034	4 703	4 058	3 141
骨　の　骨　密　度　及　び　構　造　の　障　害（再掲）	1 633	14	42	129	1 449	1 322	1 112
ⅩⅣ　腎　尿　路　生　殖　器　系　の　疾　患	23 043	263	2 369	5 580	14 831	12 173	8 929
糸球体疾患，腎尿細管間質性疾患及び腎不全（再掲）	16 595	154	837	4 163	11 440	9 278	6 703
ⅩⅤ　妊　娠，分　娩　及　び　産　じ　ょ　く	2 251	3	2 232	15	1	1	1
ⅩⅥ　周　産　期　に　発　生　し　た　病　態	2 075	2 028	33	12	1	0	0
ⅩⅦ　先　天　奇　形，変　形　及　び　染　色　体　異　常	2 137	1 432	345	208	152	106	66
ⅩⅧ　症状，徴候及び異常臨床所見・異常検査所見で他に分類されないもの	4 578	328	638	879	2 733	2 348	1 837
ⅩⅨ　損　傷，中　毒　及　び　そ　の　他　の　外　因　の　影　響	24 897	1 277	2 846	4 006	16 769	15 077	12 945
骨　　　　　　　　　　折（再掲）	15 674	417	1 018	1 975	12 263	11 316	10 027

入院－入院外・年齢階級・傷病分類・年次別

入院 総数	0～14歳	15～44	45～64	65歳以上	70歳以上（再掲）	75歳以上（再掲）	入院外 総数	0～14歳	15～44	45～64	65歳以上	70歳以上（再掲）	75歳以上（再掲）
168 992	6 609	13 451	29 936	118 997	102 924	82 124	150 591	10 603	20 158	36 433	83 397	67 613	48 047
2 486	166	224	373	1 723	1 521	1 251	3 764	682	865	905	1 312	1 013	676
468	109	67	47	245	224	194	707	265	251	105	87	65	44
166	1	14	18	133	124	112	47	1	8	9	29	24	18
243	2	21	51	169	143	113	1 057	2	105	338	612	470	307
28 646	446	1 870	6 768	19 562	15 559	10 522	18 813	74	1 433	5 507	11 798	9 011	5 578
25 278	343	1 159	5 721	18 055	14 369	9 715	16 255	23	855	4 620	10 757	8 218	5 078
2 204	0	36	328	1 840	1 529	1 103	1 190	0	37	246	907	711	451
3 913	0	89	840	2 983	2 397	1 683	2 199	0	91	631	1 477	1 100	665
1 010	7	10	140	853	718	526	236	1	6	44	186	153	105
3 498	1	44	657	2 796	2 208	1 400	2 648	0	61	667	1 920	1 441	820
1 352	0	141	570	640	474	306	2 557	0	287	1 235	1 035	689	370
710	0	100	332	279	194	113	329	0	51	154	124	82	43
1 214	94	134	170	816	724	602	1 848	155	637	461	595	468	328
4 824	135	275	740	3 675	3 278	2 737	16 486	452	1 580	4 518	9 935	7 781	5 220
2 864	12	118	479	2 255	1 980	1 602	9 290	23	523	2 566	6 178	4 842	3 230
13 478	127	1 867	4 223	7 262	5 533	3 873	5 660	407	1 860	1 779	1 616	1 269	933
1 340	-	1	40	1 299	1 235	1 114	313	0	0	5	307	298	279
7 778	6	1 066	2 945	3 760	2 553	1 489	1 391	3	449	608	331	205	115
1 776	6	232	498	1 040	838	599	1 759	6	616	650	487	376	261
450	23	128	102	197	167	132	1 250	47	518	370	316	249	174
10 604	433	1 163	1 790	7 218	6 433	5 389	4 925	161	771	1 191	2 802	2 428	1 960
2 545	-	1	45	2 499	2 417	2 249	1 064	0	0	11	1 053	1 032	978
2 663	47	101	473	2 042	1 719	1 236	9 094	562	921	1 737	5 874	4 890	3 461
1 272	1	10	123	1 138	994	735	1 504	1	11	176	1 317	1 117	783
509	86	74	110	239	193	137	1 385	388	221	260	516	419	301
37 662	144	1 025	6 056	30 436	26 802	21 756	23 707	58	641	4 616	18 392	15 679	12 031
1 994	1	13	92	1 888	1 805	1 665	15 433	1	297	3 208	11 927	10 076	7 660
16 115	97	497	2 713	12 808	11 156	8 935	4 772	40	208	797	3 727	3 237	2 545
5 069	2	88	1 105	3 874	3 181	2 289	1 914	1	42	331	1 540	1 321	1 010
15 597	29	388	2 513	12 668	11 240	9 244	2 653	6	75	419	2 153	1 882	1 480
10 625	908	621	794	8 303	7 753	6 878	12 197	4 191	2 899	2 061	3 046	2 454	1 759
3 589	245	77	189	3 078	2 911	2 630	209	24	39	41	105	86	65
752	1	5	35	711	663	573	778	3	18	80	677	599	470
447	130	23	42	252	233	206	2 898	1 034	484	573	806	645	462
10 038	279	929	1 969	6 861	5 929	4 738	8 051	172	1 685	2 381	3 813	3 015	2 093
703	5	33	113	553	489	405	2 940	18	449	855	1 618	1 299	924
853	8	53	241	550	448	332	845	5	124	284	433	328	214
1 284	66	105	213	899	805	685	4 798	1 095	1 387	1 082	1 235	951	636
12 296	294	607	2 231	9 164	7 861	6 129	13 543	257	1 249	3 263	8 774	7 342	5 482
619	9	20	89	500	438	352	2 331	30	237	726	1 338	1 030	682
3 779	1	40	768	2 971	2 469	1 795	2 566	2	53	495	2 016	1 721	1 313
3 030	1	55	519	2 454	2 103	1 622	2 874	2	109	515	2 249	1 955	1 519
452	7	25	35	385	362	327	1 182	7	17	94	1 064	960	786
7 035	167	524	1 085	5 259	4 647	3 803	16 008	96	1 846	4 495	9 571	7 527	5 126
4 638	96	189	665	3 688	3 255	2 656	11 957	58	649	3 498	7 752	6 023	4 047
2 021	2	2 006	12	0	0	0	230	1	226	3	1	0	0
1 766	1 727	25	12	1	0	0	309	301	8	0	0	0	0
1 480	1 045	220	128	87	59	38	656	387	124	80	66	47	29
1 644	87	92	168	1 297	1 196	1 053	2 934	241	546	711	1 436	1 152	784
18 716	355	1 588	2 620	14 153	12 911	11 296	6 181	922	1 258	1 386	2 615	2 166	1 648
13 052	153	675	1 453	10 772	10 028	8 994	2 622	264	344	522	1 492	1 288	1 033

（単位：％）

傷 病 分 類	総	数					
	総 数	0 ～ 14 歳	15 ～ 44	45 ～ 64	65 歳 以上	70 歳 以上 （再掲）	75 歳 以上 （再掲）
総　　　　　　　　　　　　　数	100.0	100.0	100.0	100.0	100.0	100.0	100.0
Ⅰ　感 染 症 及 び 寄 生 虫 症	2.6	6.4	3.9	2.6	1.9	1.9	1.8
結　　　　　　　　核（再掲）	0.1	0.0	0.1	0.1	0.2	0.2	0.2
Ⅱ　新　　　　生　　　　物	12.8	2.4	9.2	16.7	13.2	12.4	11.5
悪 性 新 生 物（再掲）	11.1	1.5	5.2	14.2	12.1	11.5	10.7
Ⅲ　血液及び造血器の疾患並びに免疫機構の障害	0.8	1.1	1.4	0.6	0.6	0.7	0.7
Ⅳ　内 分 泌，栄 養 及 び 代 謝 疾 患	7.3	2.7	4.9	8.9	7.6	7.3	6.6
糖　　　尿　　　病（再掲）	4.5	0.1	1.8	5.6	5.2	4.9	4.5
Ⅴ　精 神 及 び 行 動 の 障 害	7.0	1.5	12.1	10.0	5.1	4.7	4.4
Ⅵ　神 経 系 の 疾 患	3.9	3.0	5.0	3.5	3.9	4.0	4.2
Ⅶ　眼 及 び 付 属 器 の 疾 患	3.6	3.5	3.9	3.1	3.8	3.8	3.6
白　　　内　　　障（再掲）	1.0	0.0	0.1	0.6	1.5	1.5	1.5
Ⅷ　耳 及 び 乳 様 突 起 の 疾 患	0.7	3.4	0.9	0.6	0.4	0.4	0.3
Ⅸ　循 環 器 系 の 疾 患	20.4	1.1	4.8	18.2	27.1	28.1	29.6
高 血 圧 性 疾 患（再掲）	7.0	0.0	1.2	7.3	9.0	9.2	9.4
虚 血 性 心 疾 患（再掲）	2.9	0.0	0.5	2.8	3.9	3.8	3.7
脳 血 管 疾 患（再掲）	6.0	0.2	1.2	4.6	8.4	9.0	9.9
Ⅹ　呼 吸 器 系 の 疾 患	7.7	37.1	10.7	3.9	5.5	5.9	6.6
急 性 上 気 道 感 染 症（再掲）	1.5	12.1	3.2	0.7	0.2	0.2	0.1
気管支炎及び慢性閉塞性肺疾患（再掲）	0.7	1.6	0.4	0.3	0.9	1.0	1.2
喘　　　　　　　息（再掲）	1.4	9.0	1.6	0.7	0.7	0.8	0.8
Ⅺ　消 化 器 系 の 疾 患	6.3	2.5	7.4	7.0	6.2	6.2	6.1
胃 潰 瘍 及 び 十 二 指 腸 潰 瘍（再掲）	1.0	0.0	1.0	1.3	1.0	1.0	1.0
胃 炎 及 び 十 二 指 腸 炎（再掲）	1.0	0.2	1.3	1.1	1.0	1.0	0.9
肝　　　疾　　　患（再掲）	0.8	0.1	0.7	1.0	0.7	0.7	0.6
Ⅻ　皮 膚 及 び 皮 下 組 織 の 疾 患	1.8	6.2	4.0	1.4	0.9	0.9	0.9
ⅩⅢ　筋 骨 格 系 及 び 結 合 組 織 の 疾 患	7.4	2.4	5.7	7.6	8.2	8.3	7.9
ⅩⅣ　腎 尿 路 生 殖 器 系 の 疾 患	7.4	1.3	7.4	9.0	7.3	6.9	6.3
糸球体疾患，腎尿細管間質性疾患及び腎不全（再掲）	5.0	0.7	2.8	6.7	5.3	4.8	4.3
ⅩⅤ　妊 娠，分 娩 及 び 産 じ ょ く	0.7	0.1	5.3	0.0	-	-	-
ⅩⅥ　周 産 期 に 発 生 し た 病 態	0.6	9.0	0.2	0.0	0.0	0.0	0.0
ⅩⅦ　先 天 奇 形，変 形 及 び 染 色 体 異 常	0.5	5.7	0.7	0.2	0.1	0.1	0.1
ⅩⅧ　症状，徴候及び異常臨床所見・異常検査所見で他に分類されないもの	1.8	2.5	2.2	1.7	1.6	1.6	1.7
ⅩⅨ　損 傷，中 毒 及 び そ の 他 の 外 因 の 影 響	6.7	8.2	10.3	5.2	6.4	6.9	7.8

注：1）医科診療医療費は平成 20 年度から推計している。
　　2）傷病分類は，平成 27 年度までは ICD-10（2003 年版）、平成 28 年度からは ICD-10（2013 年版）に準拠した分類による。

入院－入院外・年齢階級・傷病分類・年次別

入				院			入		院		外		
総　数	0～14歳	15～44	45～64	65歳以上	70歳以上（再掲）	75歳以上（再掲）	総　数	0～14歳	15～44	45～64	65歳以上	70歳以上（再掲）	75歳以上（再掲）
100.0	100.0	100.0	100.0	100.0	100.0	100.0	100.0	100.0	100.0	100.0	100.0	100.0	100.0
1.9	4.9	2.3	1.7	1.8	1.8	1.8	3.3	7.2	5.0	3.3	2.1	1.9	1.7
0.2	0.0	0.2	0.2	0.2	0.3	0.3	0.1	0.0	0.1	0.1	0.1	0.1	0.1
16.9	5.9	13.6	23.2	15.9	14.6	12.9	8.7	0.7	6.3	11.0	9.6	9.4	9.4
14.9	4.1	8.2	20.4	14.8	13.6	12.0	7.2	0.2	3.3	9.0	8.6	8.5	8.6
0.8	1.8	1.2	0.7	0.8	0.8	0.8	0.7	0.8	1.5	0.6	0.5	0.5	0.5
4.0	2.1	2.2	3.8	4.5	4.5	4.5	10.6	3.0	6.6	13.3	11.8	11.1	10.0
2.9	0.2	1.2	3.0	3.3	3.3	3.2	6.2	0.1	2.2	8.0	7.6	7.2	6.5
10.3	1.3	16.1	17.2	7.6	6.6	6.0	3.6	1.6	9.5	3.8	1.9	1.9	1.9
5.3	6.1	7.8	4.8	5.0	5.1	5.1	2.5	1.5	3.1	2.4	2.5	2.6	2.8
1.8	1.0	0.9	1.6	2.1	2.1	1.9	5.4	4.7	5.8	4.3	6.0	6.1	6.1
0.9	0.0	0.1	0.6	1.2	1.3	1.2	1.1	0.0	0.1	0.6	1.8	1.9	2.0
0.3	1.4	0.6	0.4	0.2	0.2	0.1	1.1	4.4	1.2	0.8	0.7	0.7	0.7
22.2	2.2	6.3	18.4	27.4	28.2	29.2	18.6	0.5	3.8	18.0	26.8	28.0	30.2
2.0	0.0	0.2	0.9	2.8	3.1	3.5	12.1	0.0	1.8	12.9	17.0	17.6	18.7
4.0	0.0	0.8	4.5	4.7	4.4	4.0	1.8	0.0	0.3	1.4	2.8	3.0	3.3
9.8	0.4	2.3	8.1	12.2	12.7	13.3	2.3	0.1	0.4	1.6	3.6	3.9	4.4
5.7	17.5	4.3	2.3	6.3	6.9	7.9	9.8	46.7	15.0	5.2	4.4	4.5	4.6
0.2	2.0	0.4	0.1	0.0	0.0	0.0	2.8	17.2	5.0	1.2	0.4	0.4	0.3
0.5	0.5	0.1	0.1	0.8	0.9	1.0	0.9	2.1	0.7	0.4	1.1	1.2	1.4
0.5	3.8	0.3	0.2	0.4	0.5	0.5	2.3	11.7	2.4	1.2	1.2	1.2	1.3
6.5	4.8	7.6	6.9	6.3	6.2	6.2	6.2	1.4	7.3	7.1	6.2	6.1	6.0
0.7	0.1	0.5	0.8	0.8	0.8	0.8	1.4	0.0	1.3	1.8	1.4	1.4	1.3
0.2	0.0	0.2	0.2	0.3	0.3	0.3	1.8	0.2	2.1	1.9	1.9	2.0	2.0
0.7	0.2	0.5	1.0	0.7	0.6	0.6	0.8	0.1	0.7	1.1	0.8	0.8	0.7
0.7	1.3	0.9	0.5	0.7	0.7	0.7	2.8	8.6	6.0	2.1	1.3	1.2	1.1
6.2	3.8	4.8	6.3	6.5	6.5	6.0	8.6	1.8	6.3	8.7	10.4	10.7	10.7
4.0	2.4	3.8	3.7	4.2	4.3	4.2	10.8	0.7	9.7	13.5	11.4	10.5	9.6
2.6	1.4	1.4	2.4	2.9	2.9	2.9	7.5	0.3	3.8	10.4	8.4	7.5	6.5
1.1	0.1	11.2	0.0	-	-	-	0.2	0.0	1.4	0.0	-	-	-
1.0	23.2	0.4	0.0	0.0	0.0	0.0	0.2	1.9	0.1	0.0	0.0	0.0	0.0
0.8	12.4	1.2	0.3	0.1	0.1	0.1	0.3	2.4	0.4	0.1	0.1	0.1	0.1
1.7	3.0	1.5	1.4	1.8	1.8	1.8	1.8	2.2	2.6	1.9	1.4	1.4	1.4
8.8	4.7	13.2	6.8	9.0	9.7	10.8	4.6	9.9	8.3	3.8	3.0	3.1	3.1

第14表

（単位：％）

傷 病 分 類	総	数					
	総 数	0 ～ 14 歳	15 ～ 44	45 ～ 64	65 歳 以上	70 歳 以上 （再掲）	75 歳 以上 （再掲）
総 数	100.0	100.0	100.0	100.0	100.0	100.0	100.0
I 感 染 症 及 び 寄 生 虫 症	2.4	5.8	3.7	2.4	1.8	1.7	1.7
結 核 （再掲）	0.1	0.0	0.1	0.1	0.1	0.2	0.2
II 新 生 物	12.8	2.3	9.2	16.6	13.1	12.2	11.1
胃 の 悪 性 新 生 物 （再掲）	1.2	0.0	0.3	1.3	1.5	1.5	1.4
結 腸 及 び 直 腸 の 悪 性 新 生 物 （再掲）	1.8	0.0	0.5	2.4	2.1	1.9	1.7
肝 及 び 肝 内 胆 管 の 悪 性 新 生 物 （再掲）	0.6	0.0	0.1	0.5	0.8	0.8	0.7
気 管，気 管 支 及 び 肺 の 悪 性 新 生 物 （再掲）	1.3	0.0	0.2	1.5	1.6	1.5	1.4
乳 房 の 悪 性 新 生 物 （再掲）	1.0	0.0	1.1	2.1	0.6	0.4	0.4
そ の 他 の 悪 性 新 生 物 （再掲）	5.2	1.5	3.1	6.5	5.6	5.3	4.8
III 血 液 及 び 造 血 器 の 疾 患 並 び に 免 疫 機 構 の 障 害	0.8	1.1	1.4	0.7	0.6	0.6	0.7
IV 内 分 泌，栄 養 及 び 代 謝 疾 患	7.1	2.7	4.8	8.8	7.4	7.0	6.4
糖 尿 病 （再掲）	4.4	0.1	1.8	5.5	4.9	4.7	4.3
V 精 神 及 び 行 動 の 障 害	7.2	1.5	12.6	10.5	5.2	4.7	4.4
VI 神 経 系 の 疾 患	4.1	3.0	5.2	3.6	4.2	4.3	4.6
VII 眼 及 び 付 属 器 の 疾 患	3.5	3.3	3.6	3.0	3.7	3.7	3.4
白 内 障 （再掲）	1.0	0.0	0.1	0.6	1.4	1.5	1.4
VIII 耳 及 び 乳 様 突 起 の 疾 患	0.7	3.2	0.9	0.6	0.4	0.4	0.3
IX 循 環 器 系 の 疾 患	20.7	1.0	4.9	18.2	27.4	28.5	29.9
高 血 圧 性 疾 患 （再掲）	7.0	0.0	1.2	7.2	8.9	9.0	9.2
虚 血 性 心 疾 患 （再掲）	2.9	0.0	0.5	2.8	3.8	3.7	3.6
そ の 他 の 心 疾 患 （再掲）	3.2	0.7	1.2	2.1	4.4	4.8	5.3
脳 梗 塞 （再掲）	3.9	0.0	0.3	1.9	5.9	6.5	7.3
そ の 他 の 脳 血 管 疾 患 （再掲）	2.5	0.1	0.9	2.8	2.9	2.9	2.9
X 呼 吸 器 系 の 疾 患	7.8	38.3	11.1	3.8	5.4	5.9	6.6
急 性 上 気 道 感 染 症 （再掲）	1.4	11.6	3.2	0.6	0.2	0.2	0.1
気 管 支 炎 及 び 慢 性 閉 塞 性 肺 疾 患 （再掲）	0.7	1.5	0.4	0.3	0.9	1.0	1.1
喘 息 （再掲）	1.3	8.7	1.5	0.7	0.7	0.7	0.7
XI 消 化 器 系 の 疾 患	6.2	2.5	7.5	6.9	6.1	6.0	6.0
胃 潰 瘍 及 び 十 二 指 腸 潰 瘍 （再掲）	1.0	0.0	0.9	1.2	1.0	0.9	0.9
胃 炎 及 び 十 二 指 腸 炎 （再掲）	1.0	0.2	1.3	1.1	1.0	1.0	0.9
肝 疾 患 （再掲）	0.7	0.1	0.6	1.0	0.7	0.7	0.6
XII 皮 膚 及 び 皮 下 組 織 の 疾 患	1.7	5.8	3.9	1.4	0.9	0.9	0.9
XIII 筋 骨 格 系 及 び 結 合 組 織 の 疾 患	7.4	2.5	5.7	7.6	8.3	8.4	8.0
XIV 腎 尿 路 生 殖 器 系 の 疾 患	7.4	1.3	7.3	9.1	7.3	6.9	6.4
糸 球 体 疾 患，腎 尿 細 管 間 質 性 疾 患 及 び 腎 不 全 （再掲）	5.1	0.7	2.9	6.9	5.4	4.9	4.5
XV 妊 娠，分 娩 及 び 産 じ ょ く	0.7	0.0	5.5	0.0	0.0	0.0	0.0
XVI 周 産 期 に 発 生 し た 病 態	0.6	9.5	0.2	0.0	0.0	0.0	0.0
XVII 先 天 奇 形，変 形 及 び 染 色 体 異 常	0.5	5.8	0.7	0.2	0.1	0.1	0.1
XVIII 症状，徴候及び異常臨床所見・異常検査所見で他に分類されないもの	1.6	2.1	2.0	1.4	1.5	1.5	1.6
XIX 損 傷，中 毒 及 び そ の 他 の 外 因 の 影 響	6.8	8.0	9.9	5.2	6.6	7.2	8.0

平成21年度（2009）

入				院			入		院		外		
総数	0～14歳	15～44	45～64	65歳以上	70歳以上（再掲）	75歳以上（再掲）	総数	0～14歳	15～44	45～64	65歳以上	70歳以上（再掲）	75歳以上（再掲）
100.0	100.0	100.0	100.0	100.0	100.0	100.0	100.0	100.0	100.0	100.0	100.0	100.0	100.0
1.8	4.3	2.1	1.6	1.6	1.7	1.7	3.1	6.6	4.8	3.2	2.0	1.8	1.6
0.2	0.0	0.2	0.1	0.2	0.2	0.2	0.1	0.0	0.1	0.1	0.1	0.1	0.1
16.5	5.6	13.3	22.7	15.6	14.2	12.4	9.0	0.7	6.4	11.5	9.8	9.4	9.1
1.7	0.0	0.4	1.9	2.0	1.9	1.7	0.7	0.0	0.2	0.8	1.0	0.9	0.9
2.3	0.0	0.6	3.0	2.4	2.2	2.0	1.4	0.0	0.4	1.8	1.6	1.5	1.3
0.9	0.1	0.1	0.9	1.1	1.1	0.9	0.2	0.0	0.0	0.2	0.3	0.3	0.3
1.9	0.0	0.3	2.4	2.1	1.9	1.7	0.7	0.0	0.2	0.8	0.9	0.9	0.9
0.7	0.0	0.8	1.5	0.4	0.3	0.3	1.3	0.0	1.3	2.7	0.8	0.6	0.5
7.2	3.9	5.7	10.2	6.6	5.9	5.1	3.2	0.2	1.4	3.3	4.3	4.4	4.5
0.8	1.6	1.1	0.7	0.7	0.8	0.8	0.7	0.8	1.6	0.7	0.5	0.5	0.5
3.6	1.9	2.0	3.4	4.0	4.1	4.1	10.8	3.1	6.7	13.4	11.9	11.2	10.2
2.6	0.2	1.1	2.6	2.9	2.9	2.9	6.2	0.1	2.3	8.0	7.6	7.1	6.5
10.7	1.3	17.2	18.1	7.7	6.7	5.9	3.6	1.7	9.6	4.1	1.9	1.9	1.9
5.6	6.1	8.1	5.0	5.3	5.4	5.5	2.6	1.5	3.2	2.4	2.6	2.8	3.0
1.7	0.8	0.8	1.6	1.9	1.9	1.7	5.3	4.6	5.4	4.2	6.0	6.2	6.1
0.9	0.0	0.1	0.6	1.2	1.2	1.1	1.0	0.0	0.1	0.6	1.8	1.9	1.9
0.3	1.3	0.5	0.4	0.2	0.2	0.1	1.1	4.2	1.1	0.8	0.7	0.7	0.6
22.7	2.0	6.5	18.7	27.8	28.7	29.7	18.8	0.5	3.8	17.7	26.9	28.2	30.2
1.9	0.0	0.2	0.8	2.6	2.9	3.2	12.2	0.0	1.9	12.7	17.1	17.7	18.7
4.0	0.0	0.8	4.5	4.5	4.3	3.9	1.8	0.0	0.3	1.4	2.8	3.0	3.2
4.7	1.3	2.1	3.2	5.9	6.2	6.6	1.7	0.4	0.7	1.3	2.5	2.7	3.1
6.0	0.1	0.6	3.1	8.2	8.9	9.7	1.7	0.0	0.2	0.9	2.8	3.1	3.5
4.2	0.3	1.9	5.4	4.5	4.3	4.2	0.6	0.1	0.3	0.7	0.9	0.9	0.9
5.8	19.2	4.2	2.3	6.4	7.1	8.0	9.8	48.0	15.7	5.0	4.1	4.2	4.4
0.1	1.7	0.3	0.1	0.0	0.0	0.0	2.6	16.7	5.1	1.1	0.4	0.3	0.3
0.6	0.3	0.1	0.1	0.8	0.9	1.0	0.9	2.1	0.7	0.4	1.1	1.2	1.4
0.4	3.4	0.3	0.2	0.4	0.4	0.4	2.2	11.4	2.4	1.2	1.1	1.2	1.2
6.3	4.5	7.5	6.8	6.1	6.0	6.0	6.2	1.4	7.5	7.0	6.1	6.0	5.9
0.6	0.0	0.4	0.7	0.7	0.7	0.7	1.3	0.0	1.3	1.7	1.3	1.3	1.2
0.2	0.0	0.2	0.2	0.2	0.3	0.3	1.8	0.2	2.0	1.9	1.9	2.0	2.0
0.7	0.2	0.5	0.9	0.7	0.6	0.6	0.8	0.1	0.7	1.0	0.8	0.8	0.7
0.7	1.2	0.8	0.5	0.6	0.7	0.7	2.7	8.2	5.8	2.0	1.2	1.1	1.1
6.2	4.0	4.7	6.2	6.5	6.5	6.1	8.8	1.8	6.3	8.8	10.7	11.0	11.1
3.9	2.5	3.6	3.6	4.2	4.2	4.2	10.9	0.7	9.7	13.7	11.4	10.7	9.9
2.6	1.5	1.4	2.4	3.0	3.0	3.0	7.7	0.3	3.8	10.6	8.5	7.7	6.8
1.2	0.1	11.9	0.0	0.0	0.0	0.0	0.2	0.0	1.3	0.0	0.0	0.0	0.0
1.0	24.3	0.4	0.0	0.0	0.0	0.0	0.2	2.0	0.1	0.0	0.0	0.0	0.0
0.7	12.4	1.2	0.3	0.1	0.1	0.0	0.3	2.4	0.4	0.1	0.1	0.1	0.1
1.4	2.1	1.2	1.1	1.6	1.6	1.7	1.7	2.0	2.5	1.8	1.4	1.4	1.4
9.2	4.8	12.8	7.1	9.6	10.3	11.3	4.4	9.7	7.9	3.7	2.7	2.8	2.9

（単位：％）

傷　病　分　類	総	数					
	総　数	0 〜 14歳	15 〜 44	45 〜 64	65 歳以上	70 歳以上（再掲）	75 歳以上（再掲）
総　　　　　　　　　　　　　　　　　数	100.0	100.0	100.0	100.0	100.0	100.0	100.0
Ⅰ　感　染　症　及　び　寄　生　虫　症	2.5	6.4	3.7	2.4	1.8	1.7	1.7
結　　　　　　　　　　　核（再掲）	0.1	0.0	0.1	0.1	0.1	0.1	0.2
Ⅱ　新　　　　　生　　　　　物	12.8	2.5	9.3	16.8	12.9	12.0	10.8
胃　の　悪　性　新　生　物（再掲）	1.2	0.0	0.3	1.3	1.5	1.4	1.3
結腸及び直腸の悪性新生物（再掲）	1.8	0.0	0.5	2.4	2.1	1.9	1.7
肝及び肝内胆管の悪性新生物（再掲）	0.6	0.0	0.1	0.5	0.7	0.7	0.7
気管，気管支及び肺の悪性新生物（再掲）	1.4	0.0	0.3	1.7	1.7	1.5	1.4
乳　房　の　悪　性　新　生　物（再掲）	0.9	0.0	1.1	2.0	0.5	0.4	0.3
そ　の　他　の　悪　性　新　生　物（再掲）	5.2	1.6	3.2	6.5	5.5	5.2	4.7
Ⅲ　血液及び造血器の疾患並びに免疫機構の障害	0.8	1.2	1.6	0.7	0.7	0.7	0.7
Ⅳ　内　分　泌，栄　養　及　び　代　謝　疾　患	7.3	2.8	5.1	9.0	7.5	7.1	6.6
糖　　　　　尿　　　　　病（再掲）	4.5	0.1	1.9	5.7	5.0	4.7	4.3
Ⅴ　精　神　及　び　行　動　の　障　害	7.2	1.7	12.7	10.4	5.3	4.8	4.5
Ⅵ　神　経　系　の　疾　患	4.3	3.2	5.4	3.8	4.4	4.5	4.8
Ⅶ　眼　及　び　付　属　器　の　疾　患	3.5	3.4	3.6	3.1	3.7	3.7	3.4
白　　　　　内　　　　　障（再掲）	1.0	0.0	0.1	0.6	1.4	1.5	1.4
Ⅷ　耳　及　び　乳　様　突　起　の　疾　患	0.7	3.3	0.9	0.6	0.4	0.4	0.3
Ⅸ　循　環　器　系　の　疾　患	20.8	1.0	5.1	18.2	27.4	28.4	29.7
高　血　圧　性　疾　患（再掲）	6.9	0.0	1.2	7.0	8.9	9.0	9.3
虚　血　性　心　疾　患（再掲）	2.7	0.0	0.5	2.7	3.5	3.5	3.4
そ　の　他　の　心　疾　患（再掲）	3.3	0.7	1.3	2.3	4.5	4.8	5.3
脳　　　　　梗　　　　　塞（再掲）	3.9	0.0	0.3	1.9	6.0	6.5	7.3
そ　の　他　の　脳　血　管　疾　患（再掲）	2.6	0.1	1.0	3.0	3.0	3.0	3.0
Ⅹ　呼　吸　器　系　の　疾　患	7.8	36.6	10.7	3.9	5.6	6.1	6.8
急　性　上　気　道　感　染　症（再掲）	1.3	11.3	3.1	0.6	0.2	0.2	0.1
気管支炎及び慢性閉塞性肺疾患（再掲）	0.7	1.4	0.4	0.3	0.9	1.0	1.1
喘　　　　　　　　　息（再掲）	1.3	8.9	1.6	0.7	0.7	0.7	0.7
Ⅺ　消　化　器　系　の　疾　患	6.1	2.6	7.6	6.6	5.9	5.9	5.8
胃　潰　瘍　及　び　十　二　指　腸　潰　瘍（再掲）	0.9	0.0	0.9	1.1	0.9	0.9	0.9
胃　炎　及　び　十　二　指　腸　炎（再掲）	1.0	0.2	1.3	1.1	1.0	0.9	0.9
肝　　　　　疾　　　　　患（再掲）	0.7	0.1	0.6	0.9	0.7	0.6	0.6
Ⅻ　皮　膚　及　び　皮　下　組　織　の　疾　患	1.7	6.0	4.0	1.4	0.9	0.9	0.9
ⅩⅢ　筋　骨　格　系　及　び　結　合　組　織　の　疾　患	7.4	2.6	5.7	7.5	8.3	8.4	8.2
ⅩⅣ　腎　尿　路　生　殖　器　系　の　疾　患	7.1	1.3	7.2	8.9	7.0	6.7	6.2
糸球体疾患，腎尿細管間質性疾患及び腎不全（再掲）	5.3	1.0	3.2	7.1	5.4	5.1	4.7
ⅩⅤ　妊　娠，分　娩　及　び　産　じ　ょ　く	0.8	0.0	6.1	0.0	0.0	0.0	0.0
ⅩⅥ　周　産　期　に　発　生　し　た　病　態	0.6	9.9	0.2	0.0	0.0	0.0	0.0
ⅩⅦ　先　天　奇　形，変　形　及　び　染　色　体　異　常	0.6	6.3	0.8	0.2	0.1	0.1	0.1
ⅩⅧ　症状，徴候及び異常臨床所見・異常検査所見で他に分類されないもの	1.5	2.0	1.8	1.3	1.5	1.5	1.5
ⅩⅨ　損　傷，中　毒　及　び　そ　の　他　の　外　因　の　影　響	6.6	7.1	8.6	5.2	6.7	7.2	8.0

入						院	入					院	外
総　数	0～14歳	15～44	45～64	65 歳以上	70 歳以上（再掲）	75 歳以上（再掲）	総　数	0～14歳	15～44	45～64	65 歳以上	70 歳以上（再掲）	75 歳以上（再掲）
100.0	100.0	100.0	100.0	100.0	100.0	100.0	100.0	100.0	100.0	100.0	100.0	100.0	100.0
1.9	4.5	2.1	1.7	1.7	1.7	1.7	3.1	7.4	4.9	3.1	1.9	1.7	1.6
0.2	0.0	0.2	0.1	0.2	0.2	0.2	0.1	0.0	0.1	0.1	0.1	0.1	0.1
16.6	5.9	13.4	22.9	15.7	14.3	12.5	8.6	0.7	6.4	11.4	9.2	8.7	8.1
1.7	0.0	0.4	1.9	1.9	1.8	1.7	0.7	0.0	0.2	0.7	0.9	0.9	0.8
2.3	0.0	0.6	3.1	2.4	2.2	2.0	1.3	0.0	0.4	1.9	1.6	1.4	1.2
0.9	0.1	0.1	0.9	1.1	1.0	0.9	0.2	0.0	0.0	0.2	0.3	0.3	0.3
2.0	0.0	0.4	2.6	2.2	2.0	1.7	0.7	0.0	0.2	0.9	0.9	0.9	0.8
0.7	0.0	0.8	1.5	0.4	0.3	0.3	1.2	0.0	1.2	2.5	0.7	0.6	0.4
7.2	4.1	5.7	10.3	6.6	6.0	5.1	3.1	0.2	1.4	3.3	4.0	4.0	3.9
0.9	1.8	1.3	0.7	0.8	0.8	0.8	0.7	0.9	1.7	0.7	0.5	0.4	0.4
3.6	1.9	2.1	3.4	4.0	4.1	4.1	11.2	3.3	7.2	13.9	12.4	11.7	10.7
2.5	0.2	1.1	2.6	2.8	2.8	2.8	6.6	0.1	2.5	8.4	7.9	7.5	6.9
10.4	1.5	16.5	17.4	7.6	6.7	6.0	3.8	1.9	10.0	4.3	2.0	2.0	2.1
5.7	6.2	8.3	5.2	5.5	5.6	5.7	2.7	1.5	3.5	2.6	2.9	3.0	3.3
1.7	0.8	0.9	1.7	1.9	1.9	1.8	5.4	4.8	5.5	4.2	6.1	6.3	6.2
0.9	0.0	0.1	0.6	1.2	1.2	1.1	1.0	0.0	0.1	0.6	1.7	1.8	1.9
0.3	1.3	0.5	0.4	0.2	0.2	0.1	1.1	4.5	1.1	0.8	0.7	0.7	0.6
22.4	1.9	6.7	18.9	27.4	28.1	29.0	19.0	0.6	4.0	17.7	27.4	28.8	30.9
1.7	0.0	0.2	0.7	2.5	2.7	3.0	12.5	0.0	1.9	12.6	17.7	18.4	19.6
3.6	0.0	0.8	4.2	4.1	3.9	3.6	1.7	0.0	0.3	1.3	2.7	2.9	3.1
4.8	1.3	2.1	3.3	5.9	6.2	6.6	1.8	0.4	0.7	1.3	2.6	2.8	3.1
6.1	0.1	0.6	3.1	8.3	8.9	9.6	1.7	0.0	0.2	0.9	2.8	3.1	3.5
4.3	0.3	2.0	5.6	4.5	4.4	4.2	0.7	0.1	0.3	0.7	0.9	0.9	0.9
6.1	18.4	4.3	2.4	6.7	7.4	8.3	9.6	46.8	15.1	5.1	4.1	4.1	4.2
0.1	1.6	0.3	0.1	0.0	0.0	0.0	2.6	16.7	4.9	1.1	0.4	0.3	0.3
0.6	0.3	0.1	0.2	0.8	0.9	1.0	0.9	2.1	0.6	0.4	1.0	1.1	1.3
0.4	3.4	0.3	0.2	0.4	0.4	0.4	2.3	12.0	2.5	1.2	1.1	1.2	1.2
6.1	4.5	7.3	6.4	5.9	5.9	5.9	6.0	1.5	7.8	6.8	5.9	5.8	5.7
0.6	0.0	0.4	0.6	0.6	0.7	0.7	1.2	0.0	1.2	1.6	1.2	1.2	1.2
0.2	0.0	0.2	0.2	0.2	0.2	0.2	1.8	0.2	2.1	1.9	2.0	2.0	2.0
0.6	0.2	0.5	0.8	0.6	0.6	0.5	0.8	0.1	0.7	1.0	0.8	0.7	0.6
0.7	1.2	0.9	0.6	0.6	0.7	0.7	2.8	8.7	6.1	2.1	1.2	1.2	1.1
6.0	4.1	4.7	6.1	6.4	6.4	6.1	8.9	1.8	6.4	8.8	11.0	11.4	11.6
3.9	2.5	3.7	3.5	4.1	4.2	4.2	10.6	0.7	9.6	13.6	11.0	10.3	9.6
2.7	1.7	1.4	2.5	3.1	3.1	3.1	8.0	0.5	4.4	11.2	8.6	7.9	7.2
1.3	0.1	13.2	0.0	0.0	0.0	0.0	0.2	0.0	1.3	0.0	0.0	0.0	0.0
1.1	23.7	0.4	0.0	0.0	0.0	0.0	0.2	2.1	0.1	0.0	0.0	0.0	0.0
0.8	13.1	1.2	0.3	0.1	0.1	0.0	0.4	2.5	0.4	0.1	0.1	0.1	0.1
1.4	2.0	1.0	1.0	1.5	1.6	1.6	1.6	1.9	2.4	1.6	1.4	1.3	1.3
9.2	4.7	11.4	7.3	9.8	10.4	11.4	3.8	8.4	6.7	3.4	2.4	2.4	2.5

第14表 医科診療医療費構成割合，

（単位：％）

傷 病 分 類	総	数					
	総 数	0～14歳	15～44	45～64	65 歳以上	70 歳以上（再掲）	75 歳以上（再掲）
総　　　　　　　　　　　　　数	100.0	100.0	100.0	100.0	100.0	100.0	100.0
Ⅰ 感 染 症 及 び 寄 生 虫 症	2.3	5.8	3.5	2.3	1.7	1.7	1.7
結　　　　　　核（再掲）	0.1	0.0	0.1	0.1	0.1	0.1	0.2
ウ イ ル ス 肝 炎（再掲）	0.6	0.0	0.6	1.0	0.6	0.5	0.5
Ⅱ 新　　　生　　　物	13.1	2.5	9.4	17.2	13.3	12.3	10.8
悪 性 新 生 物（再掲）	11.4	1.6	5.5	15.0	12.3	11.4	10.1
胃 の 悪 性 新 生 物（再掲）	1.2	0.0	0.3	1.2	1.5	1.4	1.3
結腸及び直腸の悪性新生物（再掲）	1.9	0.0	0.5	2.5	2.1	2.0	1.7
肝及び肝内胆管の悪性新生物（再掲）	0.5	0.0	0.1	0.5	0.7	0.7	0.7
気管，気管支及び肺の悪性新生物（再掲）	1.5	0.0	0.3	1.8	1.7	1.6	1.3
乳 房 の 悪 性 新 生 物（再掲）	1.0	0.0	1.1	2.1	0.6	0.4	0.3
子 宮 の 悪 性 新 生 物（再掲）	0.3	0.0	0.5	0.6	0.2	0.1	0.1
Ⅲ 血液及び造血器の疾患並びに免疫機構の障害	0.8	1.2	1.7	0.7	0.7	0.7	0.7
Ⅳ 内 分 泌，栄 養 及 び 代 謝 疾 患	7.2	2.9	5.2	8.8	7.4	7.0	6.5
糖　　　尿　　　病（再掲）	4.4	0.1	2.0	5.5	4.9	4.6	4.3
Ⅴ 精 神 及 び 行 動 の 障 害	6.8	1.8	12.3	10.1	4.9	4.5	4.2
血管性及び詳細不明の認知症（再掲）	0.6	0.0	0.0	0.1	1.1	1.2	1.5
統合失調症，統合失調症型障害及び妄想性障害（再掲）	3.7	0.1	6.3	6.8	2.2	1.8	1.3
気分（感情）障害（躁うつ病を含む）（再掲）	1.2	0.0	2.8	1.5	0.8	0.7	0.7
Ⅵ 神 経 系 の 疾 患	4.3	3.2	5.4	3.8	4.4	4.6	4.9
ア ル ツ ハ イ マ ー 病（再掲）	0.8	0.0	0.0	0.1	1.3	1.5	1.9
Ⅶ 眼 及 び 付 属 器 の 疾 患	3.5	3.3	3.5	3.1	3.7	3.7	3.4
白　　　内　　　障（再掲）	0.9	0.0	0.1	0.6	1.4	1.4	1.4
Ⅷ 耳 及 び 乳 様 突 起 の 疾 患	0.7	3.1	0.9	0.6	0.4	0.4	0.3
Ⅸ 循 環 器 系 の 疾 患	20.8	1.0	5.2	18.3	27.4	28.3	29.5
高 血 圧 性 疾 患（再掲）	6.9	0.0	1.2	6.8	8.8	9.0	9.2
心疾患（高血圧性のものを除く）（再掲）	6.1	0.7	1.8	5.1	8.1	8.3	8.7
虚 血 性 心 疾 患（再掲）	2.7	0.0	0.5	2.7	3.5	3.4	3.3
脳 血 管 疾 患（再掲）	6.4	0.2	1.4	4.9	8.8	9.3	10.0
Ⅹ 呼 吸 器 系 の 疾 患	7.8	36.5	10.6	3.9	5.7	6.1	6.8
肺　　　　　　炎（再掲）	1.3	2.6	0.4	0.4	1.7	1.9	2.3
慢 性 閉 塞 性 肺 疾 患（再掲）	0.5	0.0	0.1	0.2	0.8	0.9	1.0
喘　　　　　　息（再掲）	1.3	8.4	1.5	0.7	0.7	0.7	0.7
Ⅺ 消 化 器 系 の 疾 患	5.9	2.4	7.5	6.5	5.8	5.7	5.7
胃 及 び 十 二 指 腸 の 疾 患（再掲）	1.7	0.2	2.0	2.0	1.7	1.7	1.7
肝　　　疾　　　患（再掲）	0.7	0.1	0.6	0.9	0.6	0.6	0.5
Ⅻ 皮 膚 及 び 皮 下 組 織 の 疾 患	1.8	6.1	4.1	1.5	0.9	0.9	0.9
ⅩⅢ 筋 骨 格 系 及 び 結 合 組 織 の 疾 患	7.5	2.7	5.8	7.7	8.4	8.5	8.2
関　　　節　　　症（再掲）	1.7	0.0	0.3	1.5	2.3	2.4	2.3
脊 椎 障 害（脊 椎 症 を 含 む）（再掲）	1.8	0.0	0.5	1.5	2.3	2.4	2.4
ⅩⅣ 腎 尿 路 生 殖 器 系 の 疾 患	7.1	1.3	7.1	9.0	7.0	6.7	6.3
糸球体疾患，腎尿細管間質性疾患及び腎不全（再掲）	5.3	1.0	3.2	7.2	5.4	5.1	4.8
ⅩⅤ 妊 娠，分 娩 及 び 産 じ ょ く	0.8	0.0	6.2	0.0	0.0	0.0	0.0
ⅩⅥ 周 産 期 に 発 生 し た 病 態	0.7	10.3	0.2	0.0	0.0	0.0	0.0
ⅩⅦ 先 天 奇 形，変 形 及 び 染 色 体 異 常	0.6	6.8	0.8	0.2	0.1	0.1	0.1
ⅩⅧ 症状，徴候及び異常臨床所見・異常検査所見で他に分類されないもの	1.4	1.8	1.7	1.2	1.4	1.4	1.5
ⅩⅨ 損 傷，中 毒 及 び そ の 他 の 外 因 の 影 響	6.8	7.3	8.8	5.3	6.9	7.4	8.3
骨　　　　　　折（再掲）	3.7	2.1	3.0	2.4	4.5	5.0	5.8

入院－入院外・年齢階級・傷病分類・年次別

入				院			入		院		外		
総数	0～14歳	15～44	45～64	65歳以上	70歳以上（再掲）	75歳以上（再掲）	総数	0～14歳	15～44	45～64	65歳以上	70歳以上（再掲）	75歳以上（再掲）
100.0	100.0	100.0	100.0	100.0	100.0	100.0	100.0	100.0	100.0	100.0	100.0	100.0	100.0
1.8	3.9	2.0	1.6	1.7	1.7	1.8	2.9	6.9	4.6	2.8	1.8	1.7	1.6
0.2	0.0	0.2	0.1	0.2	0.2	0.2	0.0	0.0	0.1	0.0	0.1	0.1	0.1
0.3	0.1	0.3	0.4	0.3	0.3	0.2	1.0	0.0	0.7	1.5	1.0	0.9	0.8
16.9	5.8	13.7	23.5	16.0	14.5	12.4	8.9	0.7	6.5	11.7	9.6	9.0	8.2
15.1	4.2	8.3	20.8	14.9	13.5	11.6	7.5	0.2	3.5	9.8	8.7	8.2	7.5
1.7	0.0	0.4	1.9	1.9	1.8	1.6	0.6	0.0	0.2	0.7	0.9	0.8	0.8
2.4	0.0	0.6	3.2	2.5	2.3	2.0	1.4	0.0	0.4	2.0	1.6	1.5	1.2
0.9	0.1	0.1	0.9	1.1	1.0	0.9	0.2	0.0	0.2	0.3	0.3	0.3	0.3
2.1	0.0	0.4	2.8	2.3	2.0	1.7	0.8	0.0	0.2	0.9	1.0	0.9	0.8
0.7	0.0	0.9	1.5	0.4	0.3	0.3	1.3	0.0	1.3	2.6	0.8	0.6	0.5
0.4	-	0.8	0.9	0.2	0.2	0.1	0.2	0.0	0.3	0.3	0.1	0.1	0.1
0.9	1.7	1.4	0.7	0.8	0.9	0.9	0.8	0.9	1.9	0.7	0.5	0.5	0.5
3.4	1.9	2.1	3.1	3.8	3.8	3.9	11.2	3.4	7.4	13.7	12.3	11.7	10.8
2.3	0.2	1.1	2.3	2.6	2.6	2.6	6.6	0.1	2.6	8.3	7.9	7.5	6.9
9.7	1.4	15.5	16.6	7.1	6.3	5.6	3.8	2.0	10.0	4.3	2.0	1.9	2.0
1.0	0.0	0.0	0.2	1.5	1.7	1.9	0.2	0.0	0.0	0.0	0.4	0.5	0.7
6.1	0.1	10.6	12.6	3.6	2.8	2.0	1.1	0.0	3.4	1.7	0.3	0.3	0.2
1.1	0.1	1.8	1.5	0.9	0.8	0.8	1.2	0.0	3.5	1.5	0.6	0.6	0.6
5.7	6.2	8.4	5.2	5.5	5.7	5.9	2.8	1.5	3.4	2.6	3.0	3.1	3.4
1.1	0.0	0.0	0.2	1.6	1.8	2.1	0.5	0.0	0.0	0.0	0.9	1.1	1.5
1.8	0.8	0.9	1.8	1.9	1.9	1.7	5.4	4.6	5.2	4.2	6.1	6.3	6.2
0.9	0.0	0.1	0.6	1.2	1.2	1.1	1.0	0.0	0.1	0.6	1.7	1.8	1.8
0.3	1.2	0.5	0.4	0.2	0.2	0.1	1.0	4.1	1.1	0.7	0.7	0.7	0.6
22.6	1.8	7.0	19.3	27.4	28.1	28.8	18.9	0.5	4.0	17.3	27.3	28.5	30.6
1.6	0.0	0.1	0.6	2.3	2.5	2.9	12.5	0.0	1.9	12.3	17.8	18.4	19.5
8.6	1.2	3.1	7.9	10.2	10.3	10.3	3.4	0.4	0.9	2.6	5.2	5.5	6.0
3.7	0.0	0.8	4.3	4.1	3.9	3.5	1.7	0.0	0.3	1.3	2.6	2.8	3.0
10.3	0.4	2.8	8.7	12.6	13.0	13.6	2.3	0.1	0.4	1.6	3.6	3.9	4.2
6.3	18.2	4.3	2.5	7.0	7.6	8.5	9.5	46.7	14.9	5.1	4.0	4.0	4.1
2.3	6.5	0.6	0.6	2.8	3.1	3.6	0.2	0.4	0.2	0.1	0.1	0.1	0.1
0.5	0.0	0.0	0.1	0.7	0.8	0.9	0.5	0.0	0.1	0.2	0.9	1.0	1.1
0.4	2.9	0.2	0.2	0.3	0.4	0.4	2.2	11.5	2.4	1.3	1.1	1.1	1.2
6.1	4.3	7.3	6.5	5.9	5.9	5.9	5.8	1.4	7.7	6.4	5.6	5.6	5.5
0.7	0.1	0.5	0.7	0.8	0.8	0.8	2.8	0.2	3.0	3.2	3.0	3.0	3.0
0.6	0.2	0.5	0.8	0.6	0.5	0.5	0.7	0.1	0.7	0.9	0.7	0.7	0.6
0.7	1.2	0.9	0.6	0.7	0.7	0.7	2.9	8.9	6.3	2.2	1.2	1.2	1.1
6.1	4.0	4.6	6.1	6.4	6.4	6.2	9.1	1.9	6.6	9.0	11.0	11.4	11.6
1.7	0.0	0.3	1.8	2.0	2.0	1.8	1.8	0.0	0.2	1.3	2.7	3.0	3.1
1.5	0.0	0.4	1.5	1.8	1.8	1.7	2.0	0.0	0.6	1.5	3.1	3.3	3.5
3.9	2.5	3.7	3.5	4.1	4.2	4.2	10.6	0.7	9.5	13.8	10.9	10.4	9.8
2.7	1.7	1.4	2.4	3.1	3.1	3.2	8.1	0.5	4.4	11.5	8.6	8.0	7.4
1.3	0.1	13.5	0.0	0.0	0.0	0.0	0.2	0.0	1.3	0.0	0.0	0.0	0.0
1.1	24.4	0.4	0.0	0.0	0.0	0.0	0.2	2.4	0.0	0.0	0.0	0.0	0.0
0.9	14.1	1.3	0.3	0.1	0.1	0.0	0.4	2.7	0.4	0.1	0.1	0.1	0.1
1.3	1.8	0.9	0.9	1.4	1.5	1.6	1.6	1.9	2.3	1.5	1.4	1.3	1.3
9.4	4.7	11.6	7.4	10.1	10.7	11.7	4.0	8.7	6.9	3.5	2.6	2.6	2.6
5.8	2.2	4.8	3.8	6.9	7.5	8.5	1.4	2.0	1.8	1.2	1.3	1.3	1.4

（単位：%）

傷　病　分　類	総	数					
	総　数	0～14歳	15～44	45～64	65 歳以上	70 歳以上（再掲）	75 歳以上（再掲）
総　　　　　　　　　　　　　　　　数	100.0	100.0	100.0	100.0	100.0	100.0	100.0
Ⅰ　感　染　症　及　び　寄　生　虫　症	2.3	5.8	3.6	2.2	1.7	1.7	1.7
腸　　管　　感　　染　　症（再掲）	0.5	3.1	1.2	0.3	0.2	0.2	0.2
結　　　　　　　　　　核（再掲）	0.1	0.0	0.1	0.1	0.1	0.1	0.1
ウ　イ　ル　ス　肝　炎（再掲）	0.6	0.0	0.5	0.9	0.6	0.5	0.4
Ⅱ　新　　　　生　　　　物	13.5	2.7	9.6	17.6	13.7	12.6	11.1
悪　　性　　新　　生　　物（再掲）	11.7	1.8	5.6	15.2	12.7	11.7	10.3
胃　の　悪　性　新　生　物（再掲）	1.2	0.0	0.3	1.2	1.5	1.4	1.3
結腸及び直腸の悪性新生物（再掲）	1.9	0.0	0.5	2.5	2.2	2.0	1.8
肝及び肝内胆管の悪性新生物（再掲）	0.5	0.1	0.1	0.5	0.7	0.7	0.7
気管，気管支及び肺の悪性新生物（再掲）	1.5	0.0	0.3	1.8	1.8	1.6	1.3
乳　房　の　悪　性　新　生　物（再掲）	1.0	0.0	1.2	2.2	0.6	0.5	0.4
子　宮　の　悪　性　新　生　物（再掲）	0.3	0.0	0.5	0.6	0.2	0.1	0.1
Ⅲ　血液及び造血器の疾患並びに免疫機構の障害	0.8	1.3	1.7	0.7	0.7	0.7	0.7
Ⅳ　内　分　泌，栄　養　及　び　代　謝　疾　患	7.0	3.1	5.2	8.5	7.2	6.9	6.5
糖　　　　尿　　　　病（再掲）	4.3	0.2	2.0	5.4	4.7	4.5	4.2
Ⅴ　精　神　及　び　行　動　の　障　害	6.7	2.0	11.8	9.8	4.8	4.4	4.1
血管性及び詳細不明の認知症（再掲）	0.6	0.0	0.0	0.1	1.0	1.2	1.4
統合失調症，統合失調症型障害及び妄想性障害（再掲）	3.6	0.0	6.0	6.6	2.2	1.8	1.3
気分（感情）障害（躁うつ病を含む）（再掲）	1.1	0.0	2.7	1.5	0.8	0.7	0.7
神経症性障害，ストレス関連障害及び身体表現性障害（再掲）	0.5	0.3	1.6	0.5	0.2	0.2	0.2
Ⅵ　神　　経　　系　　の　　疾　　患	4.4	3.2	5.3	3.8	4.5	4.8	5.1
ア　ル　ツ　ハ　イ　マ　ー　病（再掲）	0.9	0.0	0.0	0.1	1.5	1.7	2.1
Ⅶ　眼　及　び　付　属　器　の　疾　患	3.6	3.4	3.4	3.2	3.8	3.8	3.5
白　　　　内　　　　障（再掲）	1.0	0.0	0.1	0.6	1.4	1.4	1.4
Ⅷ　耳　及　び　乳　様　突　起　の　疾　患	0.7	3.1	0.9	0.6	0.4	0.4	0.3
Ⅸ　循　環　器　系　の　疾　患	20.5	1.0	5.3	17.9	26.7	27.6	28.8
高　血　圧　性　疾　患（再掲）	6.6	0.0	1.1	6.5	8.5	8.7	8.9
心疾患（高血圧性のものを除く）（再掲）	6.1	0.7	1.9	5.1	8.0	8.3	8.6
虚　　血　　性　　心　　疾　　患（再掲）	2.6	0.0	0.5	2.6	3.3	3.3	3.2
脳　　血　　管　　疾　　患（再掲）	6.3	0.2	1.4	4.8	8.5	9.0	9.7
Ⅹ　呼　　吸　　器　　系　　の　　疾　　患	7.6	34.2	10.5	3.9	5.7	6.1	6.8
肺　　　　　　　　　　炎（再掲）	1.1	1.9	0.4	0.3	1.5	1.8	2.1
慢　性　閉　塞　性　肺　疾　患（再掲）	0.5	0.0	0.1	0.2	0.8	0.8	0.9
喘　　　　　　　　　　息（再掲）	1.2	8.3	1.5	0.7	0.6	0.6	0.7
Ⅺ　消　　化　　器　　系　　の　　疾　　患	5.9	2.5	7.6	6.4	5.7	5.7	5.7
胃　及　び　十　二　指　腸　の　疾　患（再掲）	1.6	0.2	1.9	1.9	1.6	1.6	1.5
肝　　　　疾　　　　患（再掲）	0.6	0.1	0.5	0.8	0.6	0.6	0.5
Ⅻ　皮　膚　及　び　皮　下　組　織　の　疾　患	1.8	6.1	4.0	1.5	0.9	0.9	0.9
ⅩⅢ　筋　骨　格　系　及　び　結　合　組　織　の　疾　患	7.6	2.8	5.7	7.8	8.5	8.6	8.4
炎　症　性　多　発　性　関　節　障　害（再掲）	1.0	0.2	0.9	1.5	0.9	0.8	0.7
関　　　　節　　　　症（再掲）	1.8	0.0	0.3	1.6	2.4	2.5	2.4
脊　椎　障　害（脊　椎　症　を　含　む）（再掲）	1.8	0.0	0.5	1.5	2.3	2.4	2.4
骨　の　骨　密　度　及　び　構　造　の　障　害（再掲）	0.5	0.1	0.1	0.2	0.7	0.8	0.9
ⅩⅣ　腎　尿　路　生　殖　器　系　の　疾　患	7.1	1.4	7.1	8.9	7.0	6.7	6.4
糸球体疾患，腎尿細管間質性疾患及び腎不全（再掲）	5.3	1.0	3.1	7.1	5.4	5.1	4.8
ⅩⅤ　妊　娠，分　娩　及　び　産　じ　ょ　く	0.8	0.0	6.6	0.0	0.0	0.0	0.0
ⅩⅥ　周　産　期　に　発　生　し　た　病　態	0.7	10.9	0.2	0.0	0.0	0.0	0.0
ⅩⅦ　先　天　奇　形，変　形　及　び　染　色　体　異　常	0.6	7.2	0.8	0.2	0.1	0.1	0.1
ⅩⅧ　症状，徴候及び異常臨床所見・異常検査所見で他に分類されないもの	1.4	1.8	1.7	1.2	1.4	1.4	1.5
ⅩⅨ　損　傷，中　毒　及　び　そ　の　他　の　外　因　の　影　響	7.0	7.5	9.0	5.6	7.1	7.6	8.5
骨　　　　　　　　　　折（再掲）	3.8	2.2	3.1	2.5	4.7	5.2	6.0

平成24年度（2012）

	入			院				入		院	外		
総　数	0～14歳	15～44	45～64	65歳以上	70歳以上（再掲）	75歳以上（再掲）	総　数	0～14歳	15～44	45～64	65歳以上	70歳以上（再掲）	75歳以上（再掲）
100.0	100.0	100.0	100.0	100.0	100.0	100.0	100.0	100.0	100.0	100.0	100.0	100.0	100.0
1.8	3.9	1.9	1.6	1.7	1.7	1.8	2.9	6.9	4.8	2.8	1.8	1.7	1.5
0.4	2.5	0.6	0.2	0.3	0.3	0.3	0.7	3.4	1.7	0.4	0.1	0.1	0.1
0.1	0.0	0.1	0.1	0.2	0.2	0.2	0.0	0.0	0.1	0.0	0.1	0.1	0.1
0.3	0.1	0.3	0.4	0.3	0.2	0.2	1.0	0.0	0.7	1.4	1.0	0.9	0.8
17.4	6.1	14.0	23.8	16.5	14.9	12.8	9.2	0.7	6.5	12.1	9.9	9.3	8.4
15.4	4.4	8.4	20.9	15.4	13.9	11.9	7.8	0.2	3.6	10.1	9.0	8.5	7.7
1.7	0.0	0.4	1.9	1.9	1.8	1.7	0.6	0.0	0.2	0.7	0.9	0.9	0.8
2.4	0.0	0.7	3.2	2.6	2.4	2.1	1.4	0.0	0.4	2.0	1.7	1.5	1.3
0.9	0.1	0.1	0.8	1.1	1.0	0.9	0.2	0.0	0.0	0.2	0.3	0.3	0.3
2.1	0.0	0.4	2.7	2.3	2.0	1.7	0.8	0.0	0.2	1.0	1.0	0.9	0.8
0.7	0.0	0.9	1.6	0.5	0.4	0.3	1.3	0.0	1.3	2.8	0.8	0.7	0.5
0.4	0.0	0.7	0.9	0.2	0.2	0.1	0.2	0.0	0.3	0.3	0.1	0.1	0.1
0.9	1.8	1.3	0.7	0.8	0.8	0.9	0.8	1.0	1.9	0.8	0.5	0.5	0.5
3.2	2.2	2.0	2.9	3.6	3.7	3.8	11.2	3.5	7.5	13.6	12.3	11.7	10.8
2.2	0.2	1.1	2.2	2.5	2.5	2.5	6.6	0.1	2.6	8.2	7.9	7.5	6.9
9.3	1.5	14.7	16.0	6.9	6.1	5.4	3.8	2.2	9.7	4.4	2.0	1.9	2.0
1.0	0.0	0.0	0.2	1.4	1.6	1.8	0.2	0.0	0.0	0.0	0.4	0.5	0.7
5.8	0.1	9.9	12.1	3.5	2.8	2.0	1.1	0.0	3.2	1.7	0.4	0.3	0.2
1.1	0.1	1.7	1.5	0.9	0.8	0.8	1.2	0.0	3.4	1.5	0.6	0.6	0.6
0.2	0.3	0.7	0.2	0.2	0.2	0.2	0.7	0.2	2.2	0.8	0.4	0.4	0.4
5.7	6.0	7.9	5.1	5.5	5.7	6.0	2.9	1.6	3.5	2.7	3.1	3.3	3.7
1.2	0.0	0.0	0.2	1.7	1.9	2.2	0.6	0.0	0.0	0.0	1.1	1.3	1.7
1.8	0.8	0.9	1.8	2.0	1.9	1.7	5.5	4.9	5.2	4.4	6.3	6.4	6.3
0.9	0.0	0.1	0.6	1.2	1.2	1.1	1.0	0.0	0.1	0.6	1.7	1.8	1.8
0.3	1.3	0.6	0.4	0.2	0.2	0.1	1.1	4.2	1.1	0.8	0.7	0.7	0.6
22.2	1.9	7.2	19.2	26.8	27.4	28.1	18.6	0.5	3.9	16.8	26.7	27.9	29.9
1.5	0.0	0.1	0.5	2.1	2.3	2.7	12.2	0.0	1.8	11.9	17.4	18.0	19.1
8.6	1.2	3.2	8.0	10.1	10.2	10.2	3.4	0.4	0.9	2.5	5.0	5.4	5.9
3.5	0.0	0.8	4.2	3.9	3.7	3.4	1.6	0.0	0.2	1.2	2.5	2.7	2.8
10.0	0.4	2.8	8.6	12.1	12.5	13.0	2.3	0.1	0.4	1.5	3.5	3.8	4.2
6.1	15.8	4.3	2.5	7.0	7.6	8.5	9.2	44.9	14.8	5.2	3.9	3.9	4.0
2.1	4.6	0.6	0.6	2.6	2.9	3.3	0.2	0.4	0.2	0.1	0.1	0.1	0.1
0.5	0.0	0.0	0.1	0.7	0.7	0.8	0.5	0.0	0.1	0.2	0.9	1.0	1.1
0.4	3.1	0.2	0.1	0.3	0.3	0.4	2.1	11.3	2.4	1.3	1.1	1.1	1.1
6.1	4.4	7.3	6.6	5.9	5.9	5.9	5.7	1.4	7.8	6.3	5.4	5.3	5.2
0.6	0.1	0.4	0.7	0.7	0.7	0.8	2.7	0.2	3.0	3.0	2.8	2.8	2.8
0.6	0.1	0.4	0.8	0.5	0.5	0.5	0.7	0.1	0.6	0.9	0.7	0.6	0.6
0.7	1.1	0.9	0.6	0.7	0.7	0.8	2.9	9.0	6.3	2.3	1.3	1.2	1.2
6.3	4.3	4.5	6.4	6.6	6.7	6.4	9.1	2.0	6.5	9.1	11.1	11.5	11.6
0.5	0.2	0.2	0.5	0.5	0.5	0.5	1.5	0.2	1.4	2.3	1.4	1.2	1.0
1.8	0.0	0.3	1.9	2.2	2.2	2.0	1.8	0.0	0.2	1.3	2.7	2.9	3.1
1.5	0.0	0.4	1.5	1.8	1.8	1.7	2.0	0.0	0.5	1.5	3.1	3.3	3.4
0.3	0.1	0.2	0.1	0.3	0.3	0.4	0.7	0.0	0.1	0.3	1.3	1.5	1.6
3.9	2.6	3.8	3.5	4.1	4.2	4.2	10.6	0.7	9.4	13.6	11.0	10.5	9.9
2.7	1.8	1.4	2.3	3.1	3.1	3.2	8.1	0.6	4.2	11.3	8.7	8.1	7.5
1.4	0.0	14.3	0.0	0.0	0.0	0.0	0.2	0.0	1.3	0.0	0.0	0.0	0.0
1.1	25.1	0.4	0.0	0.0	0.0	0.0	0.2	2.7	0.0	0.0	0.0	0.0	0.0
0.9	14.6	1.4	0.3	0.1	0.1	0.1	0.4	2.9	0.5	0.2	0.1	0.1	0.1
1.2	1.6	0.8	0.8	1.3	1.4	1.6	1.6	2.0	2.3	1.6	1.4	1.4	1.4
9.7	4.9	11.9	7.8	10.3	11.0	12.0	4.1	9.0	6.9	3.6	2.7	2.7	2.8
6.0	2.4	5.0	4.0	7.1	7.7	8.7	1.4	2.0	1.8	1.3	1.3	1.4	1.5

（単位：%）

傷　病　分　類	総数	0～14歳	15～44	45～64	65歳以上	70歳以上（再掲）	75歳以上（再掲）
総　　　　　　　　　　　　　　　数	100.0	100.0	100.0	100.0	100.0	100.0	100.0
Ⅰ　感 染 症 及 び 寄 生 虫 症	2.2	5.5	3.4	2.1	1.7	1.6	1.6
腸 管 感 染 症（再掲）	0.5	2.7	1.1	0.2	0.2	0.2	0.2
結 核（再掲）	0.1	0.0	0.1	0.1	0.1	0.1	0.1
ウ イ ル ス 肝 炎（再掲）	0.5	0.0	0.5	0.8	0.5	0.5	0.4
Ⅱ　新 生 物	13.5	2.8	9.8	17.5	13.8	12.6	11.1
悪 性 新 生 物（再掲）	11.8	1.9	5.7	15.0	12.7	11.7	10.3
胃 の 悪 性 新 生 物（再掲）	1.2	0.0	0.3	1.1	1.5	1.4	1.3
結 腸 及 び 直 腸 の 悪 性 新 生 物（再掲）	1.9	0.0	0.6	2.5	2.2	2.0	1.8
肝 及 び 肝 内 胆 管 の 悪 性 新 生 物（再掲）	0.5	0.1	0.1	0.4	0.7	0.7	0.6
気 管，気 管 支 及 び 肺 の 悪 性 新 生 物（再掲）	1.5	0.0	0.3	1.7	1.8	1.6	1.3
乳 房 の 悪 性 新 生 物（再掲）	1.0	0.0	1.2	2.3	0.6	0.5	0.4
子 宮 の 悪 性 新 生 物（再掲）	0.3	0.0	0.5	0.6	0.2	0.1	0.1
Ⅲ　血液及び造血器の疾患並びに免疫機構の障害	0.9	1.3	1.8	0.8	0.7	0.7	0.7
Ⅳ　内 分 泌，栄 養 及 び 代 謝 疾 患	7.0	3.1	5.2	8.4	7.2	6.9	6.5
糖 尿 病（再掲）	4.2	0.2	2.0	5.2	4.7	4.4	4.1
Ⅴ　精 神 及 び 行 動 の 障 害	6.5	2.1	11.7	9.8	4.7	4.3	4.0
血 管 性 及 び 詳 細 不 明 の 認 知 症（再掲）	0.6	0.0	0.0	0.1	1.0	1.1	1.3
統 合 失 調 症，統 合 失 調 症 型 障 害 及 び 妄 想 性 障 害（再掲）	3.4	0.0	5.8	6.5	2.2	1.7	1.3
気 分（感 情）障 害（躁 う つ 病 を 含 む）（再掲）	1.1	0.1	2.7	1.6	0.8	0.7	0.7
神経症性障害, ストレス関連障害及び身体表現性障害（再掲）	0.5	0.3	1.6	0.6	0.2	0.2	0.2
Ⅵ　神 経 系 の 疾 患	4.4	3.2	5.4	3.9	4.6	4.8	5.2
ア ル ツ ハ イ マ ー 病（再掲）	0.9	0.0	0.0	0.1	1.5	1.8	2.2
Ⅶ　眼 及 び 付 属 器 の 疾 患	3.6	3.4	3.3	3.2	3.9	3.9	3.6
白 内 障（再掲）	1.0	0.0	0.1	0.6	1.4	1.4	1.4
Ⅷ　耳 及 び 乳 様 突 起 の 疾 患	0.7	3.1	0.9	0.6	0.4	0.4	0.3
Ⅸ　循 環 器 系 の 疾 患	20.5	1.0	5.4	17.8	26.5	27.3	28.5
高 血 圧 性 疾 患（再掲）	6.6	0.0	1.1	6.3	8.4	8.6	8.8
心 疾 患（高 血 圧 性 の も の を 除 く）（再掲）	6.2	0.7	2.0	5.2	8.0	8.3	8.6
虚 血 性 心 疾 患（再掲）	2.6	0.0	0.5	2.6	3.3	3.3	3.1
脳 血 管 疾 患（再掲）	6.2	0.2	1.4	4.8	8.3	8.7	9.4
Ⅹ　呼 吸 器 系 の 疾 患	7.4	32.9	9.9	3.9	5.6	6.1	6.7
肺 炎（再掲）	1.1	1.4	0.3	0.3	1.5	1.7	2.0
慢 性 閉 塞 性 肺 疾 患（再掲）	0.5	0.3	0.1	0.2	0.8	0.8	0.9
喘 息（再掲）	1.2	8.1	1.5	0.8	0.6	0.6	0.6
Ⅺ　消 化 器 系 の 疾 患	5.9	2.5	7.7	6.6	5.7	5.6	5.6
胃 及 び 十 二 指 腸 の 疾 患（再掲）	1.6	0.2	1.9	1.9	1.5	1.5	1.5
肝 疾 患（再掲）	0.6	0.1	0.5	0.8	0.6	0.5	0.5
Ⅻ　皮 膚 及 び 皮 下 組 織 の 疾 患	1.8	6.2	4.0	1.6	0.9	0.9	0.9
ⅩⅢ　筋 骨 格 系 及 び 結 合 組 織 の 疾 患	7.8	3.0	5.8	7.9	8.6	8.8	8.5
炎 症 性 多 発 性 関 節 障 害（再掲）	1.0	0.2	0.9	1.5	0.9	0.8	0.7
関 節 症（再掲）	1.9	0.0	0.3	1.7	2.4	2.5	2.4
脊 椎 障 害（脊 椎 症 を 含 む）（再掲）	1.8	0.0	0.5	1.5	2.3	2.4	2.4
骨 の 骨 密 度 及 び 構 造 の 障 害（再掲）	0.5	0.1	0.1	0.2	0.7	0.8	0.9
ⅩⅣ　腎 尿 路 生 殖 器 系 の 疾 患	7.1	1.5	7.1	8.8	7.0	6.7	6.4
糸 球 体 疾 患，腎 尿 細 管 間 質 性 疾 患 及 び 腎 不 全（再掲）	5.2	0.9	3.0	7.0	5.5	5.1	4.8
ⅩⅤ　妊 娠，分 娩 及 び 産 じ ょ く	0.8	0.0	6.8	0.0	0.0	0.0	0.0
ⅩⅥ　周 産 期 に 発 生 し た 病 態	0.7	11.3	0.2	0.0	0.0	0.0	0.0
ⅩⅦ　先 天 奇 形，変 形 及 び 染 色 体 異 常	0.7	7.5	0.9	0.2	0.1	0.1	0.1
ⅩⅧ　症状, 徴候及び異常臨床所見・異常検査所見で他に分類されないもの	1.4	1.9	1.7	1.2	1.4	1.4	1.5
ⅩⅨ　損 傷，中 毒 及 び そ の 他 の 外 因 の 影 響	7.1	7.6	8.9	5.6	7.3	7.8	8.7
骨 折（再掲）	3.9	2.2	3.1	2.6	4.8	5.3	6.2

入院－入院外・年齢階級・傷病分類・年次別

	入		院					入	院	外			
総　数	0～14歳	15～44	45～64	65歳以上	70歳以上（再掲）	75歳以上（再掲）	総　数	0～14歳	15～44	45～64	65歳以上	70歳以上（再掲）	75歳以上（再掲）
100.0	100.0	100.0	100.0	100.0	100.0	100.0	100.0	100.0	100.0	100.0	100.0	100.0	100.0
1.7	3.2	1.8	1.5	1.6	1.7	1.7	2.8	6.8	4.6	2.6	1.7	1.6	1.5
0.3	2.0	0.5	0.2	0.2	0.2	0.3	0.6	3.1	1.5	0.3	0.1	0.1	0.1
0.1	0.0	0.1	0.1	0.2	0.2	0.2	0.0	0.0	0.1	0.0	0.0	0.0	0.1
0.2	0.0	0.2	0.3	0.2	0.2	0.2	0.9	0.0	0.7	1.2	0.9	0.8	0.8
17.3	6.4	14.1	23.5	16.5	14.8	12.7	9.4	0.7	6.8	12.3	10.1	9.5	8.5
15.3	4.7	8.4	20.5	15.3	13.8	11.8	8.0	0.2	3.8	10.2	9.2	8.6	7.8
1.6	0.0	0.4	1.7	1.9	1.8	1.6	0.6	0.0	0.2	0.6	0.9	0.8	0.8
2.4	0.0	0.7	3.2	2.6	2.4	2.1	1.4	0.0	0.5	1.9	1.7	1.5	1.3
0.8	0.1	0.1	0.8	1.0	1.0	0.9	0.2	0.0	0.0	0.2	0.2	0.2	0.2
2.1	0.0	0.4	2.6	2.3	2.0	1.6	0.8	0.0	0.2	1.0	1.1	1.0	0.8
0.7	-	1.0	1.7	0.5	0.4	0.3	1.4	0.0	1.4	2.9	0.9	0.7	0.5
0.4	0.0	0.7	0.9	0.2	0.2	0.1	0.2	0.0	0.3	0.3	0.1	0.1	0.1
0.9	1.7	1.3	0.7	0.8	0.8	0.9	0.9	1.1	2.1	0.8	0.5	0.5	0.5
3.2	2.2	2.0	2.8	3.5	3.6	3.8	11.2	3.7	7.5	13.4	12.3	11.6	10.8
2.1	0.2	1.1	2.0	2.4	2.4	2.5	6.5	0.1	2.6	8.0	7.8	7.4	6.9
9.1	1.6	14.5	15.8	6.7	6.0	5.3	3.8	2.4	9.6	4.5	2.0	1.9	2.0
0.9	0.0	0.0	0.2	1.3	1.5	1.7	0.2	0.0	0.0	0.0	0.4	0.5	0.7
5.6	0.1	9.5	11.9	3.5	2.7	1.9	1.1	0.0	3.1	1.7	0.4	0.3	0.2
1.1	0.1	1.7	1.5	0.9	0.8	0.8	1.2	0.0	3.4	1.6	0.6	0.6	0.6
0.2	0.3	0.8	0.3	0.2	0.2	0.2	0.7	0.3	2.2	0.8	0.4	0.4	0.4
5.7	6.1	8.0	5.2	5.6	5.8	6.1	3.0	1.6	3.6	2.8	3.2	3.5	3.9
1.2	-	0.0	0.2	1.8	2.0	2.4	0.6	0.0	0.0	0.0	1.2	1.4	1.9
1.8	0.9	0.9	1.8	2.0	1.9	1.7	5.6	4.8	5.1	4.4	6.4	6.6	6.5
0.9	0.0	0.1	0.6	1.2	1.2	1.1	1.0	0.0	0.1	0.5	1.7	1.8	1.8
0.3	1.3	0.6	0.4	0.2	0.2	0.1	1.0	4.1	1.1	0.7	0.7	0.7	0.6
22.3	1.9	7.4	19.4	26.6	27.2	27.9	18.5	0.5	4.0	16.4	26.2	27.5	29.5
1.5	0.0	0.1	0.5	2.0	2.3	2.6	12.1	0.0	1.8	11.5	17.1	17.7	18.9
8.8	1.2	3.4	8.3	10.3	10.4	10.3	3.4	0.4	1.0	2.5	4.9	5.3	5.8
3.5	0.0	0.8	4.2	3.9	3.7	3.3	1.6	0.0	0.3	1.2	2.4	2.6	2.7
9.8	0.4	2.8	8.5	11.8	12.2	12.7	2.2	0.1	0.4	1.5	3.4	3.7	4.0
6.1	14.4	4.1	2.6	6.9	7.6	8.5	8.8	43.7	14.1	5.1	3.8	3.8	3.9
2.0	3.4	0.5	0.6	2.5	2.8	3.2	0.1	0.2	0.2	0.1	0.1	0.1	0.1
0.5	0.1	0.0	0.1	0.7	0.7	0.8	0.6	0.4	0.1	0.3	0.9	1.0	1.1
0.4	3.2	0.2	0.2	0.3	0.3	0.4	2.1	11.0	2.3	1.3	1.0	1.1	1.1
6.1	4.4	7.2	6.6	5.9	5.9	5.9	5.7	1.4	8.1	6.5	5.3	5.2	5.1
0.6	0.1	0.4	0.6	0.7	0.7	0.7	2.6	0.2	2.9	3.1	2.7	2.7	2.7
0.6	0.1	0.4	0.8	0.5	0.5	0.5	0.6	0.1	0.6	0.8	0.6	0.6	0.5
0.7	1.1	0.9	0.7	0.7	0.7	0.8	2.9	9.2	6.3	2.4	1.3	1.2	1.2
6.5	4.6	4.6	6.5	6.9	6.9	6.6	9.3	2.1	6.7	9.2	11.1	11.5	11.6
0.5	0.2	0.2	0.5	0.5	0.5	0.5	1.6	0.2	1.4	2.4	1.5	1.3	1.1
1.9	0.0	0.3	2.0	2.3	2.3	2.1	1.8	0.0	0.2	1.3	2.7	2.9	3.0
1.6	0.0	0.4	1.5	1.8	1.8	1.7	2.0	0.0	0.6	1.5	3.0	3.3	3.4
0.3	0.1	0.2	0.1	0.3	0.3	0.4	0.8	0.0	0.1	0.3	1.3	1.5	1.6
3.9	2.6	3.8	3.5	4.1	4.2	4.2	10.6	0.9	9.5	13.5	11.0	10.4	9.8
2.7	1.7	1.4	2.3	3.0	3.1	3.1	8.0	0.5	4.1	11.1	8.8	8.1	7.6
1.4	0.0	14.5	0.0	0.0	0.0	0.0	0.2	0.0	1.3	0.0	0.0	0.0	0.0
1.1	25.7	0.4	0.0	0.0	0.0	0.0	0.2	2.8	0.0	0.0	0.0	0.0	0.0
0.9	15.0	1.4	0.3	0.1	0.1	0.0	0.4	3.2	0.5	0.2	0.1	0.1	0.1
1.2	1.7	0.8	0.8	1.3	1.4	1.6	1.7	2.1	2.4	1.7	1.4	1.4	1.4
9.9	5.1	11.9	7.9	10.5	11.2	12.2	4.1	9.0	6.8	3.6	2.9	3.0	3.1
6.2	2.4	4.9	4.1	7.3	7.9	8.9	1.5	2.1	1.8	1.3	1.4	1.5	1.7

（単位：%）

傷　病　分　類	総	数					
	総　数	0～14歳	15～44	45～64	65　歳以上	70　歳以上（再掲）	75　歳以上（再掲）
総　　　　　　　　　　　数	100.0	100.0	100.0	100.0	100.0	100.0	100.0
Ⅰ　感　染　症　及　び　寄　生　虫　症	2.2	5.3	3.4	2.1	1.7	1.7	1.6
腸　　管　　感　　染　　症（再掲）	0.4	2.6	1.1	0.2	0.2	0.2	0.2
結　　　　　　　　　　核（再掲）	0.1	0.0	0.1	0.1	0.1	0.1	0.1
ウ　　イ　　ル　　ス　　肝　　炎（再掲）	0.6	0.0	0.5	0.9	0.6	0.5	0.4
Ⅱ　新　　　　　生　　　　　物	13.6	2.6	9.8	17.4	13.9	12.7	11.1
悪　　　性　　　新　　　生　　　物（再掲）	11.8	1.8	5.8	14.9	12.8	11.7	10.3
胃　　の　　悪　　性　　新　　生　　物（再掲）	1.1	0.0	0.2	1.1	1.4	1.4	1.3
結　腸　及　び　直　腸　の　悪　性　新　生　物（再掲）	1.9	0.0	0.6	2.5	2.2	2.0	1.8
肝　及　び　肝　内　胆　管　の　悪　性　新　生　物（再掲）	0.5	0.0	0.0	0.4	0.7	0.7	0.6
気　管，気　管　支　及　び　肺　の　悪　性　新　生　物（再掲）	1.5	0.0	0.3	1.6	1.8	1.6	1.3
乳　房　の　悪　性　新　生　物（再掲）	1.1	0.0	1.3	2.4	0.7	0.5	0.4
子　宮　の　悪　性　新　生　物（再掲）	0.3	0.0	0.4	0.6	0.2	0.1	0.1
Ⅲ　血液及び造血器の疾患並びに免疫機構の障害	0.8	1.3	1.8	0.7	0.6	0.7	0.7
Ⅳ　内　分　泌，栄　養　及　び　代　謝　疾　患	6.9	3.0	5.2	8.3	7.2	6.8	6.4
糖　　　　　尿　　　　　病（再掲）	4.2	0.2	2.0	5.1	4.6	4.4	4.1
Ⅴ　精　神　及　び　行　動　の　障　害	6.5	2.3	11.6	9.9	4.7	4.3	4.0
血　管　性　及　び　詳　細　不　明　の　認　知　症（再掲）	0.6	0.0	0.0	0.1	0.9	1.0	1.3
統合失調症，統合失調症型障害及び妄想性障害（再掲）	3.4	0.0	5.6	6.4	2.2	1.7	1.3
気　分（感　情）障　害（躁　う　つ　病　を　含　む）（再掲）	1.1	0.1	2.7	1.7	0.8	0.7	0.7
神経症性障害，ストレス関連障害及び身体表現性障害（再掲）	0.5	0.3	1.6	0.6	0.3	0.2	0.2
Ⅵ　神　　経　　系　　の　　疾　　患	4.5	3.2	5.4	4.0	4.6	4.9	5.3
ア　ル　ツ　ハ　イ　マ　ー　病（再掲）	1.0	0.0	0.0	0.1	1.6	1.8	2.2
Ⅶ　眼　及　び　付　属　器　の　疾　患	3.7	3.3	3.3	3.2	3.9	3.9	3.6
白　　　　　内　　　　　障（再掲）	0.9	0.0	0.1	0.5	1.3	1.3	1.2
Ⅷ　耳　及　び　乳　様　突　起　の　疾　患	0.6	3.0	0.9	0.6	0.4	0.4	0.3
Ⅸ　循　環　器　系　の　疾　患	20.1	1.0	5.3	17.3	25.9	26.8	27.9
高　　血　　圧　　性　　疾　　患（再掲）	6.3	0.0	1.1	6.0	8.1	8.3	8.5
心　疾　患（高　血　圧　性　の　も　の　を　除　く）（再掲）	6.2	0.7	2.0	5.2	8.0	8.2	8.5
虚　　血　　性　　心　　疾　　患（再掲）	2.5	0.0	0.5	2.5	3.2	3.2	3.0
脳　　血　　管　　疾　　患（再掲）	6.1	0.2	1.4	4.7	8.1	8.5	9.2
Ⅹ　呼　　吸　　器　　系　　の　　疾　　患	7.4	32.7	10.3	4.1	5.6	6.1	6.8
肺　　　　　　　　　　炎（再掲）	1.1	1.5	0.3	0.3	1.5	1.7	2.1
慢　　性　　閉　　塞　　性　　肺　　疾　　患（再掲）	0.5	0.0	0.1	0.2	0.7	0.8	0.9
喘　　　　　　　　　　息（再掲）	1.2	8.0	1.5	0.8	0.6	0.6	0.6
Ⅺ　消　　化　　器　　系　　の　　疾　　患	5.8	2.5	7.5	6.5	5.5	5.5	5.4
胃　及　び　十　二　指　腸　の　疾　患（再掲）	1.5	0.2	1.8	1.9	1.5	1.4	1.4
肝　　　　　疾　　　　　患（再掲）	0.6	0.1	0.5	0.8	0.6	0.5	0.5
Ⅻ　皮　膚　及　び　皮　下　組　織　の　疾　患	1.8	6.3	4.0	1.6	1.0	1.0	0.9
ⅩⅢ　筋　骨　格　系　及　び　結　合　組　織　の　疾　患	7.8	3.1	5.7	8.0	8.6	8.8	8.5
炎　症　性　多　発　性　関　節　障　害（再掲）	1.0	0.2	0.9	1.4	0.9	0.8	0.7
関　　　　　節　　　　　症（再掲）	1.9	0.0	0.3	1.7	2.4	2.5	2.4
脊　椎　障　害（脊　椎　症　を　含　む）（再掲）	1.9	0.0	0.5	1.6	2.4	2.5	2.4
骨　の　骨　密　度　及　び　構　造　の　障　害（再掲）	0.5	0.1	0.1	0.2	0.7	0.8	0.9
ⅩⅣ　腎　尿　路　生　殖　器　系　の　疾　患	7.2	1.6	7.2	8.8	7.2	6.9	6.5
糸球体疾患，腎尿細管間質性疾患及び腎不全（再掲）	5.2	1.0	2.9	6.8	5.6	5.2	4.9
ⅩⅤ　妊　娠，分　娩　及　び　産　じ　ょ　く	0.8	0.0	6.8	0.0	0.0	0.0	0.0
ⅩⅥ　周　産　期　に　発　生　し　た　病　態	0.7	11.6	0.2	0.0	0.0	0.0	0.0
ⅩⅦ　先　天　奇　形，変　形　及　び　染　色　体　異　常	0.7	7.7	0.9	0.2	0.1	0.1	0.1
ⅩⅧ　症状，徴候及び異常臨床所見・異常検査所見で他に分類されないもの	1.4	1.9	1.7	1.2	1.4	1.4	1.5
ⅩⅨ　損　傷，中　毒　及　び　そ　の　他　の　外　因　の　影　響	7.4	7.6	9.0	5.9	7.6	8.2	9.2
骨　　　　　　　　　　折（再掲）	4.1	2.2	3.1	2.7	5.0	5.6	6.5

入院－入院外・年齢階級・傷病分類・年次別

平成 26 年度（2014）

入　　院							入　　院　　外						
総　数	0～14歳	15～44	45～64	65歳以上	70歳以上（再掲）	75歳以上（再掲）	総　数	0～14歳	15～44	45～64	65歳以上	70歳以上（再掲）	75歳以上（再掲）
100.0	100.0	100.0	100.0	100.0	100.0	100.0	100.0	100.0	100.0	100.0	100.0	100.0	100.0
1.7	3.1	1.8	1.4	1.6	1.7	1.7	2.8	6.6	4.5	2.7	1.8	1.7	1.5
0.3	2.0	0.5	0.2	0.2	0.2	0.3	0.6	2.9	1.4	0.3	0.1	0.1	0.1
0.1	0.0	0.1	0.1	0.2	0.2	0.2	0.0	0.0	0.0	0.0	0.0	0.0	0.0
0.2	0.0	0.2	0.3	0.2	0.2	0.2	0.9	0.0	0.6	1.3	1.0	0.9	0.8
17.1	6.0	13.9	23.1	16.5	14.9	12.6	9.6	0.6	6.9	12.5	10.4	9.7	8.7
15.2	4.4	8.4	20.1	15.3	13.8	11.7	8.1	0.2	3.9	10.4	9.4	8.8	7.9
1.6	0.0	0.3	1.6	1.9	1.8	1.6	0.6	0.0	0.2	0.6	0.8	0.8	0.8
2.4	0.0	0.7	3.1	2.6	2.4	2.1	1.4	0.0	0.5	1.9	1.7	1.5	1.3
0.8	0.1	0.1	0.7	1.0	0.9	0.8	0.2	0.0	0.0	0.1	0.2	0.2	0.2
2.0	0.0	0.3	2.4	2.3	2.0	1.6	0.9	0.0	0.2	1.0	1.1	1.0	0.9
0.8	0.0	1.0	1.7	0.5	0.4	0.3	1.5	0.0	1.4	3.0	1.0	0.7	0.6
0.4	0.0	0.7	0.9	0.2	0.2	0.1	0.2	0.0	0.3	0.3	0.1	0.1	0.1
0.8	1.6	1.1	0.6	0.7	0.7	0.8	0.9	1.1	2.2	0.9	0.5	0.5	0.5
3.1	2.1	1.9	2.7	3.4	3.5	3.7	11.2	3.6	7.5	13.2	12.3	11.7	10.9
2.0	0.2	1.0	1.9	2.3	2.3	2.4	6.5	0.2	2.7	7.9	7.8	7.4	6.9
9.1	1.6	14.8	15.9	6.7	5.9	5.2	3.7	2.6	9.4	4.6	1.9	1.9	1.9
0.9	0.0	0.0	0.2	1.3	1.4	1.7	0.2	0.0	0.0	0.0	0.4	0.5	0.6
5.5	0.1	9.5	11.7	3.5	2.7	1.9	1.0	0.0	2.9	1.7	0.4	0.3	0.2
1.1	0.1	1.8	1.7	0.9	0.9	0.8	1.2	0.0	3.3	1.7	0.6	0.6	0.6
0.2	0.3	0.8	0.3	0.2	0.2	0.2	0.7	0.3	2.2	0.8	0.4	0.4	0.4
5.8	5.9	8.0	5.4	5.7	5.9	6.2	3.0	1.5	3.6	2.8	3.2	3.4	3.9
1.3	-	0.0	0.2	1.8	2.1	2.5	0.6	0.0	0.0	0.0	1.2	1.4	1.9
1.7	0.8	0.9	1.7	1.9	1.9	1.7	5.8	4.8	4.9	4.6	6.7	6.9	6.8
0.7	0.0	0.1	0.5	1.0	1.0	0.9	1.1	0.0	0.1	0.5	1.7	1.8	1.8
0.3	1.3	0.5	0.4	0.2	0.2	0.1	1.0	4.0	1.1	0.7	0.7	0.7	0.6
22.2	1.9	7.5	19.5	26.4	27.0	27.6	17.8	0.6	3.7	15.3	25.3	26.6	28.6
1.4	0.0	0.1	0.4	1.9	2.2	2.5	11.7	0.0	1.7	10.8	16.5	17.2	18.3
8.9	1.2	3.5	8.4	10.3	10.4	10.3	3.3	0.4	1.0	2.4	4.8	5.2	5.7
3.5	0.0	0.8	4.1	3.9	3.7	3.3	1.5	0.0	0.2	1.1	2.3	2.4	2.6
9.7	0.4	2.9	8.5	11.6	12.0	12.5	2.1	0.1	0.4	1.4	3.2	3.5	3.8
6.2	14.5	4.1	2.6	7.0	7.7	8.6	8.8	43.4	14.7	5.3	3.8	3.8	3.8
2.0	3.6	0.5	0.6	2.5	2.8	3.2	0.1	0.2	0.2	0.1	0.1	0.1	0.1
0.5	0.0	0.0	0.1	0.7	0.7	0.8	0.5	0.0	0.1	0.2	0.9	1.0	1.1
0.4	3.0	0.2	0.1	0.3	0.3	0.3	2.0	10.9	2.3	1.3	1.0	1.0	1.0
6.0	4.3	7.0	6.5	5.8	5.8	5.8	5.6	1.4	7.9	6.4	5.1	5.0	4.9
0.6	0.1	0.4	0.6	0.6	0.7	0.7	2.5	0.2	2.8	3.0	2.6	2.6	2.5
0.6	0.1	0.4	0.8	0.5	0.5	0.5	0.6	0.1	0.6	0.8	0.6	0.6	0.5
0.7	1.1	0.9	0.7	0.7	0.7	0.8	3.0	9.3	6.3	2.5	1.4	1.3	1.2
6.5	4.7	4.5	6.6	6.8	6.9	6.6	9.3	2.1	6.6	9.2	11.1	11.6	11.8
0.4	0.2	0.2	0.4	0.5	0.5	0.4	1.6	0.2	1.3	2.3	1.5	1.3	1.1
1.9	0.0	0.3	2.1	2.2	2.2	2.0	1.8	0.0	0.2	1.3	2.7	2.9	3.0
1.7	0.0	0.4	1.6	1.9	1.9	1.8	2.1	0.0	0.6	1.5	3.0	3.3	3.5
0.3	0.1	0.2	0.1	0.3	0.4	0.4	0.8	0.1	0.1	0.3	1.3	1.5	1.7
3.9	2.6	3.8	3.5	4.2	4.2	4.3	10.8	1.0	9.6	13.5	11.3	10.7	10.1
2.7	1.6	1.4	2.2	3.1	3.1	3.2	8.0	0.6	4.0	10.8	9.0	8.3	7.8
1.4	0.0	14.6	0.0	0.0	0.0	0.0	0.2	0.0	1.3	0.0	0.0	0.0	0.0
1.1	26.4	0.4	0.0	0.0	0.0	0.0	0.2	3.0	0.0	0.0	0.0	0.0	0.0
0.9	15.2	1.4	0.3	0.1	0.1	0.1	0.4	3.4	0.5	0.2	0.1	0.1	0.1
1.1	1.6	0.8	0.7	1.3	1.4	1.5	1.7	2.1	2.4	1.7	1.5	1.5	1.4
10.4	5.3	12.1	8.3	11.0	11.7	12.9	4.2	8.9	6.8	3.8	3.0	3.0	3.2
6.5	2.5	5.1	4.2	7.6	8.3	9.4	1.5	2.1	1.7	1.3	1.5	1.6	1.7

（単位：%）

傷　病　分　類	総				数		
	総 数	0 〜 14歳	15 〜 44	45 〜 64	65 歳以上	70 歳以上（再掲）	75 歳以上（再掲）
総　　　　　　　　　　　　　数	100.0	100.0	100.0	100.0	100.0	100.0	100.0
I　感 染 症 及 び 寄 生 虫 症	2.5	5.4	3.5	2.5	2.0	2.0	1.9
腸 管 感 染 症（再掲）	0.4	2.5	1.0	0.2	0.2	0.2	0.2
結 核（再掲）	0.1	0.0	0.1	0.1	0.1	0.1	0.1
ウ イ ル ス 肝 炎（再掲）	0.9	0.0	0.5	1.2	0.9	0.8	0.7
II　新 生 物	13.7	2.7	9.9	17.6	14.2	12.9	11.3
悪 性 新 生 物（再掲）	11.9	1.8	5.8	14.9	13.0	11.9	10.4
胃 の 悪 性 新 生 物（再掲）	1.1	0.0	0.3	1.0	1.4	1.4	1.2
結腸及び直腸の悪性新生物（再掲）	2.0	0.0	0.6	2.4	2.2	2.0	1.8
肝及び肝内胆管の悪性新生物（再掲）	0.5	0.0	0.0	0.4	0.6	0.6	0.6
気管, 気管支及び肺の悪性新生物（再掲）	1.5	0.0	0.3	1.6	1.8	1.6	1.3
乳 房 の 悪 性 新 生 物（再掲）	1.1	0.0	1.3	2.5	0.7	0.6	0.4
子 宮 の 悪 性 新 生 物（再掲）	0.3	0.0	0.4	0.6	0.2	0.1	0.1
III　血液及び造血器の疾患並びに免疫機構の障害	0.9	1.3	1.9	0.8	0.7	0.7	0.7
IV　内 分 泌, 栄 養 及 び 代 謝 疾 患	6.9	3.1	5.3	8.2	7.1	6.8	6.4
糖 尿 病（再掲）	4.1	0.2	1.9	5.0	4.6	4.3	4.1
V　精 神 及 び 行 動 の 障 害	6.4	2.5	11.7	9.7	4.6	4.2	3.9
血 管 性 及 び 詳 細 不 明 の 認 知 症（再掲）	0.5	0.0	0.0	0.1	0.9	1.0	1.2
統合失調症, 統合失調症型障害及び妄想性障害（再掲）	3.3	0.1	5.5	6.2	2.2	1.7	1.3
気 分（感情）障 害（躁 う つ 病 を 含 む）（再掲）	1.2	0.1	2.7	1.7	0.8	0.7	0.7
神経症性障害, ストレス関連障害及び身体表現性障害（再掲）	0.5	0.3	1.7	0.6	0.3	0.3	0.2
VI　神 経 系 の 疾 患	4.5	3.1	5.4	4.1	4.7	5.0	5.4
ア ル ツ ハ イ マ ー 病（再掲）	1.0	0.0	0.0	0.1	1.6	1.9	2.3
VII　眼 及 び 付 属 器 の 疾 患	3.7	3.3	3.2	3.2	4.0	3.9	3.7
白 内 障（再掲）	0.9	0.0	0.1	0.5	1.3	1.3	1.2
VIII　耳 及 び 乳 様 突 起 の 疾 患	0.6	3.0	0.9	0.6	0.4	0.4	0.3
IX　循 環 器 系 の 疾 患	19.9	1.1	5.3	16.9	25.5	26.4	27.5
高 血 圧 性 疾 患（再掲）	6.2	0.0	1.0	5.7	7.9	8.0	8.3
心 疾 患（高 血 圧 性 の も の を 除 く）（再掲）	6.3	0.7	2.0	5.2	8.0	8.3	8.6
虚 血 性 心 疾 患（再掲）	2.5	0.0	0.5	2.5	3.2	3.1	3.0
脳 血 管 疾 患（再掲）	6.0	0.2	1.5	4.7	7.8	8.3	9.0
X　呼 吸 器 系 の 疾 患	7.4	32.5	10.5	4.2	5.6	6.0	6.7
肺 炎（再掲）	1.1	1.7	0.4	0.4	1.5	1.7	2.0
慢 性 閉 塞 性 肺 疾 患（再掲）	0.5	0.0	0.1	0.2	0.7	0.8	0.9
喘 息（再掲）	1.2	8.2	1.5	0.8	0.6	0.6	0.6
XI　消 化 器 系 の 疾 患	5.7	2.5	7.5	6.5	5.4	5.4	5.4
胃 及 び 十 二 指 腸 の 疾 患（再掲）	1.5	0.2	1.8	1.8	1.4	1.4	1.3
肝 疾 患（再掲）	0.6	0.1	0.5	0.8	0.6	0.5	0.5
XII　皮 膚 及 び 皮 下 組 織 の 疾 患	1.8	6.4	4.1	1.7	1.0	1.0	1.0
XIII　筋 骨 格 系 及 び 結 合 組 織 の 疾 患	7.7	3.0	5.5	7.8	8.6	8.7	8.5
炎 症 性 多 発 性 関 節 障 害（再掲）	0.9	0.2	0.8	1.4	0.9	0.8	0.7
関 節 症（再掲）	1.8	0.0	0.3	1.7	2.4	2.4	2.4
脊 椎 障 害（脊 椎 症 を 含 む）（再掲）	1.8	0.0	0.5	1.5	2.4	2.5	2.4
骨 の 骨 密 度 及 び 構 造 の 障 害（再掲）	0.5	0.1	0.1	0.2	0.7	0.8	0.9
XIV　腎 尿 路 生 殖 器 系 の 疾 患	7.2	1.6	7.1	8.7	7.2	6.9	6.5
糸球体疾患, 腎尿細管間質性疾患及び腎不全（再掲）	5.2	1.0	2.8	6.6	5.6	5.2	4.9
XV　妊 娠, 分 娩 及 び 産 じ ょ く	0.8	0.0	6.7	0.0	0.0	0.0	0.0
XVI　周 産 期 に 発 生 し た 病 態	0.7	11.5	0.2	0.0	0.0	0.0	0.0
XVII　先 天 奇 形, 変 形 及 び 染 色 体 異 常	0.7	7.8	0.9	0.3	0.1	0.1	0.1
XVIII　症状, 徴候及び異常臨床所見・異常検査所見で他に分類されないもの	1.4	1.9	1.8	1.3	1.4	1.4	1.5
XIX　損 傷, 中 毒 及 び そ の 他 の 外 因 の 影 響	7.4	7.4	8.7	5.9	7.7	8.3	9.3
骨 折（再掲）	4.2	2.2	2.9	2.7	5.1	5.7	6.6

入				院			入		院		外		
総　数	0～14歳	15～44	45～64	65歳以上	70歳以上（再掲）	75歳以上（再掲）	総　数	0～14歳	15～44	45～64	65歳以上	70歳以上（再掲）	75歳以上（再掲）
100.0	100.0	100.0	100.0	100.0	100.0	100.0	100.0	100.0	100.0	100.0	100.0	100.0	100.0
1.7	3.1	1.8	1.5	1.7	1.7	1.8	3.4	6.8	4.7	3.5	2.5	2.3	2.1
0.3	2.0	0.5	0.2	0.2	0.2	0.3	0.5	2.8	1.4	0.3	0.1	0.1	0.1
0.1	0.0	0.1	0.1	0.1	0.2	0.2	0.0	0.0	0.0	0.0	0.0	0.0	0.0
0.3	0.0	0.2	0.3	0.3	0.3	0.3	1.5	0.0	0.8	2.0	1.6	1.5	1.4
17.1	6.2	14.0	23.0	16.6	14.8	12.6	10.1	0.6	7.0	12.9	11.0	10.1	9.1
15.1	4.6	8.5	19.9	15.3	13.7	11.7	8.5	0.2	4.0	10.8	9.9	9.2	8.3
1.5	-	0.3	1.5	1.8	1.7	1.5	0.7	0.0	0.2	0.6	0.9	0.9	0.8
2.4	0.0	0.7	3.1	2.6	2.4	2.1	1.5	0.0	0.5	1.9	1.7	1.5	1.3
0.8	0.1	0.1	0.7	0.9	0.9	0.8	0.2	0.0	0.0	0.1	0.2	0.2	0.2
2.0	0.0	0.4	2.4	2.3	2.0	1.6	0.9	0.0	0.2	1.0	1.2	1.1	0.9
0.8	-	1.1	1.8	0.5	0.4	0.3	1.5	0.0	1.4	3.1	1.0	0.8	0.6
0.4	-	0.7	1.0	0.2	0.2	0.1	0.2	0.0	0.2	0.3	0.1	0.1	0.1
0.8	1.6	1.1	0.6	0.7	0.8	0.8	1.0	1.1	2.4	1.0	0.6	0.6	0.6
3.0	2.1	1.9	2.6	3.4	3.5	3.6	11.1	3.8	7.6	12.9	12.2	11.6	10.9
2.0	0.2	1.0	1.9	2.2	2.3	2.3	6.4	0.2	2.6	7.7	7.8	7.4	6.9
8.8	1.7	14.7	15.5	6.6	5.7	5.1	3.8	2.9	9.5	4.8	2.0	1.9	2.0
0.9	-	0.0	0.2	1.2	1.4	1.6	0.2	0.0	0.0	0.0	0.4	0.5	0.6
5.4	0.1	9.3	11.3	3.5	2.6	1.9	1.0	0.0	2.8	1.8	0.4	0.3	0.2
1.1	0.1	1.8	1.7	0.9	0.9	0.8	1.2	0.0	3.3	1.7	0.6	0.6	0.6
0.3	0.3	0.9	0.3	0.2	0.2	0.2	0.8	0.3	2.3	0.9	0.4	0.4	0.4
5.9	5.8	8.1	5.5	5.7	6.0	6.3	3.1	1.5	3.6	2.9	3.2	3.5	4.0
1.3	-	0.0	0.2	1.9	2.2	2.5	0.7	0.0	0.0	0.0	1.2	1.5	2.0
1.7	0.8	0.8	1.7	1.9	1.9	1.7	5.8	4.8	4.8	4.6	6.8	7.0	6.9
0.7	0.0	0.1	0.4	1.0	1.0	0.9	1.0	0.0	0.1	0.5	1.7	1.8	1.8
0.3	1.3	0.5	0.4	0.2	0.2	0.1	1.0	3.9	1.1	0.7	0.7	0.7	0.6
22.3	1.9	7.7	19.8	26.2	26.9	27.4	17.3	0.6	3.7	14.5	24.5	25.8	27.7
1.3	0.0	0.1	0.4	1.9	2.1	2.4	11.3	0.0	1.6	10.2	16.0	16.7	17.8
9.1	1.3	3.5	8.6	10.5	10.5	10.5	3.2	0.4	1.0	2.3	4.7	5.0	5.5
3.5	0.0	0.8	4.2	3.9	3.7	3.3	1.5	0.0	0.2	1.1	2.2	2.3	2.5
9.6	0.4	3.0	8.6	11.4	11.8	12.3	2.0	0.1	0.4	1.4	3.0	3.3	3.6
6.2	15.1	4.4	2.7	6.9	7.7	8.5	8.6	42.6	14.7	5.4	3.7	3.7	3.7
2.0	4.0	0.6	0.7	2.5	2.8	3.2	0.1	0.3	0.2	0.1	0.1	0.1	0.1
0.5	0.0	0.0	0.1	0.6	0.7	0.8	0.5	0.0	0.1	0.2	0.8	0.9	1.0
0.4	3.4	0.2	0.1	0.3	0.3	0.3	2.0	10.9	2.4	1.4	1.0	1.0	1.0
5.9	4.3	7.0	6.5	5.7	5.7	5.7	5.5	1.5	7.9	6.5	5.0	4.9	4.8
0.5	0.1	0.4	0.6	0.6	0.6	0.6	2.4	0.2	2.8	2.9	2.5	2.4	2.4
0.5	0.1	0.4	0.8	0.5	0.5	0.5	0.6	0.1	0.6	0.8	0.6	0.6	0.5
0.7	1.1	0.9	0.7	0.7	0.7	0.8	3.0	9.4	6.3	2.5	1.4	1.3	1.2
6.5	4.4	4.4	6.6	6.9	6.9	6.7	9.1	2.1	6.4	8.9	10.8	11.4	11.6
0.4	0.2	0.2	0.4	0.5	0.5	0.4	1.5	0.2	1.3	2.2	1.5	1.4	1.2
1.9	0.0	0.3	2.1	2.2	2.2	2.0	1.7	0.0	0.2	1.3	2.6	2.8	2.9
1.7	0.0	0.4	1.6	2.0	2.0	1.8	2.0	0.0	0.5	1.5	2.9	3.2	3.4
0.3	0.1	0.2	0.1	0.3	0.4	0.4	0.8	0.1	0.1	0.3	1.3	1.4	1.6
3.9	2.6	3.7	3.5	4.2	4.2	4.3	10.7	1.0	9.4	13.1	11.3	10.7	10.1
2.7	1.6	1.3	2.2	3.0	3.1	3.2	7.9	0.6	3.8	10.4	9.0	8.3	7.8
1.3	0.0	14.6	0.0	0.0	0.0	0.0	0.2	0.0	1.3	0.0	0.0	0.0	0.0
1.1	25.9	0.4	0.0	0.0	0.0	0.0	0.2	3.0	0.0	0.0	0.0	0.0	0.0
0.9	15.2	1.4	0.4	0.1	0.1	0.0	0.4	3.4	0.5	0.2	0.1	0.1	0.1
1.1	1.6	0.7	0.7	1.3	1.4	1.5	1.8	2.1	2.5	1.8	1.5	1.5	1.5
10.5	5.2	11.8	8.4	11.2	12.0	13.1	4.1	8.7	6.6	3.7	2.9	3.0	3.2
6.6	2.4	4.8	4.3	7.8	8.6	9.7	1.5	2.0	1.6	1.3	1.5	1.6	1.7

（単位：％）

傷　病　分　類	総数				数		
	総　数	0～14歳	15～44	45～64	65　歳以上	70　歳以上（再掲）	75　歳以上（再掲）
総　　　　　　　　　　　　　　　　　数	100.0	100.0	100.0	100.0	100.0	100.0	100.0
Ⅰ　感　染　症　及　び　寄　生　虫　症	2.3	5.2	3.5	2.3	1.8	1.8	1.7
腸　　管　　感　　染　　症（再掲）	0.4	2.5	1.1	0.2	0.2	0.2	0.2
結　　　　　　　　　　　核（再掲）	0.1	0.0	0.1	0.1	0.1	0.1	0.1
ウ　イ　ル　ス　性　肝　炎（再掲）	0.7	0.0	0.5	1.0	0.7	0.6	0.5
Ⅱ　新　　　生　　　物＜腫瘍＞	14.1	2.8	9.9	17.9	14.6	13.2	11.5
悪　性　新　生　物＜腫瘍＞（再掲）	12.3	2.0	6.0	15.2	13.4	12.2	10.6
胃　の　悪　性　新　生　物＜腫瘍＞（再掲）	1.1	0.0	0.2	1.0	1.4	1.4	1.2
結腸及び直腸の悪性新生物＜腫瘍＞（再掲）	1.9	0.0	0.5	2.3	2.2	2.0	1.8
肝及び肝内胆管の悪性新生物＜腫瘍＞（再掲）	0.5	0.1	0.0	0.3	0.6	0.6	0.6
気管，気管支及び肺の悪性新生物＜腫瘍＞（再掲）	1.7	0.0	0.3	1.9	2.1	1.8	1.4
乳　房　の　悪　性　新　生　物＜腫瘍＞（再掲）	1.1	0.0	1.3	2.5	0.7	0.6	0.4
子　宮　の　悪　性　新　生　物＜腫瘍＞（再掲）	0.3	0.0	0.4	0.6	0.2	0.1	0.1
Ⅲ　血液及び造血器の疾患並びに免疫機構の障害	0.9	1.3	1.9	0.8	0.7	0.7	0.7
Ⅳ　内　分　泌，栄　養　及　び　代　謝　疾　患	6.8	3.1	5.3	8.1	7.0	6.7	6.3
糖　　　　尿　　　　病（再掲）	4.0	0.2	1.9	4.9	4.5	4.2	4.0
Ⅴ　精　神　及　び　行　動　の　障　害	6.3	2.6	11.4	9.6	4.6	4.1	3.9
血　管　性　及　び　詳　細　不　明　の　認　知　症（再掲）	0.5	0.0	0.0	0.1	0.8	1.0	1.1
統合失調症，統合失調症型障害及び妄想性障害（再掲）	3.2	0.1	5.3	6.0	2.2	1.6	1.3
気分（感情）障害（躁うつ病を含む）（再掲）	1.1	0.1	2.6	1.7	0.8	0.7	0.7
神経症性障害，ストレス関連障害及び身体表現性障害（再掲）	0.5	0.3	1.8	0.6	0.3	0.3	0.2
Ⅵ　神　経　系　の　疾　患	4.6	3.1	5.5	4.2	4.7	5.0	5.4
ア　ル　ツ　ハ　イ　マ　ー　病（再掲）	1.0	0.0	0.0	0.1	1.6	1.9	2.3
Ⅶ　眼　及　び　付　属　器　の　疾　患	3.6	3.4	3.2	3.2	3.8	3.8	3.5
白　　　　内　　　　障（再掲）	0.8	0.0	0.1	0.4	1.1	1.2	1.1
Ⅷ　耳　及　び　乳　様　突　起　の　疾　患	0.6	2.9	0.8	0.5	0.4	0.4	0.3
Ⅸ　循　環　器　系　の　疾　患	19.7	1.1	5.0	16.7	25.1	26.0	27.0
高　血　圧　性　疾　患（再掲）	6.0	0.0	1.0	5.5	7.6	7.8	8.0
心疾患（高血圧性のものを除く）（再掲）	6.4	0.7	2.1	5.4	8.1	8.4	8.7
虚　血　性　心　疾　患（再掲）	2.5	0.0	0.5	2.5	3.0	3.0	2.9
脳　血　管　疾　患（再掲）	5.9	0.2	1.4	4.6	7.7	8.2	8.7
Ⅹ　呼　吸　器　系　の　疾　患	7.5	31.8	10.7	4.2	5.7	6.2	6.9
肺　　　　　　　　炎（再掲）	1.2	1.8	0.4	0.4	1.6	1.8	2.2
慢　性　閉　塞　性　肺　疾　患（再掲）	0.5	0.0	0.1	0.2	0.7	0.8	0.8
喘　　　　　　　　息（再掲）	1.1	7.6	1.5	0.8	0.6	0.6	0.6
Ⅺ　消　化　器　系　の　疾　患	5.7	2.5	7.7	6.6	5.4	5.4	5.4
胃　及　び　十　二　指　腸　の　疾　患（再掲）	1.4	0.2	1.7	1.7	1.3	1.3	1.2
肝　　　　疾　　　　患（再掲）	0.6	0.1	0.5	0.8	0.5	0.5	0.5
Ⅻ　皮　膚　及　び　皮　下　組　織　の　疾　患	1.8	6.4	4.1	1.8	1.0	1.0	1.0
ⅩⅢ　筋　骨　格　系　及　び　結　合　組　織　の　疾　患	7.7	3.1	5.5	7.9	8.5	8.7	8.6
炎　症　性　多　発　性　関　節　障　害（再掲）	0.9	0.2	0.8	1.3	0.9	0.8	0.7
関　　　　節　　　　症（再掲）	1.8	0.0	0.3	1.7	2.3	2.4	2.3
脊　椎　障　害（脊　椎　症　を　含　む）（再掲）	1.8	0.0	0.5	1.5	2.3	2.4	2.4
骨　の　骨　密　度　及　び　構　造　の　障　害（再掲）	0.5	0.1	0.1	0.2	0.7	0.8	0.9
ⅩⅣ　腎　尿　路　生　殖　器　系　の　疾　患	7.2	1.6	7.0	8.6	7.2	6.9	6.6
糸球体疾患，腎尿細管間質性疾患及び腎不全（再掲）	5.2	0.9	2.7	6.5	5.6	5.2	5.0
ⅩⅤ　妊　娠，分　娩　及　び　産　じ　ょ　く	0.8	0.0	6.8	0.0	0.0	0.0	0.0
ⅩⅥ　周　産　期　に　発　生　し　た　病　態	0.7	11.6	0.2	0.0	0.0	0.0	0.0
ⅩⅦ　先　天　奇　形，変　形　及　び　染　色　体　異　常	0.7	8.0	0.9	0.3	0.1	0.1	0.1
ⅩⅧ　症状，徴候及び異常臨床所見・異常検査所見で他に分類されないもの	1.4	1.9	1.8	1.3	1.3	1.4	1.4
ⅩⅨ　損　傷，中　毒　及　び　そ　の　他　の　外　因　の　影　響	7.6	7.5	8.8	6.0	8.0	8.6	9.6
骨　折（部　位　不　明　を　除　く）（再掲）	4.3	2.2	3.0	2.7	5.4	6.0	6.9

平成 28 年度（2016）

入 院							入 院 外						
総数	0～14歳	15～44	45～64	65歳以上	70歳以上（再掲）	75歳以上（再掲）	総数	0～14歳	15～44	45～64	65歳以上	70歳以上（再掲）	75歳以上（再掲）
100.0	100.0	100.0	100.0	100.0	100.0	100.0	100.0	100.0	100.0	100.0	100.0	100.0	100.0
1.6	2.9	1.7	1.4	1.6	1.7	1.7	3.0	6.5	4.7	3.1	2.1	2.0	1.8
0.3	1.9	0.5	0.2	0.2	0.2	0.3	0.6	2.9	1.5	0.3	0.1	0.1	0.1
0.1	0.0	0.1	0.1	0.1	0.2	0.2	0.0	0.0	0.0	0.0	0.0	0.0	0.0
0.2	0.0	0.1	0.2	0.2	0.2	0.2	1.2	0.0	0.7	1.6	1.3	1.2	1.1
17.1	6.5	14.1	22.9	16.6	14.8	12.6	10.7	0.6	7.1	13.6	11.8	10.9	9.7
15.1	5.0	8.7	19.7	15.4	13.7	11.7	9.1	0.2	4.1	11.4	10.7	9.9	8.8
1.5	0.0	0.3	1.4	1.7	1.6	1.5	0.7	0.0	0.2	0.7	1.0	0.9	0.9
2.3	0.0	0.7	2.9	2.6	2.3	2.1	1.4	0.0	0.4	1.8	1.7	1.5	1.3
0.7	0.1	0.1	0.6	0.9	0.8	0.8	0.2	0.0	0.0	0.1	0.2	0.2	0.2
2.1	0.0	0.3	2.3	2.3	2.0	1.6	1.3	0.0	0.3	1.5	1.7	1.5	1.2
0.8	0.0	1.1	1.9	0.5	0.4	0.3	1.5	0.0	1.4	3.1	1.1	0.8	0.6
0.4	-	0.7	1.0	0.2	0.2	0.1	0.2	0.0	0.2	0.4	0.1	0.1	0.1
0.8	1.7	1.1	0.6	0.7	0.7	0.8	1.0	1.2	2.6	1.0	0.6	0.6	0.6
3.0	2.0	1.9	2.6	3.3	3.4	3.6	11.0	3.7	7.6	12.8	12.2	11.6	11.0
1.9	0.2	0.9	1.8	2.1	2.2	2.2	6.4	0.2	2.6	7.5	7.7	7.3	6.9
8.6	1.7	14.5	15.3	6.5	5.6	5.0	3.8	3.1	9.3	4.8	2.0	1.9	2.0
0.8	-	0.0	0.2	1.2	1.3	1.5	0.2	0.0	0.0	0.0	0.4	0.4	0.6
5.2	0.1	9.0	11.0	3.4	2.5	1.9	1.0	0.0	2.7	1.8	0.4	0.3	0.2
1.1	0.1	1.7	1.7	0.9	0.8	0.8	1.2	0.0	3.2	1.8	0.6	0.6	0.6
0.3	0.3	0.9	0.3	0.2	0.2	0.2	0.8	0.4	2.4	0.9	0.4	0.4	0.4
6.0	5.9	8.1	5.6	5.8	6.0	6.3	3.1	1.5	3.6	3.0	3.2	3.5	3.9
1.3	-	0.0	0.2	1.9	2.2	2.6	0.7	0.0	0.0	0.0	1.2	1.5	1.9
1.5	0.8	0.8	1.6	1.7	1.6	1.5	5.8	4.9	4.8	4.6	6.8	7.0	6.9
0.6	0.0	0.1	0.4	0.8	0.8	0.8	1.0	0.0	0.1	0.5	1.6	1.7	1.7
0.3	1.3	0.5	0.4	0.2	0.2	0.2	1.0	3.9	1.0	0.7	0.6	0.6	0.6
22.3	2.1	7.6	20.1	26.1	26.6	27.1	16.7	0.6	3.3	13.9	23.8	25.2	27.0
1.3	0.0	0.1	0.4	1.8	2.0	2.3	11.1	0.0	1.6	9.8	15.6	16.3	17.4
9.3	1.3	3.7	9.0	10.7	10.7	10.6	3.2	0.4	1.0	2.3	4.6	5.0	5.4
3.4	0.0	0.8	4.1	3.7	3.5	3.1	1.4	0.0	0.2	1.0	2.1	2.2	2.4
9.5	0.5	2.9	8.5	11.1	11.5	11.9	1.9	0.1	0.4	1.3	2.9	3.2	3.5
6.4	14.0	4.4	2.6	7.2	7.9	8.8	8.7	42.2	15.0	5.6	3.7	3.7	3.8
2.2	4.3	0.7	0.7	2.7	3.0	3.4	0.2	0.4	0.3	0.1	0.1	0.1	0.1
0.5	0.0	0.0	0.1	0.6	0.7	0.7	0.5	0.0	0.1	0.2	0.8	0.9	1.0
0.3	2.5	0.2	0.2	0.3	0.3	0.3	2.0	10.5	2.3	1.4	1.0	1.0	1.0
5.9	4.2	7.1	6.5	5.7	5.7	5.7	5.6	1.5	8.2	6.6	5.0	4.9	4.8
0.5	0.1	0.3	0.5	0.6	0.6	0.6	2.3	0.2	2.6	2.8	2.3	2.3	2.3
0.5	0.2	0.4	0.8	0.5	0.5	0.4	0.6	0.1	0.6	0.8	0.6	0.5	0.5
0.7	1.1	0.8	0.7	0.7	0.8	0.8	3.0	9.5	6.3	2.6	1.4	1.3	1.3
6.6	4.4	4.3	6.6	7.0	7.0	6.7	9.0	2.3	6.3	8.9	10.7	11.3	11.6
0.4	0.2	0.2	0.4	0.4	0.4	0.4	1.5	0.2	1.2	2.2	1.5	1.4	1.3
1.9	0.0	0.3	2.1	2.2	2.1	2.0	1.7	0.0	0.2	1.3	2.5	2.8	2.9
1.7	0.0	0.4	1.6	1.9	1.9	1.9	2.0	0.0	0.5	1.4	2.9	3.1	3.3
0.3	0.1	0.2	0.1	0.4	0.4	0.5	0.8	0.1	0.1	0.3	1.3	1.4	1.6
4.0	2.6	3.8	3.5	4.2	4.3	4.4	10.7	1.0	9.3	12.9	11.4	10.8	10.3
2.7	1.6	1.4	2.2	3.0	3.1	3.2	7.9	0.6	3.6	10.1	9.1	8.4	8.0
1.3	0.0	14.8	0.0	0.0	0.0	0.0	0.2	0.0	1.2	0.0	0.0	0.0	0.0
1.1	26.3	0.4	0.0	0.0	0.0	0.0	0.2	3.1	0.0	0.0	0.0	0.0	0.0
0.9	15.8	1.5	0.4	0.1	0.1	0.1	0.4	3.5	0.5	0.2	0.1	0.1	0.1
1.1	1.5	0.7	0.7	1.2	1.3	1.4	1.8	2.2	2.6	1.8	1.6	1.5	1.5
10.8	5.3	11.9	8.5	11.6	12.4	13.5	4.1	8.8	6.6	3.8	3.0	3.1	3.3
6.9	2.4	4.9	4.4	8.1	8.9	10.0	1.5	2.0	1.6	1.3	1.5	1.6	1.8

（単位：%）

傷　病　分　類	総				数		
	総 数	0 ～ 14歳	15 ～ 44	45 ～ 64	65 歳以上	70 歳以上（再掲）	75 歳以上（再掲）
総　　　　　　　　　　　　　数	100.0	100.0	100.0	100.0	100.0	100.0	100.0
Ⅰ　感　染　症　及　び　寄　生　虫　症	2.1	5.1	3.3	2.1	1.7	1.6	1.6
腸　　管　　感　　染　　症（再掲）	0.4	2.3	1.0	0.2	0.2	0.2	0.2
結・　　　　　　　　　　核（再掲）	0.1	0.0	0.1	0.0	0.1	0.1	0.1
ウ　イ　ル　ス　性　肝　炎（再掲）	0.5	0.0	0.4	0.7	0.5	0.5	0.4
Ⅱ　新　　　生　　　物＜腫瘍＞	14.2	2.9	9.9	17.9	14.7	13.4	11.7
悪　性　新　生　物＜腫瘍＞（再掲）	12.4	2.0	5.9	15.2	13.5	12.4	10.7
胃　の　悪　性　新　生　物＜腫瘍＞（再掲）	1.1	0.0	0.2	1.0	1.4	1.3	1.2
結腸及び直腸の悪性新生物＜腫瘍＞（再掲）	1.9	0.0	0.5	2.3	2.2	2.0	1.8
肝及び肝内胆管の悪性新生物＜腫瘍＞（再掲）	0.4	0.1	0.0	0.3	0.6	0.6	0.5
気管，気管支及び肺の悪性新生物＜腫瘍＞（再掲）	1.7	0.0	0.3	1.8	2.1	1.8	1.5
乳　房　の　悪　性　新　生　物＜腫瘍＞（再掲）	1.1	0.0	1.2	2.5	0.8	0.6	0.5
子　宮　の　悪　性　新　生　物＜腫瘍＞（再掲）	0.3	0.0	0.4	0.7	0.2	0.1	0.1
Ⅲ　血液及び造血器の疾患並びに免疫機構の障害	0.9	1.4	2.0	0.9	0.7	0.7	0.7
Ⅳ　内　分　泌，栄　養　及　び　代　謝　疾　患	6.8	3.3	5.4	8.1	7.0	6.7	6.3
糖　　　　　尿　　　　　病（再掲）	4.0	0.2	1.9	4.8	4.4	4.2	3.9
Ⅴ　精　神　及　び　行　動　の　障　害	6.2	2.8	11.3	9.4	4.5	4.0	3.8
血　管　性　及　び　詳　細　不　明　の　認　知　症（再掲）	0.5	0.0	0.0	0.1	0.8	0.9	1.1
統合失調症，統合失調症型障害及び妄想性障害（再掲）	3.1	0.1	5.0	5.8	2.1	1.6	1.3
気　分（感　情）障　害（躁うつ病を含む）（再掲）	1.1	0.1	2.6	1.7	0.8	0.7	0.7
神経症性障害，ストレス関連障害及び身体表現性障害（再掲）	0.5	0.4	1.8	0.7	0.3	0.3	0.2
Ⅵ　神　　経　　系　　の　　疾　　患	4.6	3.2	5.5	4.3	4.7	5.0	5.4
ア　ル　ツ　ハ　イ　マ　ー　病（再掲）	1.0	0.0	0.0	0.1	1.6	1.9	2.3
Ⅶ　眼　及　び　付　属　器　の　疾　患	3.6	3.6	3.2	3.3	3.8	3.8	3.5
白　　　　　内　　　　　障（再掲）	0.8	0.0	0.1	0.4	1.1	1.1	1.1
Ⅷ　耳　及　び　乳　様　突　起　の　疾　患	0.6	2.8	0.9	0.5	0.4	0.4	0.3
Ⅸ　循　環　器　系　の　疾　患	19.7	1.1	5.1	16.7	25.0	25.9	26.8
高　血　圧　性　疾　患（再掲）	5.8	0.0	1.0	5.3	7.3	7.5	7.7
心　疾　患（高血圧性のものを除く）（再掲）	6.6	0.8	2.1	5.5	8.3	8.6	8.9
虚　血　性　心　疾　患（再掲）	2.4	0.0	0.5	2.5	3.0	2.9	2.8
脳　血　管　疾　患（再掲）	5.9	0.2	1.5	4.6	7.6	8.0	8.6
Ⅹ　呼　吸　器　系　の　疾　患	7.4	31.2	10.7	4.3	5.7	6.2	6.8
肺　　　　　　　　　　　炎（再掲）	1.2	1.5	0.3	0.3	1.6	1.8	2.1
慢　性　閉　塞　性　肺　疾　患（再掲）	0.5	0.0	0.1	0.2	0.7	0.7	0.8
喘　　　　　　　　　　　息（再掲）	1.1	7.2	1.4	0.8	0.5	0.5	0.5
Ⅺ　消　化　器　系　の　疾　患	5.7	2.5	7.7	6.5	5.3	5.3	5.3
胃　及　び　十　二　指　腸　の　疾　患（再掲）	1.3	0.1	1.6	1.6	1.2	1.2	1.2
肝　　　　　疾　　　　　患（再掲）	0.5	0.1	0.5	0.8	0.5	0.5	0.4
Ⅻ　皮　膚　及　び　皮　下　組　織　の　疾　患	1.8	6.5	4.1	1.8	1.0	1.0	1.0
ⅩⅢ　筋　骨　格　系　及　び　結　合　組　織　の　疾　患	7.9	3.1	5.6	8.1	8.7	8.8	8.7
炎　症　性　多　発　性　関　節　障　害（再掲）	0.9	0.2	0.8	1.3	0.9	0.9	0.8
関　　　　　節　　　　　症（再掲）	1.9	0.0	0.3	1.8	2.4	2.4	2.3
脊　椎　障　害（脊　椎　症　を　含　む）（再掲）	1.8	0.0	0.5	1.5	2.4	2.4	2.4
骨　の　骨　密　度　及　び　構　造　の　障　害（再掲）	0.5	0.1	0.1	0.2	0.7	0.8	0.9
ⅩⅣ　腎　尿　路　生　殖　器　系　の　疾　患	7.1	1.6	7.0	8.5	7.2	6.9	6.6
糸球体疾患，腎尿細管間質性疾患及び腎不全（再掲）	5.2	0.9	2.7	6.4	5.6	5.3	5.0
ⅩⅤ　妊　娠，分　娩　及　び　産　じ　ょ　く	0.7	0.0	6.7	0.0	0.0	0.0	0.0
ⅩⅥ　周　産　期　に　発　生　し　た　病　態	0.7	11.7	0.2	0.0	0.0	0.0	0.0
ⅩⅦ　先　天　奇　形，変　形　及　び　染　色　体　異　常	0.7	8.2	1.0	0.3	0.1	0.1	0.1
ⅩⅧ　症状，徴候及び異常臨床所見・異常検査所見で他に分類されないもの	1.4	2.0	1.8	1.3	1.4	1.4	1.4
ⅩⅨ　損　傷，中　毒　及　び　そ　の　他　の　外　因　の　影　響	7.7	7.4	8.7	6.0	8.2	8.8	9.8
骨　折（部　位　不　明　を　除　く）（再掲）	4.5	2.2	3.0	2.9	5.6	6.2	7.2

平成29年度（2017）

入				院			入		院		外		
総 数	0～14歳	15～44	45～64	65歳以上	70歳以上（再掲）	75歳以上（再掲）	総 数	0～14歳	15～44	45～64	65歳以上	70歳以上（再掲）	75歳以上（再掲）
100.0	100.0	100.0	100.0	100.0	100.0	100.0	100.0	100.0	100.0	100.0	100.0	100.0	100.0
1.6	2.8	1.7	1.3	1.5	1.6	1.6	2.7	6.4	4.4	2.7	1.8	1.7	1.6
0.3	1.8	0.5	0.2	0.2	0.2	0.2	0.5	2.5	1.3	0.3	0.1	0.1	0.1
0.1	0.0	0.1	0.1	0.1	0.1	0.2	0.0	0.0	0.0	0.0	0.0	0.0	0.0
0.2	0.0	0.1	0.2	0.2	0.2	0.2	0.9	0.0	0.6	1.2	1.0	0.9	0.8
16.9	6.6	14.0	22.6	16.3	14.7	12.5	11.2	0.7	7.1	14.0	12.5	11.5	10.2
14.9	5.0	8.6	19.3	15.1	13.6	11.6	9.6	0.2	4.1	11.7	11.3	10.5	9.3
1.4	0.0	0.3	1.3	1.6	1.6	1.4	0.8	0.0	0.2	0.7	1.0	1.0	0.9
2.3	0.0	0.7	2.9	2.5	2.3	2.0	1.4	0.0	0.4	1.8	1.7	1.5	1.3
0.7	0.1	0.1	0.6	0.8	0.8	0.7	0.2	0.0	0.0	0.1	0.2	0.2	0.2
2.0	0.0	0.3	2.2	2.3	2.0	1.6	1.4	0.0	0.3	1.5	1.8	1.6	1.3
0.8	0.0	1.1	1.8	0.5	0.4	0.3	1.5	0.0	1.4	3.1	1.1	0.9	0.7
0.4	-	0.7	1.0	0.2	0.2	0.1	0.2	0.0	0.3	0.4	0.1	0.1	0.1
0.8	1.6	1.1	0.6	0.7	0.7	0.7	1.1	1.2	2.7	1.1	0.6	0.6	0.6
3.0	2.1	2.0	2.6	3.2	3.4	3.5	11.1	4.0	7.7	12.7	12.2	11.6	11.0
1.8	0.2	0.9	1.8	2.1	2.1	2.1	6.3	0.2	2.6	7.4	7.7	7.3	6.9
8.4	1.7	14.3	14.8	6.3	5.5	4.9	3.8	3.4	9.3	4.9	2.0	1.9	2.0
0.8	-	0.0	0.1	1.1	1.3	1.4	0.2	0.0	0.0	0.0	0.3	0.4	0.6
4.9	0.1	8.6	10.6	3.3	2.5	1.9	1.0	0.0	2.5	1.8	0.4	0.3	0.2
1.1	0.1	1.7	1.7	0.9	0.8	0.7	1.2	0.0	3.1	1.8	0.6	0.6	0.6
0.3	0.3	1.0	0.3	0.2	0.2	0.2	0.8	0.4	2.4	1.0	0.4	0.4	0.4
6.0	6.1	8.1	5.6	5.8	6.0	6.3	3.2	1.5	3.6	3.1	3.3	3.5	4.0
1.4	-	0.0	0.1	1.9	2.2	2.5	0.7	0.0	0.0	0.0	1.2	1.5	1.9
1.5	0.8	0.8	1.6	1.6	1.6	1.4	5.9	5.2	4.8	4.7	6.9	7.1	7.0
0.6	0.0	0.1	0.3	0.8	0.8	0.7	1.0	0.0	0.1	0.5	1.6	1.7	1.7
0.3	1.3	0.6	0.4	0.2	0.2	0.2	0.9	3.7	1.1	0.7	0.6	0.6	0.6
22.7	2.1	7.8	20.6	26.2	26.8	27.1	16.4	0.6	3.2	13.5	23.2	24.6	26.3
1.3	0.0	0.1	0.4	1.7	2.0	2.2	10.8	0.0	1.6	9.5	15.2	15.9	16.9
9.7	1.4	3.7	9.4	11.0	11.0	11.0	3.2	0.4	1.0	2.2	4.6	4.9	5.4
3.4	0.0	0.8	4.2	3.7	3.5	3.1	1.4	0.0	0.2	1.0	2.0	2.1	2.3
9.4	0.4	3.0	8.5	11.0	11.3	11.7	1.9	0.1	0.4	1.3	2.8	3.0	3.3
6.3	13.8	4.2	2.6	7.1	7.8	8.6	8.7	41.4	15.2	5.8	3.7	3.7	3.7
2.1	3.6	0.5	0.6	2.6	2.9	3.3	0.1	0.2	0.2	0.1	0.1	0.1	0.1
0.4	0.0	0.0	0.1	0.6	0.6	0.7	0.5	0.0	0.1	0.2	0.8	0.9	1.0
0.3	2.4	0.2	0.1	0.2	0.3	0.3	1.9	10.1	2.3	1.4	1.0	1.0	1.0
5.8	4.1	7.0	6.4	5.6	5.6	5.7	5.4	1.5	8.1	6.5	4.8	4.7	4.6
0.5	0.1	0.3	0.4	0.5	0.5	0.6	2.2	0.2	2.5	2.6	2.2	2.2	2.2
0.5	0.2	0.4	0.8	0.5	0.5	0.4	0.6	0.1	0.6	0.8	0.5	0.5	0.5
0.7	1.1	0.8	0.7	0.7	0.8	0.8	3.0	9.7	6.3	2.7	1.4	1.4	1.3
6.9	4.6	4.5	7.0	7.3	7.3	7.0	9.1	2.3	6.3	9.0	10.8	11.2	11.6
0.4	0.2	0.2	0.3	0.4	0.4	0.4	1.6	0.2	1.2	2.1	1.6	1.5	1.3
2.0	0.0	0.3	2.3	2.3	2.2	2.0	1.7	0.0	0.3	1.3	2.5	2.7	2.9
1.7	0.0	0.4	1.7	2.0	2.0	1.9	2.0	0.0	0.6	1.4	2.8	3.1	3.3
0.3	0.1	0.2	0.1	0.4	0.4	0.5	0.8	0.1	0.1	0.3	1.3	1.4	1.6
4.0	2.6	3.9	3.5	4.2	4.3	4.4	10.6	0.9	9.2	12.6	11.4	10.9	10.4
2.7	1.6	1.4	2.2	3.0	3.1	3.1	7.9	0.6	3.5	9.9	9.1	8.6	8.1
1.3	0.0	14.9	0.0	0.0	0.0	0.0	0.2	0.0	1.2	0.0	0.0	0.0	0.0
1.1	26.1	0.4	0.0	0.0	0.0	0.0	0.2	3.1	0.0	0.0	0.0	0.0	0.0
0.9	16.0	1.5	0.4	0.1	0.1	0.1	0.5	3.6	0.6	0.2	0.1	0.1	0.1
1.0	1.5	0.7	0.6	1.2	1.3	1.4	1.9	2.2	2.6	1.9	1.6	1.6	1.5
10.9	5.2	11.9	8.6	11.8	12.5	13.7	4.2	8.7	6.5	3.8	3.1	3.2	3.4
7.2	2.4	5.1	4.6	8.4	9.2	10.3	1.6	2.0	1.6	1.4	1.6	1.7	1.9

（単位：%）

傷　病　分　類	総　　　　　　数						
	総　数	0 ～ 14 歳	15 ～ 44	45 ～ 64	65 歳以上	70 歳以上（再掲）	75 歳以上（再掲）
総　　　　　　　　　　　　　　　　　数	100.0	100.0	100.0	100.0	100.0	100.0	100.0
Ⅰ　感　染　症　及　び　寄　生　虫　症	2.1	4.9	3.4	2.0	1.6	1.5	1.5
腸　　管　　感　　染　　症（再掲）	0.4	2.3	1.0	0.2	0.2	0.2	0.2
結　　　　　　　　　　核（再掲）	0.1	0.0	0.1	0.0	0.1	0.1	0.1
ウ　イ　ル　ス　性　肝　炎（再掲）	0.5	0.0	0.4	0.7	0.5	0.4	0.4
Ⅱ　新　　　生　　　物＜腫瘍＞	14.4	2.9	9.7	18.1	15.1	13.9	12.0
悪　性　新　生　物＜腫瘍＞（再掲）	12.6	2.1	5.8	15.3	13.9	12.8	11.0
胃　の　悪　性　新　生　物＜腫瘍＞（再掲）	1.1	0.0	0.2	0.9	1.4	1.3	1.2
結腸及び直腸の悪性新生物＜腫瘍＞（再掲）	1.9	0.0	0.5	2.2	2.2	2.0	1.8
肝及び肝内胆管の悪性新生物＜腫瘍＞（再掲）	0.4	0.0	0.0	0.3	0.5	0.5	0.5
気管，気管支及び肺の悪性新生物＜腫瘍＞（再掲）	1.8	0.0	0.3	1.9	2.2	2.0	1.6
乳　房　の　悪　性　新　生　物＜腫瘍＞（再掲）	1.1	0.0	1.2	2.6	0.8	0.6	0.5
子　宮　の　悪　性　新　生　物＜腫瘍＞（再掲）	0.3	0.0	0.4	0.7	0.2	0.2	0.1
Ⅲ　血液及び造血器の疾患並びに免疫機構の障害	0.9	1.3	2.1	0.9	0.7	0.7	0.7
Ⅳ　内　分　泌，栄　養　及　び　代　謝　疾　患	6.7	3.3	5.4	8.0	6.8	6.5	6.1
糖　　　尿　　　病（再掲）	3.8	0.2	1.9	4.7	4.2	4.0	3.8
Ⅴ　精　神　及　び　行　動　の　障　害	6.1	2.9	11.2	9.3	4.5	4.1	3.8
血管性及び詳細不明の認知症（再掲）	0.5	0.0	0.0	0.1	0.8	0.9	1.1
統合失調症，統合失調症型障害及び妄想性障害（再掲）	3.0	0.0	4.7	5.6	2.1	1.6	1.3
気分（感情）障害（躁うつ病を含む）（再掲）	1.1	0.1	2.5	1.8	0.8	0.7	0.7
神経症性障害，ストレス関連障害及び身体表現性障害（再掲）	0.5	0.4	1.9	0.7	0.3	0.3	0.2
Ⅵ　神　経　系　の　疾　患	4.8	3.4	5.6	4.4	4.9	5.2	5.6
ア　ル　ツ　ハ　イ　マ　ー　病（再掲）	1.1	0.0	0.0	0.1	1.7	2.0	2.4
Ⅶ　眼　及　び　付　属　器　の　疾　患	3.7	3.6	3.1	3.3	3.9	3.9	3.6
白　　　内　　　障（再掲）	0.9	0.0	0.1	0.4	1.2	1.2	1.2
Ⅷ　耳　及　び　乳　様　突　起　の　疾　患	0.6	2.8	0.9	0.6	0.4	0.4	0.3
Ⅸ　循　環　器　系　の　疾　患	19.3	1.1	5.0	16.3	24.4	25.3	26.3
高　血　圧　性　疾　患（再掲）	5.6	0.0	1.0	5.1	7.0	7.2	7.4
心疾患（高血圧性のものを除く）（再掲）	6.5	0.8	2.1	5.4	8.2	8.5	8.8
虚　血　性　心　疾　患（再掲）	2.3	0.0	0.4	2.3	2.8	2.8	2.6
脳　血　管　疾　患（再掲）	5.8	0.2	1.4	4.5	7.4	7.8	8.4
Ⅹ　呼　吸　器　系　の　疾　患	7.4	30.4	10.8	4.3	5.7	6.1	6.8
肺　　　　　　　　　炎（再掲）	1.2	1.5	0.3	0.3	1.6	1.8	2.1
慢　性　閉　塞　性　肺　疾　患（再掲）	0.5	0.0	0.1	0.2	0.7	0.8	0.8
喘　　　　　　　　　息（再掲）	1.1	7.0	1.5	0.9	0.5	0.5	0.5
Ⅺ　消　化　器　系　の　疾　患	5.7	2.5	7.7	6.5	5.4	5.3	5.3
胃　及　び　十　二　指　腸　の　疾　患（再掲）	1.2	0.1	1.5	1.5	1.1	1.1	1.1
肝　　　疾　　　患（再掲）	0.5	0.1	0.5	0.8	0.5	0.5	0.4
Ⅻ　皮　膚　及　び　皮　下　組　織　の　疾　患	1.9	6.5	4.2	1.9	1.0	1.0	1.0
ⅩⅢ　筋　骨　格　系　及　び　結　合　組　織　の　疾　患	8.0	3.3	5.6	8.2	8.8	8.9	8.9
炎　症　性　多　発　性　関　節　障　害（再掲）	0.9	0.2	0.8	1.3	0.9	0.9	0.8
関　　　　　節　　　　　症（再掲）	1.9	0.0	0.3	1.8	2.4	2.4	2.4
脊　椎　障　害（脊　椎　症　を　含　む）（再掲）	1.9	0.0	0.5	1.6	2.4	2.4	2.4
骨　の　骨　密　度　及　び　構　造　の　障　害（再掲）	0.5	0.1	0.1	0.2	0.7	0.8	0.9
ⅩⅣ　腎　尿　路　生　殖　器　系　の　疾　患	7.1	1.5	7.0	8.4	7.2	7.0	6.7
糸球体疾患，腎尿細管間質性疾患及び腎不全（再掲）	5.2	0.9	2.6	6.3	5.6	5.3	5.1
ⅩⅤ　妊　娠，分　娩　及　び　産　じ　ょ　く	0.7	0.0	6.6	0.0	0.0	0.0	0.0
ⅩⅥ　周　産　期　に　発　生　し　た　病　態	0.7	11.4	0.2	0.0	0.0	0.0	0.0
ⅩⅦ　先　天　奇　形，変　形　及　び　染　色　体　異　常	0.7	8.3	1.0	0.3	0.1	0.1	0.1
ⅩⅧ　症状，徴候及び異常臨床所見・異常検査所見で他に分類されないもの	1.4	1.9	1.9	1.3	1.3	1.4	1.4
ⅩⅨ　損　傷，中　毒　及　び　そ　の　他　の　外　因　の　影　響	7.8	7.6	8.7	6.1	8.2	8.8	9.9
骨　　　　　　　　　折（再掲）	4.9	2.5	3.2	3.0	6.0	6.6	7.6

入　　　　　　院							入　　　院　　　外						
総　数	0～14歳	15～44	45～64	65歳以上	70歳以上（再掲）	75歳以上（再掲）	総　数	0～14歳	15～44	45～64	65歳以上	70歳以上（再掲）	75歳以上（再掲）
100.0	100.0	100.0	100.0	100.0	100.0	100.0	100.0	100.0	100.0	100.0	100.0	100.0	100.0
1.5	2.5	1.7	1.3	1.5	1.5	1.5	2.7	6.4	4.5	2.7	1.7	1.6	1.5
0.3	1.7	0.5	0.2	0.2	0.2	0.2	0.5	2.7	1.3	0.3	0.1	0.1	0.1
0.1	0.0	0.1	0.1	0.1	0.1	0.1	0.0	0.0	0.0	0.0	0.0	0.0	0.0
0.2	0.0	0.2	0.2	0.2	0.2	0.2	0.8	0.0	0.6	1.1	0.9	0.8	0.8
16.9	6.6	13.7	22.6	16.4	14.9	12.7	11.7	0.7	6.9	14.3	13.2	12.4	10.9
14.9	5.1	8.4	19.2	15.2	13.8	11.7	10.1	0.2	4.1	12.0	12.0	11.2	9.9
1.3	0.0	0.3	1.2	1.6	1.5	1.4	0.8	0.0	0.2	0.7	1.1	1.0	0.9
2.3	0.0	0.7	2.8	2.5	2.3	2.0	1.4	0.0	0.4	1.7	1.7	1.6	1.4
0.6	0.1	0.1	0.5	0.8	0.7	0.7	0.2	0.0	0.0	0.1	0.2	0.2	0.2
2.0	0.0	0.4	2.2	2.3	2.1	1.6	1.5	0.0	0.3	1.6	2.0	1.8	1.5
0.8	0.0	1.0	1.9	0.5	0.4	0.4	1.6	0.0	1.3	3.1	1.2	0.9	0.7
0.4	0.0	0.7	1.1	0.2	0.2	0.1	0.2	0.0	0.3	0.4	0.1	0.1	0.1
0.7	1.4	1.0	0.6	0.7	0.7	0.7	1.1	1.3	2.8	1.1	0.7	0.6	0.6
2.9	2.1	2.0	2.5	3.1	3.2	3.4	11.0	4.0	7.7	12.6	12.0	11.5	10.9
1.7	0.2	0.9	1.7	2.0	2.0	2.0	6.2	0.2	2.6	7.2	7.5	7.2	6.7
8.2	1.8	14.1	14.6	6.3	5.5	4.8	3.8	3.7	9.2	4.9	2.0	1.9	2.0
0.8	-	0.0	0.1	1.1	1.2	1.4	0.2	0.0	0.0	0.0	0.4	0.4	0.6
4.8	0.1	8.3	10.3	3.3	2.5	1.9	1.0	0.0	2.3	1.7	0.4	0.3	0.2
1.1	0.1	1.8	1.7	0.9	0.8	0.8	1.2	0.1	3.1	1.8	0.6	0.6	0.6
0.3	0.3	0.9	0.3	0.2	0.2	0.2	0.8	0.4	2.5	1.0	0.4	0.4	0.4
6.2	6.5	8.6	5.9	6.0	6.2	6.5	3.2	1.5	3.7	3.2	3.3	3.6	4.1
1.5	-	0.0	0.1	2.0	2.3	2.7	0.7	0.0	0.0	0.0	1.2	1.5	2.0
1.6	0.7	0.8	1.5	1.7	1.7	1.5	6.0	5.4	4.7	4.7	7.0	7.2	7.2
0.7	0.0	0.1	0.4	0.9	1.0	0.9	1.0	0.0	0.1	0.5	1.6	1.7	1.7
0.3	1.3	0.6	0.4	0.2	0.2	0.2	0.9	3.8	1.1	0.7	0.6	0.6	0.6
22.3	2.1	7.6	20.2	25.7	26.2	26.6	16.1	0.6	3.2	13.1	22.6	23.9	25.7
1.2	0.0	0.1	0.3	1.6	1.8	2.1	10.5	0.0	1.5	9.1	14.7	15.4	16.4
9.5	1.4	3.6	9.1	10.8	10.8	10.8	3.2	0.4	1.0	2.2	4.5	4.9	5.4
3.1	0.0	0.7	3.9	3.4	3.2	2.9	1.3	0.0	0.2	1.0	1.9	2.1	2.2
9.3	0.4	2.9	8.4	10.7	11.1	11.4	1.8	0.1	0.4	1.2	2.7	2.9	3.2
6.3	14.0	4.4	2.6	7.1	7.7	8.6	8.5	40.4	15.1	5.8	3.7	3.7	3.7
2.1	3.7	0.5	0.6	2.6	2.9	3.3	0.1	0.2	0.2	0.1	0.1	0.1	0.1
0.5	0.0	0.0	0.1	0.6	0.7	0.7	0.5	0.0	0.1	0.2	0.8	0.9	1.0
0.3	2.3	0.2	0.1	0.2	0.2	0.3	2.0	9.9	2.4	1.5	1.0	0.9	1.0
6.0	4.2	7.0	6.6	5.8	5.8	5.8	5.4	1.5	8.2	6.5	4.7	4.6	4.5
0.4	0.1	0.3	0.4	0.5	0.5	0.5	2.1	0.2	2.4	2.5	2.1	2.1	2.0
0.5	0.1	0.4	0.8	0.5	0.4	0.4	0.6	0.0	0.6	0.8	0.5	0.5	0.5
0.8	1.0	0.8	0.7	0.7	0.8	0.8	3.1	9.9	6.5	2.8	1.5	1.4	1.3
7.1	4.8	4.5	7.3	7.6	7.5	7.3	9.0	2.4	6.3	9.0	10.7	11.1	11.5
0.4	0.2	0.1	0.3	0.4	0.4	0.4	1.6	0.2	1.2	2.1	1.6	1.5	1.4
2.1	0.0	0.3	2.4	2.4	2.3	2.1	1.7	0.0	0.3	1.4	2.5	2.6	2.8
1.8	0.0	0.4	1.7	2.1	2.1	2.0	1.9	0.0	0.5	1.4	2.8	3.0	3.2
0.3	0.1	0.2	0.1	0.3	0.4	0.4	0.8	0.1	0.1	0.2	1.3	1.4	1.6
4.1	2.6	3.9	3.6	4.3	4.4	4.5	10.6	0.9	9.1	12.5	11.4	11.0	10.5
2.7	1.5	1.4	2.2	3.1	3.1	3.2	7.9	0.6	3.3	9.8	9.2	8.7	8.2
1.2	0.0	14.8	0.0	0.0	0.0	0.0	0.2	0.0	1.2	0.0	0.0	0.0	0.0
1.1	25.7	0.4	0.0	0.0	0.0	0.0	0.2	2.8	0.0	0.0	0.0	0.0	0.0
0.9	16.0	1.5	0.4	0.1	0.1	0.0	0.4	3.6	0.6	0.2	0.1	0.1	0.1
1.0	1.4	0.7	0.6	1.1	1.2	1.3	1.9	2.3	2.7	1.9	1.7	1.7	1.6
11.0	5.3	12.0	8.7	11.8	12.5	13.7	4.2	9.0	6.5	3.9	3.1	3.2	3.4
7.6	2.3	5.2	4.8	8.9	9.7	10.9	1.8	2.6	1.8	1.5	1.8	1.9	2.1

（単位：%）

傷　病　分　類	総	数					
	総　数	0 ～ 14歳	15 ～ 44	45 ～ 64	65 歳以上	70 歳以上（再掲）	75 歳以上（再掲）
総　　　　　　　　　　　　　　　　数	100.0	100.0	100.0	100.0	100.0	100.0	100.0
I　感　染　症　及　び　寄　生　虫　症	2.0	4.9	3.2	1.9	1.5	1.5	1.5
腸　　管　　感　　染　　症（再掲）	0.4	2.2	0.9	0.2	0.2	0.2	0.2
結　　　　　　　　　　　核（再掲）	0.1	0.0	0.1	0.0	0.1	0.1	0.1
ウ　イ　ル　ス　性　肝　炎（再掲）	0.4	0.0	0.4	0.6	0.4	0.4	0.3
II　新　　　　生　　　　物＜腫瘍＞	14.9	3.0	9.8	18.5	15.5	14.4	12.4
悪　性　新　生　物＜腫瘍＞（再掲）	13.0	2.1	6.0	15.6	14.2	13.2	11.4
胃　の　悪　性　新　生　物＜腫瘍＞（再掲）	1.1	0.0	0.2	0.9	1.4	1.3	1.2
結腸及び直腸の悪性新生物＜腫瘍＞（再掲）	1.9	0.0	0.5	2.2	2.2	2.1	1.8
肝及び肝内胆管の悪性新生物＜腫瘍＞（再掲）	0.4	0.0	0.0	0.3	0.5	0.5	0.5
気管, 気管支及び肺の悪性新生物＜腫瘍＞（再掲）	1.9	0.0	0.3	2.0	2.3	2.1	1.7
乳　房　の　悪　性　新　生　物＜腫瘍＞（再掲）	1.2	0.0	1.3	2.7	0.8	0.7	0.5
子　宮　の　悪　性　新　生　物＜腫瘍＞（再掲）	0.3	0.0	0.4	0.7	0.2	0.2	0.1
III　血液及び造血器の疾患並びに免疫機構の障害	1.0	1.4	2.3	1.0	0.7	0.7	0.7
IV　内　分　泌, 栄　養　及　び　代　謝　疾　患	6.7	3.4	5.5	7.9	6.7	6.5	6.1
糖　　　　尿　　　　病（再掲）	3.8	0.2	1.9	4.6	4.2	4.0	3.7
V　精　神　及　び　行　動　の　障　害	6.0	3.1	11.1	9.0	4.4	4.0	3.7
血管性及び詳細不明の認知症（再掲）	0.5	0.0	0.0	0.1	0.8	0.9	1.1
統合失調症, 統合失調症型障害及び妄想性障害（再掲）	2.9	0.0	4.5	5.4	2.0	1.6	1.2
気分（感情）障害（躁うつ病を含む）（再掲）	1.1	0.1	2.5	1.7	0.8	0.7	0.7
神経症性障害, ストレス関連障害及び身体表現性障害（再掲）	0.5	0.4	1.9	0.7	0.3	0.2	0.2
VI　神　経　系　の　疾　患	4.9	3.4	5.8	4.5	5.0	5.2	5.6
ア　ル　ツ　ハ　イ　マ　ー　病（再掲）	1.1	0.0	0.0	0.1	1.8	2.0	2.5
VII　眼　及　び　付　属　器　の　疾　患	3.7	3.5	3.0	3.3	3.9	3.9	3.6
白　　　　内　　　　障（再掲）	0.9	0.0	0.1	0.5	1.2	1.2	1.2
VIII　耳　及　び　乳　様　突　起　の　疾　患	0.6	2.8	0.9	0.6	0.4	0.4	0.3
IX　循　環　器　系　の　疾　患	19.2	1.2	5.0	16.1	24.1	24.9	26.0
高　血　圧　性　疾　患（再掲）	5.5	0.0	0.9	5.0	6.8	7.0	7.2
心疾患（高血圧性のものを除く）（再掲）	6.5	0.8	2.1	5.3	8.2	8.4	8.8
虚　血　性　心　疾　患（再掲）	2.2	0.0	0.4	2.2	2.7	2.6	2.5
脳　血　管　疾　患（再掲）	5.7	0.2	1.4	4.4	7.3	7.7	8.2
X　呼　吸　器　系　の　疾　患	7.1	29.6	10.5	4.3	5.6	6.0	6.6
肺　　　　　　　　　炎（再掲）	1.2	1.6	0.3	0.3	1.6	1.8	2.1
慢　性　閉　塞　性　肺　疾　患（再掲）	0.5	0.0	0.1	0.2	0.7	0.7	0.8
喘　　　　　　　　　息（再掲）	1.0	6.8	1.5	0.9	0.5	0.5	0.5
XI　消　化　器　系　の　疾　患	5.7	2.6	7.8	6.6	5.3	5.2	5.2
胃　及　び　十　二　指　腸　の　疾　患（再掲）	1.1	0.1	1.4	1.5	1.1	1.0	1.0
肝　　　　疾　　　　患（再掲）	0.5	0.1	0.5	0.8	0.5	0.5	0.4
XII　皮　膚　及　び　皮　下　組　織　の　疾　患	1.9	6.7	4.4	2.0	1.1	1.0	1.0
XIII　筋　骨　格　系　及　び　結　合　組　織　の　疾　患	8.1	3.2	5.5	8.3	8.9	8.9	8.9
炎　症　性　多　発　性　関　節　障　害（再掲）	0.9	0.2	0.8	1.2	0.9	0.9	0.8
関　　　　　　節　　　　　　症（再掲）	2.0	0.0	0.3	1.9	2.5	2.5	2.4
脊　椎　障　害（脊　椎　症　を　含　む）（再掲）	1.8	0.0	0.5	1.6	2.3	2.4	2.4
骨　の　骨　密　度　及　び　構　造　の　障　害（再掲）	0.5	0.1	0.1	0.2	0.7	0.8	0.9
XIV　腎　尿　路　生　殖　器　系　の　疾　患	7.2	1.5	7.0	8.4	7.3	7.1	6.9
糸球体疾患, 腎尿細管間質性疾患及び腎不全（再掲）	5.2	0.9	2.5	6.3	5.7	5.4	5.1
XV　妊　娠, 分　娩　及　び　産　じ　ょ　く	0.7	0.0	6.6	0.0	0.0	0.0	0.0
XVI　周　産　期　に　発　生　し　た　病　態	0.6	11.8	0.1	0.0	0.0	0.0	0.0
XVII　先　天　奇　形, 変　形　及　び　染　色　体　異　常	0.7	8.3	1.0	0.3	0.1	0.1	0.1
XVIII　症状, 徴候及び異常臨床所見・異常検査所見で他に分類されないもの	1.4	1.9	1.9	1.3	1.4	1.4	1.4
XIX　損　傷, 中　毒　及　び　そ　の　他　の　外　因　の　影　響	7.8	7.4	8.5	6.0	8.3	8.8	9.9
骨　　　　　　　　　折（再掲）	4.9	2.4	3.0	3.0	6.1	6.6	7.7

入院－入院外・年齢階級・傷病分類・年次別

令和元年度（2019）

	入			院				入		院	外		
総数	0～14歳	15～44	45～64	65歳以上	70歳以上（再掲）	75歳以上（再掲）	総数	0～14歳	15～44	45～64	65歳以上	70歳以上（再掲）	75歳以上（再掲）
100.0	100.0	100.0	100.0	100.0	100.0	100.0	100.0	100.0	100.0	100.0	100.0	100.0	100.0
1.5	2.5	1.7	1.2	1.4	1.5	1.5	2.5	6.4	4.3	2.5	1.6	1.5	1.4
0.3	1.6	0.5	0.2	0.2	0.2	0.2	0.5	2.5	1.2	0.3	0.1	0.1	0.1
0.1	0.0	0.1	0.1	0.1	0.1	0.1	0.0	0.0	0.0	0.0	0.0	0.0	0.0
0.1	0.0	0.2	0.2	0.1	0.1	0.1	0.7	0.0	0.5	0.9	0.7	0.7	0.6
17.0	6.7	13.9	22.6	16.4	15.1	12.8	12.5	0.7	7.1	15.1	14.1	13.3	11.6
15.0	5.2	8.6	19.1	15.2	14.0	11.8	10.8	0.2	4.2	12.7	12.9	12.2	10.6
1.3	0.0	0.3	1.1	1.5	1.5	1.3	0.8	0.0	0.2	0.7	1.1	1.1	0.9
2.3	0.0	0.7	2.8	2.5	2.3	2.0	1.5	0.0	0.5	1.7	1.8	1.6	1.4
0.6	0.1	0.1	0.5	0.7	0.7	0.6	0.2	0.0	0.0	0.1	0.2	0.2	0.2
2.1	0.0	0.3	2.2	2.3	2.1	1.7	1.8	0.0	0.3	1.8	2.3	2.1	1.7
0.8	0.0	1.0	1.9	0.5	0.5	0.4	1.7	0.0	1.4	3.4	1.2	1.0	0.8
0.4	0.0	0.7	1.1	0.2	0.2	0.1	0.2	0.0	0.3	0.4	0.1	0.1	0.1
0.7	1.4	1.0	0.6	0.7	0.7	0.7	1.2	1.5	3.2	1.3	0.7	0.7	0.7
2.9	2.0	2.0	2.5	3.1	3.2	3.3	10.9	4.3	7.8	12.4	11.9	11.5	10.9
1.7	0.2	0.9	1.6	1.9	1.9	2.0	6.2	0.2	2.6	7.0	7.4	7.2	6.7
8.0	1.9	13.9	14.1	6.1	5.4	4.7	3.8	3.8	9.2	4.9	1.9	1.9	1.9
0.8	-	0.0	0.1	1.1	1.2	1.4	0.2	0.0	0.0	0.0	0.4	0.4	0.6
4.6	0.1	7.9	9.8	3.2	2.5	1.8	0.9	0.0	2.2	1.7	0.4	0.3	0.2
1.1	0.1	1.7	1.7	0.9	0.8	0.7	1.2	0.1	3.1	1.8	0.6	0.6	0.5
0.3	0.3	1.0	0.3	0.2	0.2	0.2	0.8	0.4	2.6	1.0	0.4	0.4	0.4
6.3	6.6	8.6	6.0	6.1	6.3	6.6	3.3	1.5	3.8	3.3	3.4	3.6	4.1
1.5	-	0.0	0.2	2.1	2.3	2.7	0.7	0.0	0.0	0.0	1.3	1.5	2.0
1.6	0.7	0.8	1.6	1.7	1.7	1.5	6.0	5.3	4.6	4.8	7.0	7.2	7.2
0.8	0.0	0.1	0.4	1.0	1.0	0.9	1.0	0.0	0.1	0.5	1.6	1.7	1.6
0.3	1.3	0.6	0.4	0.2	0.2	0.2	0.9	3.7	1.1	0.7	0.6	0.6	0.6
22.3	2.2	7.6	20.2	25.6	26.0	26.5	15.7	0.5	3.2	12.7	22.1	23.2	25.0
1.2	0.0	0.1	0.3	1.6	1.8	2.0	10.2	0.0	1.5	8.8	14.3	14.9	15.9
9.5	1.5	3.7	9.1	10.8	10.8	10.9	3.2	0.4	1.0	2.2	4.5	4.8	5.3
3.0	0.0	0.7	3.7	3.3	3.1	2.8	1.3	0.0	0.2	0.9	1.8	2.0	2.1
9.2	0.4	2.9	8.4	10.6	10.9	11.3	1.8	0.1	0.4	1.2	2.6	2.8	3.1
6.3	13.7	4.6	2.7	7.0	7.5	8.4	8.1	39.5	14.4	5.7	3.7	3.6	3.7
2.1	3.7	0.6	0.6	2.6	2.8	3.2	0.1	0.2	0.2	0.1	0.1	0.1	0.1
0.4	0.0	0.0	0.1	0.6	0.6	0.7	0.5	0.0	0.1	0.2	0.8	0.9	1.0
0.3	2.0	0.2	0.1	0.2	0.2	0.3	1.9	9.8	2.4	1.6	1.0	1.0	1.0
5.9	4.2	6.9	6.6	5.8	5.8	5.8	5.3	1.6	8.4	6.5	4.6	4.5	4.4
0.4	0.1	0.2	0.4	0.5	0.5	0.5	2.0	0.2	2.2	2.3	1.9	1.9	1.9
0.5	0.1	0.4	0.8	0.5	0.4	0.4	0.6	0.0	0.6	0.8	0.5	0.5	0.4
0.8	1.0	0.8	0.7	0.8	0.8	0.8	3.2	10.3	6.9	3.0	1.5	1.4	1.3
7.3	4.4	4.5	7.5	7.7	7.6	7.5	9.0	2.4	6.2	9.0	10.5	10.9	11.4
0.4	0.1	0.1	0.3	0.4	0.4	0.4	1.5	0.3	1.2	2.0	1.6	1.5	1.4
2.2	0.0	0.3	2.6	2.5	2.4	2.2	1.7	0.0	0.3	1.4	2.4	2.5	2.7
1.8	0.0	0.4	1.7	2.1	2.0	2.0	1.9	0.0	0.5	1.4	2.7	2.9	3.2
0.3	0.1	0.2	0.1	0.3	0.4	0.4	0.8	0.1	0.1	0.3	1.3	1.4	1.6
4.2	2.5	3.9	3.6	4.4	4.5	4.6	10.6	0.9	9.2	12.3	11.5	11.1	10.7
2.7	1.5	1.4	2.2	3.1	3.2	3.2	7.9	0.5	3.2	9.6	9.3	8.9	8.4
1.2	0.0	14.9	0.0	0.0	0.0	0.0	0.2	0.0	1.1	0.0	0.0	0.0	0.0
1.0	26.1	0.2	0.0	0.0	0.0	0.0	0.2	2.8	0.0	0.0	0.0	0.0	0.0
0.9	15.8	1.6	0.4	0.1	0.1	0.0	0.4	3.6	0.6	0.2	0.1	0.1	0.1
1.0	1.3	0.7	0.6	1.1	1.2	1.3	1.9	2.3	2.7	2.0	1.7	1.7	1.6
11.1	5.4	11.8	8.8	11.9	12.5	13.8	4.1	8.7	6.2	3.8	3.1	3.2	3.4
7.7	2.3	5.0	4.9	9.1	9.7	11.0	1.7	2.5	1.7	1.4	1.8	1.9	2.1

男（単位：億円）

傷　病　分　類	総　数	0〜14歳	15〜44	45〜64	65歳以上	70歳以上（再掲）	75歳以上（再掲）
総　　　　　　　　　　　　　　　数	157 258	9 493	15 044	36 002	96 719	78 678	56 533
Ⅰ　感　染　症　及　び　寄　生　虫　症	3 265	452	584	766	1 464	1 181	850
腸　管　感　染　症（再掲）	558	204	149	71	134	114	88
結　　　　　核（再掲）	117	1	13	18	85	76	64
ウ　イ　ル　ス　性　肝　炎（再掲）	712	2	84	251	376	279	175
Ⅱ　新　生　物＜腫瘍＞	25 690	282	1 019	5 567	18 822	14 724	9 460
悪　性　新　生　物＜腫瘍＞（再掲）	23 496	209	763	4 969	17 554	13 737	8 819
胃　の　悪　性　新　生　物＜腫瘍＞（再掲）	2 335	0	35	384	1 916	1 542	1 040
結腸及び直腸の悪性新生物＜腫瘍＞（再掲）	3 602	0	100	903	2 599	1 975	1 251
肝及び肝内胆管の悪性新生物＜腫瘍＞（再掲）	890	5	10	148	728	594	413
気管，気管支及び肺の悪性新生物＜腫瘍＞（再掲）	4 115	0	60	892	3 163	2 410	1 422
乳　房　の　悪　性　新　生　物＜腫瘍＞（再掲）	18	0	1	4	13	11	7
子　宮　の　悪　性　新　生　物＜腫瘍＞（再掲）	・	・	・	・	・	・	・
Ⅲ　血液及び造血器の疾患並びに免疫機構の障害	1 697	186	483	345	683	557	409
Ⅳ　内　分　泌，栄　養　及　び　代　謝　疾　患	10 630	327	899	3 055	6 349	4 967	3 352
糖　　　尿　　　病（再掲）	7 075	15	384	2 056	4 620	3 598	2 386
Ⅴ　精　神　及　び　行　動　の　障　害	9 042	353	1 831	3 236	3 622	2 544	1 618
血管性及び詳細不明の認知症（再掲）	645	0	1	30	614	567	485
統合失調症，統合失調症型障害及び妄想性障害（再掲）	4 391	4	795	1 892	1 700	1 031	521
気　分（感　情）障　害（躁うつ病を含む）（再掲）	1 401	5	368	568	460	329	205
神経症性障害，ストレス関連障害及び身体表現性障害（再掲）	645	34	258	201	151	116	79
Ⅵ　神　経　系　の　疾　患	7 302	329	1 079	1 739	4 154	3 508	2 727
ア　ル　ツ　ハ　イ　マ　ー　病（再掲）	1 182	0	0	30	1 151	1 094	990
Ⅶ　眼　及　び　付　属　器　の　疾　患	5 158	297	429	1 017	3 415	2 820	1 965
白　　　　内　　　　障（再掲）	1 164	1	14	141	1 008	858	605
Ⅷ　耳　及　び　乳　様　突　起　の　疾　患	823	257	125	154	287	228	158
Ⅸ　循　環　器　系　の　疾　患	32 509	104	1 058	7 203	24 145	20 056	14 804
高　血　圧　性　疾　患（再掲）	7 963	1	215	2 001	5 746	4 683	3 388
心疾患（高血圧性のものを除く）（再掲）	12 258	71	467	2 706	9 014	7 463	5 492
虚　血　性　心　疾　患（再掲）	4 911	2	105	1 210	3 594	2 871	1 970
脳　血　管　疾　患（再掲）	9 334	17	266	1 864	7 187	6 097	4 656
Ⅹ　呼　吸　器　系　の　疾　患	12 162	2 773	1 660	1 421	6 308	5 622	4 626
肺　　　　　　　炎（再掲）	2 051	142	60	140	1 708	1 582	1 370
慢　性　閉　塞　性　肺　疾　患（再掲）	1 122	2	13	82	1 025	926	753
喘　　　　　　　息（再掲）	1 522	665	199	236	423	348	261
Ⅺ　消　化　器　系　の　疾　患	9 612	243	1 458	2 529	5 383	4 355	3 143
胃　及　び　十　二　指　腸　の　疾　患（再掲）	1 615	12	206	454	945	752	532
肝　　　疾　　　患（再掲）	945	8	112	326	499	375	247
Ⅻ　皮　膚　及　び　皮　下　組　織　の　疾　患	2 927	602	679	649	997	790	558
ⅩⅢ　筋　骨　格　系　及　び　結　合　組　織　の　疾　患	9 085	295	869	2 235	5 685	4 662	3 439
炎　症　性　多　発　性　関　節　障　害（再掲）	847	18	89	254	485	376	253
関　　　節　　　症（再掲）	1 403	1	37	331	1 033	844	620
脊　椎　障　害（脊　椎　症　を　含　む）（再掲）	2 885	2	97	620	2 167	1 797	1 324
骨　の　骨　密　度　及　び　構　造　の　障　害（再掲）	203	9	26	29	139	125	105
ⅩⅣ　腎　尿　路　生　殖　器　系　の　疾　患	12 935	162	705	3 267	8 800	7 118	5 064
糸球体疾患，腎尿細管間質性疾患及び腎不全（再掲）	10 240	92	522	2 818	6 808	5 403	3 756
ⅩⅤ　妊　娠，分　娩　及　び　産　じ　ょ　く	・	・	・	・	・	・	・
ⅩⅥ　周　産　期　に　発　生　し　た　病　態	1 103	1 088	9	6	0	0	0
ⅩⅦ　先　天　奇　形，変　形　及　び　染　色　体　異　常	1 106	780	165	95	66	44	27
ⅩⅧ　症状，徴候及び異常臨床所見・異常検査所見で他に分類されないもの	2 088	179	265	428	1 215	1 010	739
ⅩⅨ　損　傷，中　毒　及　び　そ　の　他　の　外　因　の　影　響	10 124	783	1 729	2 289	5 324	4 492	3 596
骨　　　　折（再掲）	4 919	279	675	1 026	2 939	2 572	2 165

注：傷病分類は、ICD-10（2013年版）に準拠した分類による。

入院－入院外・年齢階級・傷病分類・性別

令和元年度（2019）

入院							入院外						
総数	0～14歳	15～44	45～64	65歳以上	70歳以上（再掲）	75歳以上（再掲）	総数	0～14歳	15～44	45～64	65歳以上	70歳以上（再掲）	75歳以上（再掲）
83 800	3 655	5 919	17 443	56 784	47 110	35 131	73 458	5 838	9 126	18 559	39 934	31 568	21 402
1 268	90	116	229	834	712	556	1 997	361	468	537	630	468	294
211	60	32	23	96	85	70	347	144	117	48	38	28	18
90	0	8	13	69	63	55	26	0	5	5	16	13	9
120	1	13	33	74	58	42	592	1	71	218	302	221	132
15 909	246	618	3 305	11 740	9 229	6 030	9 780	36	401	2 261	7 082	5 496	3 431
14 627	196	489	2 970	10 971	8 626	5 630	8 869	13	274	2 000	6 583	5 111	3 188
1 515	0	17	224	1 274	1 043	730	820	0	18	160	642	500	310
2 258	0	48	516	1 694	1 315	868	1 343	0	51	387	905	660	383
721	4	7	115	596	489	342	169		3	33	132	106	70
2 324	0	25	432	1 867	1 453	894	1 792	0	35	461	1 296	956	528
7	-	0	1	6	5	3	11	0	1	3	7	6	4
・	・	・	・	・	・	・	・	・	・	・	・	・	・
573	53	49	92	379	327	257	1 124	133	434	253	304	230	152
2 313	73	148	464	1 628	1 385	1 075	8 316	253	751	2 591	4 721	3 582	2 276
1 501	5	75	328	1 093	916	689	5 574	10	309	1 728	3 527	2 682	1 697
6 385	65	937	2 334	3 048	2 130	1 341	2 657	288	893	902	574	414	277
547	-	0	27	519	477	404	98	0	0	3	95	90	80
3 701	2	560	1 574	1 564	958	487	690	1	235	318	137	74	34
643	2	90	239	312	225	139	758	2	279	329	148	104	65
149	10	42	43	54	42	30	496	25	215	158	97	74	50
4 975	241	667	1 015	3 052	2 614	2 068	2 327	88	412	724	1 102	893	660
901	-	0	25	875	828	745	281	0	0	5	276	266	245
1 235	24	64	265	882	725	503	3 924	273	366	752	2 533	2 094	1 462
524	1	7	59	457	395	285	640	0	7	82	550	463	320
224	50	38	50	86	67	45	599	207	87	104	201	161	113
20 719	74	668	4 368	15 609	13 086	9 813	11 791	30	389	2 835	8 536	6 970	4 990
726	1	8	63	655	601	521	7 237	0	207	1 939	5 091	4 082	2 867
9 524	50	349	2 161	6 964	5 748	4 227	2 734	22	118	545	2 050	1 716	1 264
3 692	1	77	963	2 651	2 088	1 406	1 219	1	28	247	943	783	565
7 938	14	226	1 608	6 090	5 170	3 968	1 396	3	40	256	1 097	928	689
6 118	511	394	529	4 684	4 295	3 673	6 044	2 262	1 266	892	1 624	1 326	952
1 941	129	41	119	1 651	1 536	1 336	109	13	19	21	57	46	34
544	1	4	27	512	473	400	579	2	10	54	513	454	353
189	77	9	16	87	79	67	1 333	588	190	220	336	270	193
5 573	157	540	1 280	3 596	2 985	2 236	4 039	86	917	1 249	1 787	1 370	907
374	3	22	81	269	225	173	1 241	9	183	373	676	527	359
487	5	30	164	288	219	149	458	3	82	162	211	156	97
613	36	60	137	380	322	254	2 313	566	619	511	617	468	304
4 626	151	320	1 017	3 138	2 601	1 958	4 459	144	549	1 218	2 547	2 061	1 481
159	5	8	27	120	103	81	687	14	82	227	365	273	172
767	0	14	183	569	458	330	636	1	23	148	464	386	290
1 668	1	40	360	1 268	1 039	756	1 216	1	57	260	899	758	569
106	4	18	18	66	59	50	96	4	9	11	73	66	55
3 551	105	154	605	2 686	2 301	1 793	9 384	57	551	2 662	6 114	4 817	3 271
2 513	58	98	427	1 930	1 648	1 281	7 727	35	424	2 390	4 878	3 755	2 475
・	・	・	・	・	・	・	・	・	・	・	・	・	・
931	919	6	6	0	0	0	172	169	3	0	0	0	0
793	588	107	60	38	25	16	313	193	57	36	27	19	11
724	50	40	102	533	470	386	1 363	130	225	326	682	540	353
7 269	223	990	1 585	4 472	3 835	3 128	2 855	560	739	704	852	657	468
3 951	106	451	787	2 606	2 303	1 957	969	173	224	239	333	270	208

第15表

女（単位：億円）

傷　病　分　類	総数	0〜14歳	15〜44	45〜64	65歳以上	70歳以上（再掲）	75歳以上（再掲）
総　　　　　　　　　　　　　　数	162 325	7 719	18 564	30 367	105 676	91 859	73 638
Ⅰ　感　染　症　及　び　寄　生　虫　症	2 985	397	506	512	1 570	1 353	1 077
腸　管　感　染　症（再掲）	617	170	169	81	197	176	150
結　　　　核（再掲）	96	1	10	9	76	72	66
ウ　イ　ル　ス　性　肝　炎（再掲）	588	1	43	139	405	334	246
Ⅱ　新　　生　　物＜腫瘍＞	21 769	238	2 284	6 708	12 538	9 847	6 639
悪　性　新　生　物＜腫瘍＞（再掲）	18 038	157	1 251	5 371	11 259	8 851	5 975
胃　の　悪　性　新　生　物＜腫瘍＞（再掲）	1 059	0	39	189	831	698	514
結腸及び直腸の悪性新生物＜腫瘍＞（再掲）	2 510	0	81	568	1 860	1 521	1 097
肝及び肝内胆管の悪性新生物＜腫瘍＞（再掲）	356	3	5	36	312	277	218
気管，気管支及び肺の悪性新生物＜腫瘍＞（再掲）	2 031	0	45	432	1 553	1 239	798
乳　房　の　悪　性　新　生　物＜腫瘍＞（再掲）	3 891	0	427	1 801	1 663	1 153	669
子　宮　の　悪　性　新　生　物＜腫瘍＞（再掲）	1 039	0	151	486	402	276	156
Ⅲ　血液及び造血器の疾患並びに免疫機構の障害	1 366	63	288	286	728	634	521
Ⅳ　内　分　泌，栄　養　及　び　代　謝　疾　患	10 680	261	956	2 203	7 260	6 091	4 605
糖　　尿　　病（再掲）	5 079	20	257	989	3 813	3 223	2 446
Ⅴ　精　神　及　び　行　動　の　障　害	10 097	180	1 896	2 765	5 256	4 259	3 188
血管性及び詳細不明の認知症（再掲）	1 008	0	0	15	992	966	908
統合失調症，統合失調症型障害及び妄想性障害（再掲）	4 777	4	720	1 661	2 391	1 727	1 083
気分（感情）障害（躁うつ病を含む）（再掲）	2 133	7	480	579	1 068	885	655
神経症性障害，ストレス関連障害及び身体表現性障害（再掲）	1 056	35	388	271	362	301	227
Ⅵ　神　経　系　の　疾　患	8 227	264	855	1 242	5 866	5 353	4 622
ア　ル　ツ　ハ　イ　マ　ー　病（再掲）	2 427	0	1	25	2 401	2 355	2 236
Ⅶ　眼　及　び　付　属　器　の　疾　患	6 599	312	592	1 193	4 501	3 789	2 732
白　　内　　障（再掲）	1 613	1	7	158	1 447	1 253	913
Ⅷ　耳　及　び　乳　様　突　起　の　疾　患	1 071	217	170	215	469	384	280
Ⅸ　循　環　器　系　の　疾　患	28 859	98	608	3 469	24 684	22 425	18 984
高　血　圧　性　疾　患（再掲）	9 464	1	95	1 299	8 069	7 198	5 937
心疾患（高血圧性のものを除く）（再掲）	8 629	67	237	804	7 521	6 929	5 988
虚　血　性　心　疾　患（再掲）	2 072	1	26	225	1 820	1 631	1 328
脳　血　管　疾　患（再掲）	8 916	17	197	1 068	7 634	7 025	6 068
Ⅹ　呼　吸　器　系　の　疾　患	10 660	2 326	1 860	1 434	5 040	4 585	4 012
肺　　炎（再掲）	1 748	128	56	90	1 474	1 415	1 325
慢　性　閉　塞　性　肺　疾　患（再掲）	408	2	10	32	363	335	290
喘　　息（再掲）	1 823	499	309	379	636	530	408
Ⅺ　消　化　器　系　の　疾　患	8 477	208	1 157	1 821	5 292	4 589	3 689
胃　及　び　十　二　指　腸　の　疾　患（再掲）	2 028	11	276	514	1 227	1 036	797
肝　　疾　　患（再掲）	754	5	65	199	484	401	299
Ⅻ　皮　膚　及　び　皮　下　組　織　の　疾　患	3 155	559	813	646	1 137	966	764
ⅩⅢ　筋　骨　格　系　及　び　結　合　組　織　の　疾　患	16 754	257	986	3 258	12 253	10 541	8 173
炎　症　性　多　発　性　関　節　障　害（再掲）	2 103	21	167	562	1 353	1 091	781
関　　節　　症（再掲）	4 942	1	55	932	3 953	3 346	2 488
脊椎障害（脊椎症を含む）（再掲）	3 019	1	68	414	2 536	2 260	1 817
骨　の　骨　密　度　及　び　構　造　の　障　害（再掲）	1 431	5	15	100	1 310	1 197	1 007
ⅩⅣ　腎　尿　路　生　殖　器　系　の　疾　患	10 108	100	1 664	2 313	6 030	5 056	3 864
糸球体疾患，腎尿細管間質性疾患及び腎不全（再掲）	6 356	62	315	1 346	4 632	3 875	2 947
ⅩⅤ　妊　娠，分　娩　及　び　産　じ　ょ　く	2 251	3	2 232	15	1	1	1
ⅩⅥ　周　産　期　に　発　生　し　た　病　態	972	940	25	6	1	0	0
ⅩⅦ　先　天　奇　形，変　形　及　び　染　色　体　異　常	1 030	651	180	113	87	62	39
ⅩⅧ　症状，徴候及び異常臨床所見・異常検査所見で他に分類されないもの	2 490	149	373	451	1 518	1 338	1 097
ⅩⅨ　損　傷，中　毒　及　び　そ　の　他　の　外　因　の　影　響	14 773	495	1 117	1 717	11 445	10 585	9 349
骨　　折（再掲）	10 755	138	343	950	9 324	8 743	7 862

令和元年度（2019）

入院							入院外						
総数	0～14歳	15～44	45～64	65歳以上	70歳以上（再掲）	75歳以上（再掲）	総数	0～14歳	15～44	45～64	65歳以上	70歳以上（再掲）	75歳以上（再掲）
85 192	2 954	7 532	12 493	62 213	55 814	46 992	77 133	4 765	11 032	17 874	43 463	36 045	26 645
1 218	76	109	143	889	809	695	1 767	321	397	368	681	544	382
257	49	35	24	148	139	124	361	121	134	57	49	37	26
75	1	6	5	64	61	58	21	0	4	4	13	11	9
123	1	9	18	95	85	71	465	1	34	120	310	250	175
12 737	201	1 252	3 463	7 822	6 331	4 492	9 032	38	1 033	3 246	4 716	3 516	2 148
10 652	147	670	2 751	7 084	5 743	4 085	7 386	10	581	2 621	4 175	3 107	1 890
689	0	20	104	565	487	373	370	0	19	86	265	212	141
1 654	0	41	324	1 289	1 082	815	855	0	40	244	571	439	282
289	3	3	25	258	230	183	67	0	2	11	54	47	35
1 175	0	20	226	929	754	506	856	0	25	207	624	484	293
1 345	0	141	569	635	469	303	2 546	0	287	1 232	1 028	683	366
710	0	100	332	279	194	113	329	0	51	154	124	82	43
641	41	85	78	437	396	345	725	23	203	208	291	238	176
2 511	62	127	276	2 046	1 893	1 661	8 169	199	829	1 927	5 214	4 199	2 943
1 363	7	43	151	1 162	1 064	913	3 716	14	214	838	2 651	2 160	1 533
7 094	61	930	1 889	4 214	3 403	2 532	3 003	119	966	876	1 042	855	656
793	-	0	13	780	758	709	215	0	0	2	212	208	199
4 077	3	506	1 371	2 197	1 595	1 002	700	1	214	291	194	132	81
1 132	3	142	258	728	613	460	1 001	3	338	321	339	272	195
302	13	86	59	144	125	102	754	22	302	211	218	175	125
5 629	192	496	775	4 166	3 819	3 322	2 598	72	359	467	1 700	1 534	1 301
1 644	-	0	19	1 624	1 589	1 504	783	0	0	6	777	766	732
1 429	23	37	208	1 160	994	733	5 170	289	555	985	3 341	2 795	1 999
748	1	3	64	680	599	450	865	0	4	94	767	654	463
285	36	36	60	153	126	92	786	181	134	155	316	259	188
16 943	70	356	1 689	14 828	13 716	11 943	11 916	28	252	1 781	9 856	8 709	7 041
1 269	0	5	30	1 234	1 204	1 144	8 196	0	90	1 269	6 836	5 995	4 793
6 591	48	147	552	5 844	5 409	4 707	2 038	19	90	252	1 678	1 521	1 281
1 377	1	11	142	1 223	1 093	883	695	1	14	83	597	538	445
7 659	14	161	905	6 578	6 071	5 276	1 257	3	36	162	1 056	954	792
4 507	397	227	265	3 619	3 457	3 205	6 153	1 929	1 633	1 169	1 422	1 128	807
1 648	116	36	70	1 426	1 375	1 294	100	12	20	20	48	40	31
209	1	1	7	199	190	173	199	2	9	25	164	145	117
258	53	15	25	165	155	139	1 565	447	294	353	471	375	269
4 465	122	389	689	3 265	2 944	2 502	4 012	86	768	1 132	2 026	1 645	1 187
328	2	10	32	284	264	232	1 699	9	266	482	942	772	565
366	3	23	77	262	229	183	388	2	42	122	222	172	117
670	31	45	76	519	483	432	2 485	528	768	570	618	483	333
7 670	143	287	1 214	6 026	5 260	4 172	9 084	113	700	2 045	6 227	5 281	4 001
459	5	12	62	380	335	271	1 643	16	155	499	973	757	510
3 012	1	25	585	2 401	2 011	1 465	1 930	1	30	347	1 552	1 335	1 023
1 361	0	16	159	1 186	1 064	866	1 658	1	52	255	1 350	1 197	950
345	2	7	17	319	304	277	1 086	3	8	83	991	894	730
3 484	61	369	480	2 573	2 346	2 010	6 623	39	1 295	1 832	3 457	2 710	1 854
2 125	39	91	238	1 758	1 607	1 375	4 231	23	225	1 108	2 875	2 268	1 572
2 021	2	2 006	12	0	0	0	230	1	226	3	1	0	0
835	808	19	6	1	0	0	138	132	5	0	0	0	0
687	457	113	68	48	34	22	344	194	67	44	38	28	18
919	37	52	66	764	726	666	1 571	111	321	384	754	612	431
11 447	132	598	1 035	9 682	9 076	8 169	3 326	362	520	681	1 763	1 509	1 181
9 102	47	224	666	8 165	7 725	7 037	1 653	91	119	284	1 159	1 018	826

男（単位：％）

傷病分類	総数				数		
	総数	0～14歳	15～44	45～64	65歳以上	70歳以上（再掲）	75歳以上（再掲）
総　　　　数	100.0	100.0	100.0	100.0	100.0	100.0	100.0
Ⅰ 感染症及び寄生虫症	2.1	4.8	3.9	2.1	1.5	1.5	1.5
腸管感染症（再掲）	0.4	2.1	1.0	0.2	0.1	0.1	0.2
結核（再掲）	0.1	0.0	0.1	0.0	0.1	0.1	0.1
ウイルス性肝炎（再掲）	0.5	0.0	0.6	0.7	0.4	0.4	0.3
Ⅱ 新生物＜腫瘍＞	16.3	3.0	6.8	15.5	19.5	18.7	16.7
悪性新生物＜腫瘍＞（再掲）	14.9	2.2	5.1	13.8	18.1	17.5	15.6
胃の悪性新生物＜腫瘍＞（再掲）	1.5	0.0	0.2	1.1	2.0	2.0	1.8
結腸及び直腸の悪性新生物＜腫瘍＞（再掲）	2.3	0.0	0.7	2.5	2.7	2.5	2.2
肝及び肝内胆管の悪性新生物＜腫瘍＞（再掲）	0.6	0.1	0.1	0.4	0.8	0.8	0.7
気管，気管支及び肺の悪性新生物＜腫瘍＞（再掲）	2.6	0.0	0.4	2.5	3.3	3.1	2.5
乳房の悪性新生物＜腫瘍＞（再掲）	0.0	0.0	0.0	0.0	0.0	0.0	0.0
子宮の悪性新生物＜腫瘍＞（再掲）	・	・	・	・	・	・	・
Ⅲ 血液及び造血器の疾患並びに免疫機構の障害	1.1	2.0	3.2	1.0	0.7	0.7	0.7
Ⅳ 内分泌，栄養及び代謝疾患	6.8	3.4	6.0	8.5	6.6	6.3	5.9
糖尿病（再掲）	4.5	0.2	2.6	5.7	4.8	4.6	4.2
Ⅴ 精神及び行動の障害	5.7	3.7	12.2	9.0	3.7	3.2	2.9
血管性及び詳細不明の認知症（再掲）	0.4	0.0	0.0	0.1	0.6	0.7	0.9
統合失調症，統合失調症型障害及び妄想性障害（再掲）	2.8	0.0	5.3	5.3	1.8	1.3	0.9
気分（感情）障害（躁うつ病を含む）（再掲）	0.9	0.1	2.4	1.6	0.5	0.4	0.4
神経症性障害，ストレス関連障害及び身体表現性障害（再掲）	0.4	0.4	1.7	0.6	0.2	0.1	0.1
Ⅵ 神経系の疾患	4.6	3.5	7.2	4.8	4.3	4.5	4.8
アルツハイマー病（再掲）	0.8	0.0	0.0	0.1	1.2	1.4	1.8
Ⅶ 眼及び付属器の疾患	3.3	3.1	2.9	2.8	3.5	3.6	3.5
白内障（再掲）	0.7	0.0	0.1	0.4	1.0	1.1	1.1
Ⅷ 耳及び乳様突起の疾患	0.5	2.7	0.8	0.4	0.3	0.3	0.3
Ⅸ 循環器系の疾患	20.7	1.1	7.0	20.0	25.0	25.5	26.2
高血圧性疾患（再掲）	5.1	0.0	1.4	5.6	5.9	6.0	6.0
心疾患（高血圧性のものを除く）（再掲）	7.8	0.7	3.1	7.5	9.3	9.5	9.7
虚血性心疾患（再掲）	3.1	0.0	0.7	3.4	3.7	3.6	3.5
脳血管疾患（再掲）	5.9	0.2	1.8	5.2	7.4	7.7	8.2
Ⅹ 呼吸器系の疾患	7.7	29.2	11.0	3.9	6.5	7.1	8.2
肺炎（再掲）	1.3	1.5	0.4	0.4	1.8	2.0	2.4
慢性閉塞性肺疾患（再掲）	0.7	0.0	0.1	0.2	1.1	1.2	1.3
喘息（再掲）	1.0	7.0	1.3	0.7	0.4	0.4	0.5
Ⅺ 消化器系の疾患	6.1	2.6	9.7	7.0	5.6	5.5	5.6
胃及び十二指腸の疾患（再掲）	1.0	0.1	1.4	1.3	1.0	1.0	0.9
肝疾患（再掲）	0.6	0.1	0.7	0.9	0.5	0.5	0.4
Ⅻ 皮膚及び皮下組織の疾患	1.9	6.3	4.5	1.8	1.0	1.0	1.0
ⅩⅢ 筋骨格系及び結合組織の疾患	5.8	3.1	5.8	6.2	5.9	5.9	6.1
炎症性多発性関節障害（再掲）	0.5	0.2	0.6	0.7	0.5	0.5	0.4
関節症（再掲）	0.9	0.0	0.2	0.9	1.1	1.1	1.1
脊椎障害（脊椎症を含む）（再掲）	1.8	0.0	0.6	1.7	2.2	2.3	2.3
骨の骨密度及び構造の障害（再掲）	0.1	0.1	0.2	0.1	0.1	0.2	0.2
ⅩⅣ 腎尿路生殖器系の疾患	8.2	1.7	4.7	9.1	9.1	9.0	9.0
糸球体疾患，腎尿細管間質性疾患及び腎不全（再掲）	6.5	1.0	3.5	7.8	7.0	6.9	6.6
ⅩⅤ 妊娠，分娩及び産じょく	・	・	・	・	・	・	・
ⅩⅥ 周産期に発生した病態	0.7	11.5	0.1	0.0	0.0	0.0	0.0
ⅩⅦ 先天奇形，変形及び染色体異常	0.7	8.2	1.1	0.3	0.1	0.1	0.0
ⅩⅧ 症状，徴候及び異常臨床所見・異常検査所見で他に分類されないもの	1.3	1.9	1.8	1.2	1.3	1.3	1.3
ⅩⅨ 損傷，中毒及びその他の外因の影響	6.4	8.2	11.5	6.4	5.5	5.7	6.4
骨折（再掲）	3.1	2.9	4.5	2.8	3.0	3.3	3.8

注：傷病分類は、ICD-10（2013年版）に準拠した分類による。

入院－入院外・年齢階級・傷病分類・性別

令和元年度（2019）

| 入 院 | | | | | | | 入 院 外 | | | | | | |
総数	0～14歳	15～44	45～64	65歳以上	70歳以上（再掲）	75歳以上（再掲）	総数	0～14歳	15～44	45～64	65歳以上	70歳以上（再掲）	75歳以上（再掲）
100.0	100.0	100.0	100.0	100.0	100.0	100.0	100.0	100.0	100.0	100.0	100.0	100.0	100.0
1.5	2.5	2.0	1.3	1.5	1.5	1.6	2.7	6.2	5.1	2.9	1.6	1.5	1.4
0.3	1.6	0.5	0.1	0.2	0.2	0.2	0.5	2.5	1.3	0.3	0.1	0.1	0.1
0.1	0.0	0.1	0.1	0.1	0.1	0.2	0.0	0.0	0.1	0.0	0.0	0.0	0.0
0.1	0.0	0.2	0.2	0.1	0.1	0.1	0.8	0.0	0.8	1.2	0.8	0.7	0.6
19.0	6.7	10.4	18.9	20.7	19.6	17.2	13.3	0.6	4.4	12.2	17.7	17.4	16.0
17.5	5.4	8.3	17.0	19.3	18.3	16.0	12.1	0.2	3.0	10.8	16.5	16.2	14.9
1.8	0.0	0.3	1.3	2.2	2.2	2.1	1.1	0.0	0.2	0.9	1.6	1.6	1.4
2.7	0.0	0.8	3.0	3.0	2.8	2.5	1.8	0.0	0.6	2.1	2.3	2.1	1.8
0.9	0.1	0.1	0.7	1.0	1.0	1.0	0.2	0.0	0.0	0.2	0.3	0.3	0.3
2.8	0.0	0.4	2.5	3.3	3.1	2.5	2.4	0.0	0.4	2.5	3.2	3.0	2.5
0.0	-	0.0	0.0	0.0	0.0	0.0	0.0	・	0.0	0.0	0.0	0.0	0.0
・		・	・	・	・	・	・		・	・	・	・	・
0.7	1.5	0.8	0.5	0.7	0.7	0.7	1.5	2.3	4.8	1.4	0.8	0.7	0.7
2.8	2.0	2.5	2.7	2.9	2.9	3.1	11.3	4.3	8.2	14.0	11.8	11.3	10.6
1.8	0.1	1.3	1.9	1.9	1.9	2.0	7.6	0.2	3.4	9.3	8.8	8.5	7.9
7.6	1.8	15.8	13.4	5.4	4.5	3.8	3.6	4.9	9.8	4.9	1.4	1.3	1.3
0.7	-	0.0	0.2	0.9	1.0	1.1	0.1	0.0	0.0	0.0	0.2	0.3	0.4
4.4	0.1	9.5	9.0	2.8	2.0	1.4	0.9	0.0	2.6	1.7	0.3	0.2	0.2
0.8	0.1	1.5	1.4	0.5	0.5	0.4	1.0	0.0	3.1	1.8	0.4	0.3	0.3
0.2	0.3	0.7	0.2	0.1	0.1	0.1	0.7	0.4	2.4	0.9	0.2	0.2	0.2
5.9	6.6	11.3	5.8	5.4	5.5	5.9	3.2	1.5	4.5	3.9	2.8	2.8	3.1
1.1	-	0.0	0.1	1.5	1.8	2.1	0.4	0.0	0.0	0.0	0.7	0.8	1.1
1.5	0.7	1.1	1.5	1.6	1.5	1.4	5.3	4.7	4.0	4.1	6.3	6.6	6.8
0.6	0.0	0.1	0.3	0.8	0.8	0.8	0.9	0.0	0.1	0.4	1.4	1.5	1.5
0.3	1.4	0.6	0.3	0.2	0.1	0.1	0.8	3.5	1.0	0.6	0.5	0.5	0.5
24.7	2.0	11.3	25.0	27.5	27.8	27.9	16.1	0.5	4.3	15.3	21.4	22.1	23.3
0.9	0.0	0.1	0.4	1.2	1.3	1.5	9.9	0.0	2.3	10.4	12.7	12.9	13.4
11.4	1.4	5.9	12.4	12.3	12.2	12.0	3.7	0.4	1.3	2.9	5.1	5.4	5.9
4.4	0.0	1.3	5.5	4.7	4.4	4.0	1.7	0.0	0.3	1.3	2.4	2.5	2.6
9.5	0.4	3.8	9.2	10.7	11.0	11.3	1.9	0.1	0.4	1.4	2.7	2.9	3.2
7.3	14.0	6.7	3.0	8.2	9.1	10.5	8.2	38.7	13.9	4.8	4.1	4.2	4.4
2.3	3.5	0.7	0.7	2.9	3.3	3.8	0.1	0.2	0.2	0.1	0.1	0.1	0.2
0.6	0.0	0.1	0.2	0.9	1.0	1.1	0.8	0.0	0.1	0.3	1.3	1.4	1.6
0.2	2.1	0.2	0.1	0.0	0.2	0.2	1.8	10.1	2.1	1.2	0.8	0.9	0.9
6.7	4.3	9.1	7.3	6.3	6.3	6.4	5.5	1.5	10.0	6.7	4.5	4.3	4.2
0.4	0.1	0.4	0.5	0.5	0.5	0.5	1.7	0.2	2.0	2.0	1.7	1.7	1.7
0.6	0.1	0.5	0.9	0.5	0.5	0.4	0.6	0.1	0.9	0.9	0.5	0.5	0.5
0.7	1.0	1.0	0.8	0.7	0.7	0.7	3.1	9.7	6.8	2.8	1.5	1.5	1.4
5.5	4.1	5.4	5.8	5.5	5.5	5.6	6.1	2.5	6.0	6.6	6.4	6.5	6.9
0.2	0.1	0.1	0.2	0.2	0.2	0.2	0.9	0.2	0.9	1.2	0.9	0.9	0.8
0.9	0.0	0.2	1.0	1.0	1.0	0.9	0.9	0.0	0.3	0.8	1.2	1.2	1.4
2.0	0.0	0.7	2.1	2.2	2.2	2.2	1.7	0.0	0.6	1.4	2.3	2.4	2.7
0.1	0.1	0.3	0.1	0.1	0.1	0.1	0.1	0.1	0.1	0.1	0.2	0.2	0.3
4.2	2.9	2.6	3.5	4.7	4.9	5.1	12.8	1.0	6.0	14.3	15.3	15.3	15.3
3.0	1.6	1.7	2.4	3.4	3.5	3.6	10.5	0.6	4.6	12.9	12.2	11.9	11.6
・	・	・	・	・	・	・	・	・	・	・	・	・	・
1.1	25.1	0.1	0.0	0.0	0.0	0.0	0.2	2.9	0.0	0.0	0.0	0.0	0.0
0.9	16.1	1.8	0.3	0.1	0.1	0.0	0.4	3.3	0.6	0.2	0.1	0.1	0.1
0.9	1.4	0.7	0.6	0.9	1.0	1.1	1.9	2.2	2.5	1.8	1.7	1.7	1.6
8.7	6.1	16.7	9.1	7.9	8.1	8.9	3.9	9.6	8.1	3.8	2.1	2.1	2.2
4.7	2.9	7.6	4.5	4.6	4.9	5.6	1.3	3.0	2.5	1.3	0.8	0.9	1.0

第16表

女（単位：%）

傷　病　分　類	総 数	0〜14歳	15〜44歳	45〜64	65歳以上	70歳以上（再掲）	75歳以上（再掲）
			総		数		
総　　　　　　　　　　　　数	100.0	100.0	100.0	100.0	100.0	100.0	100.0
I　感　染　症　及　び　寄　生　虫　症	1.8	5.1	2.7	1.7	1.5	1.5	1.5
腸　管　感　染　症（再掲）	0.4	2.2	0.9	0.3	0.2	0.2	0.2
結　　　　　　　核（再掲）	0.1	0.0	0.1	0.0	0.1	0.1	0.1
ウ　イ　ル　ス　性　肝　炎（再掲）	0.4	0.0	0.2	0.5	0.4	0.4	0.3
II　新　　　生　　　物＜腫瘍＞	13.4	3.1	12.3	22.1	11.9	10.7	9.0
悪　性　新　生　物＜腫瘍＞（再掲）	11.1	2.0	6.7	17.7	10.7	9.6	8.1
胃　の　悪　性　新　生　物＜腫瘍＞（再掲）	0.7	0.0	0.2	0.6	0.8	0.8	0.7
結腸及び直腸の悪性新生物＜腫瘍＞（再掲）	1.5	0.0	0.4	1.9	1.8	1.7	1.5
肝及び肝内胆管の悪性新生物＜腫瘍＞（再掲）	0.2	0.0	0.0	0.1	0.3	0.3	0.3
気管,気管支及び肺の悪性新生物＜腫瘍＞（再掲）	1.3	0.0	0.2	1.4	1.5	1.3	1.1
乳　房　の　悪　性　新　生　物＜腫瘍＞（再掲）	2.4	0.0	2.3	5.9	1.6	1.3	0.9
子　宮　の　悪　性　新　生　物＜腫瘍＞（再掲）	0.6	0.0	0.8	1.6	0.4	0.3	0.2
III　血液及び造血器の疾患並びに免疫機構の障害	0.8	0.8	1.6	0.9	0.7	0.7	0.7
IV　内　分　泌,　栄　養　及　び　代　謝　疾　患	6.6	3.4	5.1	7.3	6.9	6.6	6.3
糖　　　尿　　　病（再掲）	3.1	0.3	1.4	3.3	3.6	3.5	3.3
V　精　神　及　び　行　動　の　障　害	6.2	2.3	10.2	9.1	5.0	4.6	4.3
血管性及び詳細不明の認知症（再掲）	0.6	0.0	0.0	0.0	0.9	1.1	1.2
統合失調症,統合失調症型障害及び妄想性障害（再掲）	2.9	0.1	3.9	5.5	2.3	1.9	1.5
気分（感情）障害（躁うつ病を含む）（再掲）	1.3	0.1	2.6	1.9	1.0	1.0	0.9
神経症性障害,ストレス関連障害及び身体表現性障害（再掲）	0.7	0.5	2.1	0.9	0.3	0.3	0.3
VI　神　経　系　の　疾　患	5.1	3.4	4.6	4.1	5.6	5.8	6.3
ア　ル　ツ　ハ　イ　マ　ー　病（再掲）	1.5	0.0	0.0	0.1	2.3	2.6	3.0
VII　眼　及　び　付　属　器　の　疾　患	4.1	4.0	3.2	3.9	4.3	4.1	3.7
白　　　内　　　障（再掲）	1.0	0.0	0.0	0.5	1.4	1.4	1.2
VIII　耳　及　び　乳　様　突　起　の　疾　患	0.7	2.8	0.9	0.7	0.4	0.4	0.4
IX　循　環　器　系　の　疾　患	17.8	1.3	3.3	11.4	23.4	24.4	25.8
高　血　圧　性　疾　患（再掲）	5.8	0.0	0.5	4.3	7.6	7.8	8.1
心疾患（高血圧性のものを除く）（再掲）	5.3	0.9	1.3	2.6	7.1	7.5	8.1
虚　血　性　心　疾　患（再掲）	1.3	0.0	0.1	0.7	1.7	1.8	1.8
脳　血　管　疾　患（再掲）	5.5	0.2	1.1	3.5	7.2	7.6	8.2
X　呼　吸　器　系　の　疾　患	6.6	30.1	10.0	4.7	4.8	5.0	5.4
肺　　　　　炎（再掲）	1.1	1.7	0.3	0.3	1.4	1.5	1.8
慢　性　閉　塞　性　肺　疾　患（再掲）	0.3	0.0	0.1	0.1	0.3	0.4	0.4
喘　　　　　息（再掲）	1.1	6.5	1.7	1.2	0.6	0.6	0.6
XI　消　化　器　系　の　疾　患	5.2	2.7	6.2	6.0	5.0	5.0	5.0
胃　及　び　十　二　指　腸　の　疾　患（再掲）	1.2	0.1	1.5	1.7	1.2	1.1	1.1
肝　　　疾　　　患（再掲）	0.5	0.1	0.4	0.7	0.5	0.4	0.4
XII　皮　膚　及　び　皮　下　組　織　の　疾　患	1.9	7.2	4.4	2.1	1.1	1.1	1.0
XIII　筋　骨　格　系　及　び　結　合　組　織　の　疾　患	10.3	3.3	5.3	10.7	11.6	11.5	11.1
炎　症　性　多　発　性　関　節　障　害（再掲）	1.3	0.3	0.9	1.9	1.3	1.2	1.1
関　　　節　　　症（再掲）	3.0	0.0	0.3	3.1	3.7	3.6	3.4
脊　椎　障　害（脊　椎　症　を　含　む）（再掲）	1.9	0.0	0.4	1.4	2.4	2.5	2.5
骨　の　骨　密　度　及　び　構　造　の　障　害（再掲）	0.9	0.1	0.1	0.3	1.2	1.3	1.4
XIV　腎　尿　路　生　殖　器　系　の　疾　患	6.2	1.3	9.0	7.6	5.7	5.5	5.2
糸球体疾患,腎尿細管間質性疾患及び腎不全（再掲）	3.9	0.8	1.7	4.4	4.4	4.2	4.0
XV　妊　娠,　分　娩　及　び　産　じ　ょ　く	1.4	0.0	12.0	0.0	0.0	0.0	0.0
XVI　周　産　期　に　発　生　し　た　病　態	0.6	12.2	0.1	0.0	0.0	0.0	0.0
XVII　先　天　奇　形,　変　形　及　び　染　色　体　異　常	0.6	8.4	1.0	0.4	0.1	0.1	0.1
XVIII　症状,徴候及び異常臨床所見・異常検査所見で他に分類されないもの	1.5	1.9	2.0	1.5	1.4	1.5	1.5
XIX　損　傷,　中　毒　及　び　そ　の　他　の　外　因　の　影　響	9.1	6.4	6.0	5.7	10.8	11.5	12.7
骨　　　　　折（再掲）	6.6	1.8	1.8	3.1	8.8	9.5	10.7

入院－入院外・年齢階級・傷病分類・性別

令和元年度（2019）

入				院			入		院		外		
総　数	0～14歳	15～44	45～64	65歳以上	70歳以上（再掲）	75歳以上（再掲）	総　数	0～14歳	15～44	45～64	65歳以上	70歳以上（再掲）	75歳以上（再掲）
100.0	100.0	100.0	100.0	100.0	100.0	100.0	100.0	100.0	100.0	100.0	100.0	100.0	100.0
1.4	2.6	1.4	1.1	1.4	1.4	1.5	2.3	6.7	3.6	2.1	1.6	1.5	1.4
0.3	1.7	0.5	0.2	0.2	0.2	0.3	0.5	2.5	1.2	0.3	0.1	0.1	0.1
0.1	0.0	0.1	0.0	0.1	0.1	0.1	0.0	0.0	0.0	0.0	0.0	0.0	0.0
0.1	0.0	0.1	0.1	0.2	0.2	0.2	0.6	0.0	0.3	0.7	0.7	0.7	0.7
15.0	6.8	16.6	27.7	12.6	11.3	9.6	11.7	0.8	9.4	18.2	10.9	9.8	8.1
12.5	5.0	8.9	22.0	11.4	10.3	8.7	9.6	0.2	5.3	14.7	9.6	8.6	7.1
0.8	0.0	0.3	0.8	0.9	0.9	0.8	0.5	0.0	0.2	0.5	0.6	0.6	0.5
1.9	0.0	0.5	2.6	2.1	1.9	1.7	1.1	0.0	0.4	1.4	1.3	1.2	1.1
0.3	0.1	0.0	0.2	0.4	0.4	0.4	0.1	0.0	0.0	0.1	0.1	0.1	0.1
1.4	0.0	0.3	1.8	1.5	1.4	1.1	1.1	0.0	0.2	1.2	1.4	1.3	1.1
1.6	0.0	1.9	4.6	1.0	0.8	0.6	3.3	0.0	2.6	6.9	2.4	1.9	1.4
0.8	0.0	1.3	2.7	0.4	0.3	0.2	0.4	0.0	0.5	0.9	0.3	0.2	0.2
0.8	1.4	1.1	0.6	0.7	0.7	0.7	0.9	0.5	1.8	1.2	0.7	0.7	0.7
2.9	2.1	1.7	2.2	3.3	3.4	3.5	10.6	4.2	7.5	10.8	12.0	11.6	11.0
1.6	0.2	0.6	1.2	1.9	1.9	1.9	4.8	0.3	1.9	4.7	6.1	6.0	5.8
8.3	2.1	12.3	15.1	6.8	6.1	5.4	3.9	2.5	8.8	4.9	2.4	2.4	2.5
0.9	-	0.0	0.1	1.3	1.4	1.5	0.3	0.0	0.0	0.0	0.5	0.6	0.7
4.8	0.1	6.7	11.0	3.5	2.9	2.1	0.9	0.0	1.9	1.6	0.4	0.4	0.3
1.3	0.1	1.9	2.1	1.2	1.1	1.0	1.3	0.1	3.1	1.8	0.8	0.8	0.7
0.4	0.4	1.1	0.5	0.2	0.2	0.2	1.0	0.5	2.7	1.2	0.5	0.5	0.5
6.6	6.5	6.6	6.2	6.7	6.8	7.1	3.4	1.5	3.3	2.6	3.9	4.3	4.9
1.9	-	0.0	0.2	2.6	2.8	3.2	1.0	0.0	0.0	0.0	1.8	2.1	2.7
1.7	0.8	0.5	1.7	1.9	1.8	1.6	6.7	6.1	5.0	5.5	7.7	7.8	7.5
0.9	0.0	0.0	0.5	1.1	1.1	1.0	1.1	0.0	0.0	0.5	1.8	1.8	1.7
0.3	1.2	0.5	0.5	0.2	0.2	0.2	1.0	3.8	1.2	0.9	0.7	0.7	0.7
19.9	2.4	4.7	13.5	23.8	24.6	25.4	15.4	0.6	2.3	10.0	22.7	24.2	26.4
1.5	0.0	0.1	0.2	2.0	2.2	2.4	10.6	0.0	0.8	7.1	15.7	16.6	18.0
7.7	1.6	2.0	4.4	9.4	9.7	10.0	2.6	0.4	0.8	1.4	3.9	4.2	4.8
1.6	0.0	0.1	1.1	2.0	2.0	1.9	0.9	0.0	0.1	0.5	1.4	1.5	1.7
9.0	0.5	2.1	7.2	10.6	10.9	11.2	1.6	0.1	0.3	0.9	2.4	2.6	3.0
5.3	13.4	3.0	2.1	5.8	6.2	6.8	8.0	40.5	14.8	6.5	3.3	3.1	3.0
1.9	3.9	0.5	0.6	2.3	2.5	2.8	0.1	0.3	0.2	0.1	0.1	0.1	0.1
0.2	0.0	0.0	0.1	0.3	0.3	0.4	0.3	0.0	0.1	0.1	0.4	0.4	0.4
0.3	1.8	0.2	0.2	0.3	0.3	0.3	2.0	9.4	2.7	2.0	1.1	1.0	1.0
5.2	4.1	5.2	5.5	5.2	5.3	5.3	5.2	1.8	7.0	6.3	4.7	4.6	4.5
0.4	0.1	0.1	0.3	0.5	0.5	0.5	2.2	0.2	2.4	2.7	2.2	2.1	2.1
0.4	0.1	0.3	0.6	0.4	0.4	0.4	0.5	0.0	0.4	0.7	0.5	0.5	0.4
0.8	1.0	0.6	0.6	0.8	0.9	0.9	3.2	11.1	7.0	3.2	1.4	1.3	1.2
9.0	4.8	3.8	9.7	9.7	9.4	8.9	11.8	2.4	6.3	11.4	14.3	14.7	15.0
0.5	0.2	0.2	0.5	0.6	0.6	0.6	2.1	0.3	1.4	2.8	2.2	2.1	1.9
3.5	0.0	0.3	4.7	3.9	3.6	3.1	2.5	0.0	0.3	1.9	3.6	3.7	3.8
1.6	0.0	0.2	1.3	1.9	1.9	1.8	2.1	0.0	0.5	1.4	3.1	3.3	3.6
0.4	0.1	0.1	0.1	0.5	0.5	0.6	1.4	0.1	0.1	0.5	2.3	2.5	2.7
4.1	2.1	4.9	3.8	4.1	4.2	4.3	8.6	0.8	11.7	10.2	8.0	7.5	7.0
2.5	1.3	1.2	1.9	2.8	2.9	2.9	5.5	0.5	2.0	6.2	6.6	6.3	5.9
2.4	0.1	26.6	0.1	0.0	0.0	0.0	0.3	0.0	2.0	0.0	0.0	0.0	0.0
1.0	27.4	0.3	0.0	0.0	0.0	0.0	0.2	2.8	0.0	0.0	0.0	0.0	0.0
0.8	15.5	1.5	0.5	0.1	0.1	0.0	0.4	4.1	0.6	0.2	0.1	0.1	0.1
1.1	1.3	0.7	0.5	1.2	1.3	1.4	2.0	2.3	2.9	2.1	1.7	1.7	1.6
13.4	4.5	7.9	8.3	15.6	16.3	17.4	4.3	7.6	4.7	3.8	4.1	4.2	4.4
10.7	1.6	3.0	5.3	13.1	13.8	15.0	2.1	1.9	1.1	1.6	2.7	2.8	3.1

令和元年度（2019）

都道府県	総数	医科診療医療費		歯科診療医療費	薬局調剤医療費	入院時食事・生活医療費	訪問看護医療費	療養費等	人口一人当たり国民医療費（千円）	総人口（千人）
		入院	入院外							
全　　国	443 895	319 583	168 992	150 591	30 150	78 411	7 901	2 727	5 124	351.8	126 167
01 北 海 道	21 799	16 029	9 594	6 435	1 275	3 768	472	84	171	415.2	5 250
02 青 森 県	4 500	3 164	1 660	1 504	246	960	81	21	27	361.1	1 246
03 岩 手 県	4 189	2 919	1 553	1 366	263	880	82	20	26	341.4	1 227
04 宮 城 県	7 584	5 373	2 750	2 622	485	1 508	120	35	62	328.9	2 306
05 秋 田 県	3 727	2 586	1 463	1 123	225	810	73	9	25	385.9	966
06 山 形 県	3 886	2 804	1 514	1 290	234	732	74	16	26	360.5	1 078
07 福 島 県	6 337	4 533	2 380	2 153	378	1 239	113	20	55	343.3	1 846
08 茨 城 県	9 238	6 516	3 304	3 213	619	1 856	144	34	68	323.0	2 860
09 栃 木 県	6 266	4 623	2 249	2 374	401	1 048	103	26	66	324.0	1 934
10 群 馬 県	6 392	4 763	2 454	2 309	396	1 020	117	32	64	329.1	1 942
11 埼 玉 県	22 854	16 054	8 062	7 992	1 680	4 359	333	118	310	310.9	7 350
12 千 葉 県	19 307	13 593	6 933	6 660	1 443	3 673	289	88	221	308.5	6 259
13 東 京 都	44 571	30 936	15 134	15 803	3 469	8 533	619	308	706	320.2	13 921
14 神 奈 川 県	28 889	19 866	9 858	10 008	2 183	5 890	385	172	392	314.1	9 198
15 新 潟 県	7 242	5 130	2 709	2 421	495	1 399	135	26	58	325.8	2 223
16 富 山 県	3 708	2 795	1 582	1 212	207	570	76	16	43	355.1	1 044
17 石 川 県	4 107	3 059	1 743	1 316	222	661	88	39	37	360.9	1 138
18 福 井 県	2 733	2 100	1 147	952	151	385	56	21	20	355.9	768
19 山 梨 県	2 826	2 017	1 076	941	181	530	53	13	32	348.5	811
20 長 野 県	6 978	5 014	2 706	2 308	427	1 315	119	29	75	340.6	2 049
21 岐 阜 県	6 816	4 885	2 400	2 485	510	1 189	104	49	79	343.0	1 987
22 静 岡 県	11 977	8 662	4 208	4 453	774	2 208	187	42	104	328.7	3 644
23 愛 知 県	23 964	17 166	8 074	9 093	1 938	4 007	332	236	285	317.3	7 552
24 三 重 県	6 136	4 499	2 271	2 228	393	1 053	105	38	48	344.5	1 781
25 滋 賀 県	4 503	3 237	1 745	1 492	286	835	75	25	44	318.5	1 414
26 京 都 府	9 514	6 988	3 757	3 230	630	1 507	168	62	159	368.3	2 583
27 大 阪 府	33 956	24 312	12 747	11 565	2 642	5 341	562	340	759	385.5	8 809
28 兵 庫 県	20 530	14 780	7 753	7 027	1 422	3 605	348	136	238	375.6	5 466
29 奈 良 県	4 926	3 732	1 909	1 822	324	694	84	37	55	370.4	1 330
30 和 歌 山 県	3 722	2 767	1 453	1 314	228	559	70	35	62	402.4	925
31 鳥 取 県	2 050	1 516	870	645	120	351	41	13	10	368.7	556
32 島 根 県	2 677	1 961	1 135	826	142	493	57	14	11	397.1	674
33 岡 山 県	7 178	5 456	2 929	2 528	481	1 033	137	34	35	379.8	1 890
34 広 島 県	10 544	7 608	4 023	3 585	734	1 857	203	60	82	376.0	2 804
35 山 口 県	5 684	4 182	2 464	1 718	318	978	142	28	36	418.5	1 358
36 徳 島 県	3 105	2 352	1 303	1 049	190	438	74	21	29	426.5	728
37 香 川 県	3 823	2 771	1 479	1 293	254	671	74	23	30	399.9	956
38 愛 媛 県	5 335	4 019	2 180	1 839	297	828	113	37	41	398.5	1 339
39 高 知 県	3 236	2 440	1 552	889	157	511	91	16	21	463.7	698
40 福 岡 県	20 134	14 710	8 565	6 145	1 360	3 237	463	153	211	394.5	5 104
41 佐 賀 県	3 394	2 485	1 417	1 069	188	592	81	18	29	416.4	815
42 長 崎 県	5 754	4 242	2 577	1 665	325	959	147	22	60	433.6	1 327
43 熊 本 県	7 163	5 443	3 162	2 281	385	1 059	190	37	50	409.8	1 748
44 大 分 県	4 751	3 555	2 107	1 448	231	785	116	29	34	418.6	1 135
45 宮 崎 県	4 093	3 009	1 675	1 334	227	698	99	27	32	381.4	1 073
46 鹿 児 島 県	6 943	5 291	3 198	2 093	339	1 018	197	35	63	433.4	1 602
47 沖 縄 県	4 854	3 639	2 169	1 470	274	768	108	32	33	334.1	1 453

注：1）都道府県別国民医療費は、国民医療費を患者の住所地に基づいて推計したものである。
　　2）総人口は、総務省統計局「令和元年10月1日現在推計人口（総人口）」である。

第17表

Ⅳ　参考資料

Ⅳ

1 国民医療費増減率の要因別内訳の年次推移

（単位：%）

	増　減　率	要			因
		診療報酬改定及び薬価基準改定による影響	人　口　の　増　減	人　口　の高　齢　化	そ　の　他
昭和60年度 （1985）	6.1	1.2	0.7	1.2	3.0
61 （ ’86）	6.6	0.7	0.5	1.2	4.1
62 （ ’87）	5.9	―	0.5	1.2	4.1
63 （ ’88）	3.8	0.5	0.4	1.3	1.6
平成元年度 （ ’89）	5.2	0.76	0.4	1.3	2.7
2 （ ’90）	4.5	1.0	0.3	1.6	1.5
3 （ ’91）	5.9	―	0.3	1.5	4.0
4 （ ’92）	7.6	2.5	0.3	1.6	3.0
5 （ ’93）	3.8	0.0	0.3	1.5	2.0
6 （ ’94）	5.9	1.95	0.2	1.5	2.1
7 （ ’95）	4.5	0.75	0.4	1.6	1.7
8 （ ’96）	5.6	0.8	0.2	1.7	2.8
9 （ ’97）	1.6	0.38	0.2	1.7	△0.7
10 （ ’98）	2.3	△1.3	0.3	1.6	1.7
11 （ ’99）	3.8	―	0.2	1.7	1.8
12 （2000）	△1.8	0.2	0.2	1.7	△4.0
13 （ ’01）	3.2	―	0.3	1.6	1.3
14 （ ’02）	△0.5	△2.7	0.1	1.7	0.4
15 （ ’03）	1.9	―	0.1	1.6	0.2
16 （ ’04）	1.8	△1.0	0.1	1.5	1.2
17 （ ’05）	3.2	―	0.1	1.8	1.3
18 （ ’06）	△0.0	△3.16	0.0	1.3	1.8
19 （ ’07）	3.0	―	0.0	1.5	1.5
20 （ ’08）	2.0	△0.82	△0.1	1.3	1.5
21 （ ’09）	3.4		△0.1	1.4	2.2
22 （ ’10）	3.9	0.19	0.0	1.6	2.1
23 （ ’11）	3.1	―	△0.2	1.2	2.1
24 （ ’12）	1.6	0.004	△0.2	1.4	0.4
25 （ ’13）	2.2	―	△0.2	1.3	1.1
26 （ ’14）	1.9	0.10	△0.2	1.2	0.7
27 （ ’15）	3.8	―	△0.1	1.0	2.9
28 （ ’16）	△0.5	△1.33	△0.1	1.0	△0.1
29 （ ’17）	2.2	―	△0.2	1.2	1.2
30 （ ’18）	0.8	△1.19	△0.2	1.1	1.1
令和元年度 （ ’19）	2.3	△0.07	△0.2	1.0	1.6

2 医療保険制度の沿革・点数表改定の年表

診療報酬改定・薬価基準改定		健康保険法改正等・その他医療費関連事項	
改定年月	内　　　容	施行年月	内　　　容
昭和26年12月 (1951)	点数単価改定　甲地12.5円　乙地11.5円		
		昭和29年 4月 (1954)	日雇労働者健康保険　医療給付費（療養の給付・ 療養費・家族療養費）に対し国庫負担1/10
		30('55) 6	健康保険　保険料率60/1000→65/1000
		8	国民健康保険　療養給付費（療養の給付及び療養 費の支給に関する費用額）に対し国庫補助を決 定、2/10を下らないものとする
			日雇労働者保険　給付期間0.5年→1年
			歯科補綴を給付範囲に含める
		31('56) 4	医薬分業の実施
		32('57) 3	原子爆弾被爆者の医療等に関する法律施行
		4	国民皆保険推進本部を設置し、国民健康保険全国 普及4か年計画を決定
			健康保険　標準報酬額改定
			日雇労働者健康保険　医療給付費に対し国庫負担 10/100→15/100
		7	健康保険　一部負担（本人）初診時100円、入院 時1日30円1か月を限度、国庫補助の明確化
33('58)10	新点数表（甲表・乙表・歯科）を設定し、単価を 10円とする　総医療費で8.5%引上げ	33('58) 4	日雇労働者健康保険　医療給付費に対し国庫負担 15/100→25/100
		5	児童福祉法改正により未熟児に養育医療の給付
		34('59) 1	国民健康保険法全文改正　市町村に設置義務、 5割給付、療養給付費補助金20/100、財政調整交 付金5/100
		4	日雇労働者健康保険　医療給付費に対し国庫負担 25/100→30/100
		35('60) 3	健康保険　保険料率65/1000→63/1000
		11月～36年春	病院スト全国的に続発
36('61) 7	点数表改定　総医療費で12.5%引上げ　入院料・看 護加算・往診料・歯科補綴料の特別引上げ、調剤報 酬について他との均衡を図る	36('61) 4	国民健康保険が全国に普及し国民皆保険達成
		6	日雇労働者健康保険　特別療養費支給
		7	日雇労働者健康保険　給付期間1年→2年
12	点数表改定　総医療費で2.3%引上げ　乳幼児加算 ・特定疾患加算・深夜診察料加算・基準給食料の特 別加算・処方箋料をそれぞれ新設	10	国民健康保険　世帯主の結核・精神障害の給付を 5割→7割　この給付に対し国庫補助20/100
			結核予防法第35条（命令入所）の適用強化
			精神衛生法第29条（措置入院）の国庫負担割合を 50/100→80/100
		37('62) 4	国民健康保険　療養の給付費に対する国庫補助を 20/100→25/00
		10	制限診療の緩和（抗生物質等使用基準の改正）
		12	地方公務員共済組合法施行
38('63) 9	地域差撤廃　乙地の診療報酬を甲地なみに引上げ、 この結果、総医療費で3.7%引上げが見込まれる	38('63) 4	健康保険　給付期間3年→転帰まで　継続給付に ついては3年→5年
			国民健康保険　給付期間の制限撤廃　ただし、昭 和40年3月31日まで経過措置として制限を認める
		10	国民健康保険　世帯主の給付率を5割→7割
			調整交付金市町村の療養給付費用見込額の5/100 →10/100（ただし38年は8.8/100）
		11	戦傷病者特別援護法施行
40('65) 1	点数表改定　総医療費で9.5%引上げ　初診時基本 診療料・初診料・入院料関係及び歯科の充てん・イ ンレー・補綴関係の点数引上げ　調剤報酬について も他との均衡を図る	40('65) 1	国民健康保険　4ケ年計画で世帯員の給付率を 5割→7割（開始）
		4	国民健康保険　療養の給付範囲制限撤廃
		10	精神衛生法第32条により「通院医療」が実施

診療報酬改定・薬価基準改定		健康保険法改正等・その他医療費関連事項	
改定年月	内　　　　容	施行年月	内　　　　容
昭和40年11月 (1965)	薬価基準の全面改定　総医療費の4.5%薬価引下げ、を行い、このうち約3%を医師の技術料にふりかえた　乳幼児入院加算・時間外麻酔加算を新設、乳幼児初診加算・特定疾患加算・深夜診療加算・写真診断料を引上げた　調剤報酬についても他との均衡を図った		
		昭和41年 4月 (1966)	健康保険　標準報酬上限の引上げ、保険料率を63/1000→65/1000
		6	国民健康保険　療養給付費国庫補助を市町村25/100→40/100　国保組合25/100 調整交付金　市町村10/100→5/100
42('67)10 12	薬価基準の全面改定　薬剤費に対して10.2%引下げ 点数表改定　医科7.68%、歯科12.65%の引上げ 主なものとしては、入院料(14%)、手術料(80%)の引上げ及び歯科材料技術料部分の分離　療養担当規則改正、乙表における注射及び措置で、薬の使用に伴う技術料加算の廃止、処方料の適正化	42('67) 8 9 10 12 43('68) 1 4	健康保険特例法により保険料率65/1000→70/1000 健康保険特例法により一部負担（本人）初診時100円→200円、入院時1日30円→60円 健康保険特例法により外来投薬時一部負担（本人）を新設し、1日1剤15円の負担 地方公務員災害補償法施行 国民健康保険　世帯員7割給付完全実施 国立病院特別会計法改正　診療費の割引制度廃止
44('69) 1	薬価基準の全面改定　薬剤費に対して5.6%引下げ	44('69) 9 12	健康保険法特例法廃止　保険料率70/1000、一部負担（本人）初診時200円、入院時1日60円、外来投薬時一部負担は廃止 公害にかかる健康被害の救済に関する特別措置法施行（医療については45年2月実施） 東京都老人医療費の給付を開始
45('70) 2 8	点数表改定　医科8.77%、歯科9.73%の引上げ なお7月1日から医科をさらに0.97%引上げ、9.74%の引上げとなる　主なものとしては初診料、再診料、入院料等の引上げ、入院時医学管理料の新設、内科加算は甲表では廃止し、乙表では内科再診料とする 歯科の手術料を約80%引上げ、歯冠修復及び欠損補綴について新項目を設ける 薬価基準の全面改定　薬剤費に対して3.0%の引下げ	45('70) 6	日雇労働者健康保険　疑似適用廃止
47('72) 2	点数表改定　医科13.70%、歯科13.70%、薬局6.54%の引上げ 1　医科 　　初診料・処置・理学療法・精神病特殊療法・手術・麻酔等の技術料を重点的に引上げるとともに、甲・乙一本化を促進し、診療報酬の適正化を行う 　○乙表に慢性疾患指導料を新設 　○薬剤料の算定に関し平均薬価制を廃止 　○基準看護の特類を新設 　○入院料を室料、看護料等に分け、甲表の入院期間による点数差額は廃止 　○入院時医学管理料を病院・診療所（甲表では更に入院期間）別に区分けし、それぞれ引上げ 2　歯科 　　補綴時診断料、歯冠形成の区分を新設するとともに歯冠修復及び欠損補綴の区分の整理 3　薬局調剤 　○保険調剤における調剤報酬に調剤基本料を新設 　○自家製剤加算の対象剤型を拡大するとともに加算額を引上げ	46('71) 7 47('72) 4 5 10	日本医師会　保険医総辞退（1日〜31日） 特定疾患治療研究事業費の開始 沖縄県の本土復帰に伴い国民健康保険法適用 身体障害者福祉法に内部障害適用を追加（これにより人工透析にも適用される）

診療報酬改定・薬価基準改定		健康保険法改正等・その他医療費関連事項	
改定年月	内　　　　容	施行年月	内　　　　容
昭和47年 2月 （1972）	薬価基準の全面改定　薬剤費に対して3.9%引下げ		
		昭和48年 1月 （1973） 10	老人福祉法により70歳以上の老人医療費無料化 老人福祉法により65歳以上のねたきり者医療費無料化 健康保険　家族給付率5割→7割給付、家族高額療養費新設（同一月、同一病院等からうけた家族療養費の患者負担限度額を3万円とする） 標準報酬額を改定 保険料率70/1000→72/1000、国庫補助10/100 保険料率が72/1000を超えるときは、その超える保険料率1/1000につき8/1000の補助率を上乗せ 日雇労働者健康保険　給付期間2年→3.5年 国民健康保険　高額療養費任意給付
49（'74）2	点数表改定　医科19.0%、歯科19.9%、薬局8.5%の引上げ 1　医科 ○再診料の引上げ、乙表における内科再診療の引上げを行うとともに、時間外加算、深夜加算引上げと休日加算の新設 ○入院時医学管理料を重点に、看護料、室料等入院関係項目全般にわたり引上げ ○身体障害者作業療法、精神科デイ・ケア等リハビリ関係項目の新設 ○処置、注射等甲・乙一本化の未実施項目等について措置 2　歯科 ○初診料の引上げ、心身障害者加算等の新設のほか、歯科独自の技術料の引上げを行うとともに咬合採得、仮床試適の新設 ○医科と同一項目について、医科の場合に準じて改正 3　薬局調剤 　調剤基本料、調剤料の引上げ 薬価基準の全面改定　薬剤費に対して3.4%の引下げ（抗生物質製剤等の再評価による削除を含む）	49（'74）3 5 9 11	政府管掌健康保険　48年度末累積赤字3,033億円棚上げ レセプト一本化　5月請求分から国保と老人医療の組み合わせ 公害健康被害補償法施行 レセプト一本化　11月請求分から国保と老人医療以外の組み合わせ 健康保険　保険料率72/1000→76/1000　国庫補助10/100→132/1000いずれも調整規定適用による
10	点数表改定　医科16.0%、歯科16.2%、薬局6.6%の引上げ 1　医科 ○再診料、検査料、手術料等について引上げを行い、特に高度な技術を要する手術及び検査並びに往診料、処方せん料等について大幅な引上げ ○入院料については看護料、入院時医学管理料、室料、給食料等全般について引上げを行うほか特二類看護を新設 2　歯科 ○初診時基本診療料、処置及び手術料、歯冠修復及び補綴料、理学療法料等について引上げを行うとともに、吸入鎮静法等の新設 ○その他医科と同一項目について、医科の場合に準じて改正 3　薬局調剤 　調剤基本料、内科薬剤料の引上げ		

	診療報酬改定・薬価基準改定			健康保険法改正等・その他医療費関連事項	
改定年月	内　　　容		施行年月	内　　　容	

改定年月	内　容	施行年月	内　容
昭和50年 1月 (1975)	薬価基準の全面改定　薬剤費に対して1.55%の引下げ（精神神経用剤等の再評価に伴う削除を含む）	昭和50年 1月 (1975)	日雇労働者健康保険　家族給付率５割→７割、家族高額療養費（患者負担限度額３万円）給付期間3.5年→５年へ
		10	国民健康保険　高額療養費法定給付、診療報酬全国決済制度実施（ただし一部従来通り）
51('76) 4	点数表改定　医科9.0%、薬局4.9%引上げ 1　医科　○初診料、時間外加算、レントゲン診断料、注射料等について引上げを行い、検査料、処置及び手術料について項目の新設　○入院料については、室料、看護料、給食料等全般について引上げたほか、病衣加算を新設 2　薬局調剤　調剤基本料、内服薬剤料の引上げ	51('76) 7	健康保険　標準報酬額改定 歯科差額徴収制度は７月31日をもって廃止　該当診療は８月１日からは保険外診療となる
		8	家族高額療養費　患者負担限度額３万円→3.9万円
		10	健康保険　保険料率76/1000→78/1000　国庫補助132/1000→148/1000　いずれも調整規定適用
8	点数表改定　歯科9.6%引上げ　初診料、時間外加算、歯冠修復及び欠損補綴等について引上げ、その他医科と同一項目については51.4.1の改正に準じた	11	レセプト一本化　11月請求分より政管・組合・日雇・船保と公費の組み合わせの場合
		52('77) 2	予防接種による健康被害救済措置実施
53('78) 2	点数表改定　医科11.5%、歯科12.7%、薬局5.6%の引上げ　薬剤費引下げを含めた実質ベースでは医科9.3%、歯科12.5%、薬局1.6%の引上げ 1　医科　○診察料、検査料、レントゲン診断料、理学療法料、精神病特殊療法料、処置及び手術料、麻酔料等について引上げるとともに、コンピューター断層撮影、腎移植術等の開発技術等の導入、人工透析の再評価等を行う　○入院料については、最近のいわゆる保険外負担問題の改善を図るための関連項目の重点的な引上げ及び医療食加算、特定集中治療室管理加算、二類特別加算を新設 2　歯科　根管治療等歯内療法、歯冠修復、欠損補綴等を中心に引上げるとともに、４歳未満の乳幼児の診療に対する加算の新設、材料差額制度の一部実施、従来の保険給付外診療の保険導入を行う　その他医科と同一項目について、医科の場合と同様の改正 3　薬局調剤　調剤基本料、調剤料、自家製剤加算、内服薬計量混合加算の対象製剤に湯剤を新設 薬価基準の全面改定　薬剤費に対して5.8%の引下げ、銘柄別薬価収載方式を適用	53('78) 1	健康保険　標準報酬額改定　特別保険料を臨時措置として新設（賞与の１%、当面の間被保険者負担分の2/5を免除し、この額を国庫補助とする）　一部負担（本人）初診時200円→600円、入院時60円→200円
		2	健康保険　保険料率78/1000→80/1000　国庫補助148/1000→164/1000　いずれも調整規定適用
		4	国民健康保険　国保組合に対し療養給付費の40/100に相当する額に達するまでの範囲国庫補助 国民健康保険　保健婦が市町村へ移管
		54('79)10	医薬品副作用被害救済基金法施行（給付開始は55年４月以降）
56('81) 6	点数表改定　医科8.4%、歯科5.9%、薬局3.8%、平均8.1%引上げ　薬剤費引下げを含めた実質ベースでは平均2.0%の引上げとなり、更に材料費等の引下げを含めると実質1.4%の引上げとなる	56('81) 3	健康保険　保険料率80/1000→84/1000　家族給付率　入院７割→８割へ　一部負担（本人）初診時600円→800円、入院時１日200円→500円　国庫補助164/1000～200/1000の範囲内で政令で定める割合（調整規定廃止）、ただし当分の間164/1000 家族高額療養費　市町村民税非課税者（本人・家族）に対しては限度額を１万５千円とする

診療報酬改定・薬価基準改定		健康保険法改正等・その他医療費関連事項	
改定年月	内　　　　容	施行年月	内　　　　容
昭和56年 6月 (1981)	1　医科 　　技術料重視の観点から初診料等の診察料、入院時医学管理料の引上げを図ったほか、手術料については約40%引上げ、腹水濾過濃縮再静注法等の新開発技術を導入する一方、人口腎臓について物と技術の分離を行う　更に、リハビリテーション関連を中心に大幅な引上げを図り理学療法料を約80%引上げ 　　プライマリーケアの充実等のため慢性疾患指導管理料、開発型病院共同指導料その他の管理料の大幅引上げ・新設を行った　このほか、検査料関係については全面的な見直しを行ったほか、インシュリン製剤及びヒト成長ホルモン剤の自己注射を導入 　　保険外負担の解消を図るため、重傷者について室料特別加算、看護特別加算を創設し、差額ベッド問題、付添看護問題に対処 2　歯科 　　歯科独自の技術料である処置のうちの欠損補綴等を中心に改善を図ったほか、心身障害者の歯科医療の確保を図るため著しく歯科診療の困難な心身障害者に対する診療に加算を新設するとともに4歳未満の乳幼児加算を6歳未満に引上げた 　　また、検査については、医科甲表により取り扱うこととし、歯科独自の検査を新設 　　その他医科と同一項目について、医科の場合と同様の改正 3　薬局調剤 　　インシュリン製剤及びヒト成長ホルモン剤の自己注射の導入に伴い、新たな特定治療器材料の支給を認める 　　その他、調剤基本料、自家製剤加算、計量混合調剤加算（従来、内服薬のみを対象にしていたが頓服薬も含めることにした）について引上げ 薬価基準の全面改定　薬剤費に対して18.6%の引下げ	昭和56年10月 (1981) 11	健康保険　標準報酬額改定 健康保険　保険料率84/1000→85/1000（保険料調整規定の適用）
		57('82) 9 10	家族高額療養費　患者負担限度額 3.9万円→4.5万円（被保険者が市町村民税非課税者の場合は1.5万円）老人保健法が施行されるまでの間70歳以上の者、ねたきり老人等は限度額を3.9万円とする　日雇労働者健康保険3.9万円 厚生省「国民医療費適正総合対策推進本部」設置
58('83) 1 2	薬価基準の全面改定　薬剤費に対して4.9%の引下げ　90%バルクライン→実質81%バルクライン 老人点数表の設定　これに伴い医科、歯科点数を微調整	58('83) 1 2	家族高額療養費　患者負担限度額 4.5万円→5.1万円 老人保健法施行 一部負担（入院1日300円、2か月を限度、外来1月400円）
59('84) 3	点数表改定　医科3.0%、歯科1.1%、調剤1.0%、平均2.8%引上げ　薬剤費引下げを含めた実質ベースでは平均2.3%の引下げ	59('84) 3 10	健康保険　保険料率85/1000→84/1000 健康保険法改正　日雇労働者健康保険法の廃止、政府管掌健康保険に統合される 退職者医療制度の発足　給付率　本人8割、家族入院8割、入院外7割 被用者保険本人に一割自己負担導入

診療報酬改定・薬価基準改定		健康保険法改正等・その他医療費関連事項	
改定年月	内　　　　容	施行年月	内　　　　容
昭和59年 3月 (1984)	1　医科 ○救命救急センターなど、救急医療の重点評価と、入院時医学管理料、入院料の引上げ ○プライマリケアの充実で、基礎的な技術料の引上げ、慢性疾患指導管理料の対象疾患の中で相談・指導に効果があると考えられる疾病について重点的に評価するとともに、緊急往診料の加算を新設 ○CAPDの在宅医療への導入、レーザーメスの対象手術についての加算の拡大、デジタルアンギオグラフィ（コンピュータ血管造影装置）の導入等の新医療技術の導入 ○在宅医療の推進と長期入院の是正 2　歯科 歯冠修復及び欠損補綴技術料の引上げ、レジン表面滑沢硬化法の新設 薬価基準の全面改定　薬剤費に対して16.6％の引下げ	昭和59年10月 (1984)	高額療養費の改善 ・世帯合算による償還払い（自己負担額が月3万円以上の同一月のレセプトを同一世帯で合算し、合算額から5.1万円を控除した額） ・高額多数該当世帯の負担軽減（直近の12ヶ月間に合算により支給される高額療養費に係る療養が4回以上あった世帯について、4回目以降の患者負担限度額は3万円） ・市町村民税非課税者等に対しては合算基準額2.1万円、負担限度額3万円、多数該当の場合の負担限度額は2.1万円 ・長期間にわたっての高額な治療の自己負担限度額は1万円とし、超える部分は現物給付 特定療養費制度の創設 健康保険　標準報酬額改定 国民健康保険の国庫補助率を医療費の45％から医療給付費の50％（医療費ベースで39％程度）に改定
60('85) 3	点数表改定　医科3.5％、歯科2.5％、調剤0.2％、平均3.3％引上げ　薬剤費引下げを含めた実質ベースでは平均1.2％引上げ 1　医科 NMR（磁気共鳴CT）、経皮的冠動脈形成術、超音波メスなどの新医療技術の保険導入 技術料重視の面から、手術料の平均14％の引上げ、人工透析は4時間で区切り、4時間〜5時間未満の点数引上げ、5時間以上の点数引下げ、その代わり導入期については加算を新設　処方料・処方せん料の包括化、乙表では入院時医学管理料に処方料を包括　オートマティックにできる多項目検査の引下げ　内視鏡検査、病理学的検査の引上げ 病院入院、診療所入院外を重点評価　病院と診療所の機能連携等を地域医療計画の中でつくるための誘導策の1つとして、診療情報提供料（入退院患者紹介料の名称を変更）を新設 2　歯科 診療報酬の合理化の観点から、再診料、歯内療法、歯冠修復の合理化を進める一方、技術料重視も合理化の線で行っている　また歯槽膿漏指導管理料、乳幼児・学童、思春期・妊娠中の患者に対する歯科口腔衛生指導料を新設 3　薬局調剤 調剤技術料における劇薬調剤加算の引上げ	60('85) 4 10	生活保護法、精神衛生法29条（措置入院）等の国庫負担割合を80/100→70/100 高度先進医療の実施
61('86) 4	点数表改定　医科2.5％、歯科1.5％、調剤0.3％、平均2.3％引上げ　薬剤費引下げ等を含めた実質ベースでは平均0.7％引上げ 1　医科 合理化と医業経営の安定を柱に①病院・診療所の機能別に評価　②在宅医療の促進　③長期入院・超過入院の是正　④技術料の重視　⑤高度先進医療の保険導入　⑥検査料の合理化が行われた 老人診療報酬では、「より適切、効率的な老人診療報酬の改定」という観点から①在宅医療の促進　②入院医療の適正化　③老人病院にふさわしい診療報酬の設定	61('86) 3 5	健康保険　保険料率84/1000→83/1000　任意継続被保険者については4月1日から（保険料率調整規定の適用による） 高額療養費　患者負担限度額5.1万円→5.4万円（市町村民税非課税者等の患者負担限度額は3万円の据え置き）

診療報酬改定・薬価基準改定		健康保険法改正等・その他医療費関連事項	
改定年月	内　　　容	施行年月	内　　　容
昭和61年 4月 (1986)	2　歯科 　　①技術料重視の診療報酬の確率　②前装鋳造冠を保険給付へ導入　③重度心身障害者等の歯科診療の確保　④歯科材料価格基準の改正等による歯科材料の適正化　⑤老人診療報酬の適正化		
		昭和62年 1月 (1987)	老人保健法改正　①一部負担　入院1日300円→400円無制限　入院外1月400円→800円（市町村民税非課税者等は据え置き）　②老人医療費拠出金加入者按分率の引上げ(44.7%→80%) 老人保健施設モデル事業を新設 「国民医療総合対策本部」設置
		3	老人医療費拠出金加入者按分率90%となる
		6	「国民医療総合対策本部」中間報告
63('88) 4	点数表改定　医科3.8%、調剤1.7%、平均3.4%引上げ 医科 　　良質で効率的な医療の確保の上から①診療所のプライマリケア機能、病院の高次機能の評価（高度専門病院への紹介外来制導入）　②長期入院の是正　③在宅医療の推進（在宅医療の部の新設）　④検体検査全体の再編成　⑤基本看護料の新設　⑥高度医療技術の再評価が行われた	63('88) 3	公害健康被害補償法の第1種の地域指定を解除 「公害健康被害の補償等に関する法律」と改正
		4	老人保健施設の開始
		6	国民健康保険法一部改正
		7	精神衛生法を精神保健法に改正
6	歯科1.0%引上げ　薬剤、歯科材料の引下げを含めた実質ベースでは0.5%引上げ		
平成元年 4 ('89)	点数表改定　平均0.11%引上げ　薬価基準の引上げ2.4%を含めた実質ベースでは0.76%の引上げ （1989.4.1消費税の導入に伴う1か月分の在庫調整したもの） 消費税の導入に伴い、その円滑かつ適正な転嫁を確保する観点から、消費税の影響が明らかであると考えられる代表的な診療報酬点数について引上げを行った	平成元年 4 ('89)	生活保護法、精神保健法29条等の国庫負担割合を7/10→3/4として恒久化
		6	高額療養費　患者負担限度額5.4万円→5.7万円（市町村民税非課税者等の患者負担限度額は3万円→3万1800円）
2('90) 4	点数表改定　医科4.0%、歯科1.4%、調剤1.9%、平均3.7%の引上げとなっており、薬価基準の9.2%の引下げ（医療費ベースで2.7%）と併せて実質1.0%の引上げとなった 　　技術料重視の方針の下に診療報酬の合理化を図る見地から診療報酬の決定を行うとともに、医療機関の機能、特質に応じた評価、入院の適正化、在宅医療の推進、検査の適正化、老人医療の見直しを行った （老人診療報酬に特例許可老人病院入院医療管理料が新設された）	2('90) 3	老人医療費拠出金加入者按分率が100%となる 健康保険　保険料率83/1000→84/1000
		6	国民健康保険法一部改正
		3('91) 5	高額療養費　患者負担限度額5.7万円→6万円（市町村民税非課税者等の患者負担限度額は3万1800円→3万3600円）
		9	老人保健法の改正 1　老人訪問看護制度の新設　　　（4年4月） 2　介護に着目した公費負担割合の拡大 　　　　　　　　　　　　30%→50%（4年1月） 3　一部負担金の額の改正とスライド制の導入 　　　　　　　　　　　　　　　　（4年1月） 4　老人保健施設入所対象者の拡大（4年1月） 　　（65歳未満の初老期痴呆患者可）

診療報酬改定・薬価基準改定		健康保険法改正等・その他医療費関連事項	
改定年月	内　　　容	施行年月	内　　　容
平成 4年 4月 (1992)	点数表の改定　医科5.4%、歯科2.7%、調剤1.9%、平均5.0%の引上げ、薬価基準の8.1%引下げ（医療費ベースで2.5%）と併せて実質2.5%の引上げとなった 　病院、診療所の評価の明確化、医療機関の機能、特質に応じた評価を行うとともに、基準看護の適正な評価等良質な看護サービスの安定化、効率的供給の確保に努める　（甲、乙表二の差違の縮小） ○薬価算定方式をバルクラインから加重平均方式に ○肝炎の薬インターフェロン保険適用 ○白内障患者の眼内レンズ保険適用	平成 4年 1月 (1992) 4 7	老人医療費一部負担　入院　　　　1日400円→600円 　　　　　　　　　　入院外　1月800円→900円 健康保険法等の一部を改正する法律 1　健康保険料率84/1000→82/1000 　　国庫補助率の引下げ164/1000→130/1000 　　（老人保健拠出金は164/1000で据え置き） 2　標準報酬等級の上下限改定(10月) 　　下限　　68,000円→ 80,000円 　　上限　710,000円→980,000円 医療法の一部を改正する法律 1　医療のめざすべき方向 2　医療施設機能の体系化（1年以内） 　　（特定機能病院、療養型病床群） 3　医療に関する適切な情報提供（1年以内） 4　業務委託の水準確保 5　医療法人の業務範囲として疾病予防施設の明示 看護婦等の人材確保の促進に関する法律 1　厚生、労働、文部の三省が看護婦養成などの基本指針を策定する 2　看護婦が一定配置基準より少ない病院に看護婦等確保推進者を置く
5('93) 4	点数表の改定 　4年7月の医療法改正により特定機能病院及び療養型病床群が制度化されたことを受け、これら施設の機能及び特性に応じ適切な評価を行うとともに、特定療養費制度の活用を図る	5('93) 4 5 12	国民健康保険法の一部を改正する法律 1　国保財政安定化支援事業の制度化 2　保険基盤安定制度にかかる国庫負担の変更 　　（1/2の定率負担から100億円の定額負担） 老人医療費一部負担　入院1日　600円→　700円 　　　　　　　　　　入院外1月　900円→1,000円 高額療養費　患者負担限度額6万円→6.3万円 　（市町村民税非課税者等の患者負担限度額は3万3600円→3万5400円） 医療保険審議会建議 「保険給付の範囲・内容の見直しに関する建議」
6('94) 4	点数表の改定・新設　医科3.5%、歯科2.1%、調剤2.0%、平均3.3%の引上げ、薬価基準の6.6%引下げ（医療費ベースで2.1%）と併せて実質1.2%の引上げとなった 　中医協診療報酬基本問題小委員会の報告の検討の方向を踏まえ、昭和33年以来の現行診療報酬体系を改革するとともに、医療機関の機能・特質に応じた評価、技術の重視、在宅医療の推進、老人患者の心身の特性にふさわしい医療の推進、薬剤使用・検査の適正化などを図り、診療報酬の合理化を推進しながら、患者ニーズの多様化に対応する ○甲乙二つの点数表の一本化 　（新診療報酬点数表の制定） ○改定を4月と10月の二段階実施 　（10月は健康保険法等の改正に伴うもの） ○地域差の導入（入院環境料の加算）	6('94)10	健康保険法等の一部を改正する法律 　健康保険法、国民健康保険法等の医療保険制度及び老人保健福祉制度を一括して改正（保険給付の内容・質に関する改正） 1　療養の給付の規定の整備 2　付添看護療養費の廃止 3　訪問看護療養費の創設 4　入院時食事療養費の創設 　　（定額の患者一部負担導入） 　　入院時食事療養費に係る標準負担額 　　一般　　　　　　　　　　　600円 　　市町村民税非課税世帯等 　　　3ヶ月目までの入院　　　450円 　　　4ヶ月目以降の入院　　　300円 　　老齢福祉年金受給権者　　　200円 5　移送費の現金給付化 6　出産育児一時金の創設 7　標準報酬月額の下限改定80,000円→92,000円 8　療養取扱機関の廃止、保険医療機関へ統合 9　社会福祉施設入所者に対する住所地主義の特例（7年4月）

診療報酬改定・薬価基準改定		健康保険法改正等・その他医療費関連事項	
改定年月	内　　　容	施行年月	内　　　容
平成 6年10月 （1994）	点数表の改定　医科1.7%、歯科0.2%、調剤0.1%、 平均1.5%の引上げ 「疾病リスクに対する経済的不安の解消」、「サービスの質の向上や患者ニーズの多様化への対応」、「費用負担の公平化」、「給付の重点化」を基本理念として行われた医療保険制度・老人保健福祉制度の改定と一体のものとして、①新看護体系の創設と付添看護・介護の解消、②在宅医療推進のための評価、③基準給食の見直し及び食事の質の向上に対する評価などを行い、良質かつ適切な医療を提供するものである ○患者2人に対し看護要員1人体制づくりの推進 ○訪問看護ステーションによる訪問看護事業の対象を難病患者、重度障害者、精神障害者等に拡大 ○基準給食を入院時食事療養費に改編し、多様なメニューの提供、食堂での食事、入院時の栄養食事指導など入院患者の食事の質の向上	平成 6年10月 （1994）	10　老人保健施設等の整備に対する助成制度の創設 11　老人保健福祉審議会の創設
		7（'95）4	国民健康保険法等の一部を改正する法律 1　国保財政安定化支援事業及び保険基盤安定制度に係る暫定措置の2年間継続 2　応益割合に応じた保険料（税）軽減制度の創設 3　精神・結核医療に係る住所地特例の創設 4　老人医療費拠出金の算定に用いられる老人加入率の上下限を引上げ 5　公費負担割合5割となる老人医療費の対象の拡大 老人医療費一部負担 　入院外　1月1,000円→1,010円 　（入院は1日700円据え置き）
		7	原子爆弾被爆者に対する援護に関する法律 原子爆弾被爆者に対する医療等に関する法律と原子爆弾被爆者に対する特別措置に関する法律を一本化 精神保健法の一部を改正する法律 結核予防法の一部を改正する法律 ・法律の題名を「精神保健法」から「精神保健及び精神障害者福祉に関する法律」に改正 ・精神医療及び結核医療に係る公費負担医療の公費優先の仕組みを保険優先の仕組みに改正

診療報酬改定・薬価基準改定		健康保険法改正等・その他医療費関連事項	
改定年月	内　　　容	施行年月	内　　　容
平成 8年 4月 (1996)	点数表の改定　医科3.6%、歯科2.2%、調剤1.3%、平均3.4%の引上げ　薬価基準の6.8%引下げ（医療費ベースで2.6%）と併せて実質0.8%の引上げとなった 　療養型病床群の整備の促進、急性期医療と長期療養の適正な評価、病院・診療所の機能分担の推進等診療報酬の面から医療機関の機能分担と連携を積極的に推進するとともに、薬価の設定方式の見直しと併せて、医薬品の適正使用や適正な医薬分業を推進する診療報酬上の措置を講ずることにより、薬剤費の問題について構造的な施策を講ずる等、診療報酬の合理化に取り組もうとするものである 　また、薬剤費の適正化等の一方、急性期医療、小児医療、精神医療、歯周疾患治療等ニーズの高い分野については、技術料を重点的に評価し良質な医療を確保しようとするものである 　さらに、患者の医療ニーズの高度化等に対応するため、患者に対する情報提供を推進するとともに、患者の選択を前提に特定療養費制度の活用を図ることとしている ○一般病院から療養型病床群への転換の促進、病院・診療所の機能分担を踏まえた適正な評価等により医療機関の機能分担を推進 ○3歳未満児の外来診療を1日単位で包括化 ○老人の慢性疾患に対する外来医療の包括化	平成 8年 4月 (1996) 6 7 10	らい予防法廃止 老人医療費一部負担　入院1日　700円→　710円 　　　　　　　　　　入院外1月1,010円→1,020円 高額療養費　患者負担限度額63,000円→63,600円 （市町村民税非課税者等の患者負担限度額は35,400円） 「国民医療総合政策会議」設置 入院時食事療養費に係る標準負担額 　一般　　　　　　　　　　600円→700円 　市町村民税非課税世帯等 　　3ヶ月目までの入院　　450円→650円 　　4ヶ月目以降の入院　　300円→500円 　老齢福祉年金受給権者　　200円→300円
9('97) 4	点数表の改定　消費税引上げに伴う改正は0.77%（診療報酬分0.32%、薬価基準等分0.45%）、診療報酬の合理化を図るための改定は0.93%、併せて1.70%の引上げ、薬価基準は4.4%（医療費ベースで1.27%）、特定保険医療材料0.05%、併せて医療費ベースで1.32%の引下げとなり、全体では実質0.38%の引上げとなっている 　消費税率の引上げに伴う臨時特例的な措置として、保険医療機関等の消費税負担について、診療報酬の所要の改定を行うとともに、医療保険制度改革と一体になって、診療報酬の合理化・適正化を推進していくものである　このため、我が国の平均在院日数は諸外国と比べても長いこと等に鑑み、長期入院の是正に取り組む一方、在院期間の短い急性期入院については充実を図るほか、医療の効率化に向けた医療技術等の評価、診療報酬体系の見直しに向けた国立病院等における入院医療定額払い方式の試行等に取り組む ○保険医療機関の平均在院日数に応じた入院時医学管理料の体系化 ○医療の効率化に向けた医療技術等の評価 ○国立病院等における入院医療定額払い方式の試行 ○点数表の簡素合理化	9('97) 8 9	21世紀の医療保険制度（厚生省案）-医療保険及び医療提供体制の抜本的改革の方向-発表 健康保険等の一部を改正する法律 1　健康保険法の一部改正 　①被保険者本人の療養の給付等に係る一部負担の割合について1割とする経過措置を廃止し、法律本則に規定する2割とする 　②入院外の薬剤の支給に一部負担を設ける 　　内服薬1日分につき　　1種類　　　　0円 　　　　　　　　　　　　2～3種類　　30円 　　　　　　　　　　　　4～5種類　　60円 　　　　　　　　　　　　6種類以上　100円 　　外用薬　　　　　　　1種類　　　50円 　　　　　　　　　　　　2種類　　　100円 　　　　　　　　　　　　3種類以上　150円 　　頓服薬1種類につき　　　　　　　10円 　　＊6歳未満の者の薬剤負担は免除 　③政府管掌健康保険の保険料率の引上げ 　　8.2%→8.5% 　④医療保険福祉審議会（政令で定める）の設置 2　国民健康保険法の一部改正 　①入院外の薬剤の支給に一部負担を設ける 　　健康保険法の一部改正と同じ内容 　②保険基盤安定制度に係る国庫負担額の特例措置を平成10年度までとし、段階的に増額 　③国民健康保険組合に対する国庫補助見直し

診療報酬改定・薬価基準改定		健康保険法改正等・その他医療費関連事項	
改定年月	内　　　　容	施行年月	内　　　　容
		平成 9年 9月 (1997)	3　老人保健法の一部改正 　①老人医療費の一部負担 　　　入院　　1日　　　710円→1,000円（9年度） 　　　　　　　　　　　　　　　　　　1,100円（10年度） 　　　　　　　　　　　　　　　　　　1,200円（11年度） 　　　低所得者　　　300円→　500円 　　　入院外　1月1,020円→1日につき500円 　　　　　　（同一保険医療機関月4回限度） 　　（注）入院、入院外の一部負担の額は、2年ご 　　　　とに1日当たり医療費の額に10円以上の変 　　　　動がある場合改定する　入院外は平成11年 　　　　度、入院は平成13年度以降 　②入院外の薬剤の支給に一部負担を設ける 　　健康保険法の一部改正と同じ内容 　＊低所得者（市町村民税非課税世帯等に属する 　　老齢福祉年金受給者）の薬剤負担は免除
平成10年 4月 (1998)	点数表の改定　医科1.5%、歯科1.5%、調剤0.7%、 平均1.5%の引上げ、薬価基準平均9.7%（医療費ベー ス2.8%）の引下げと併せて、実質1.3%の引下げと なった 　医療機関等における人件費・物件費の上昇に相当 するものとして1.5%の改定を行うとともに、医科 については、長期入院の是正や検査・画像診断の適 正化等の合理化を行い、その合理化相当分の財源を 急性期医療の評価や患者に対する情報提供の推進等 に充てることとしたものである	10	臓器の移植に関する法律施行
		11('99) 4	老人医療費一部負担 　　　入院　　1日1,100円→1,200円 　　　入院外1日　500円→　530円
		7	老人医療費一部負担　薬剤の一部負担を国が代わっ て支払うことを内容とする臨時特例措置を実施
12(2000)4	点数表の改定　医科2.0%、歯科2.0%、調剤0.8%、 平均1.9%の引上げ、薬価基準平均7.0%の引下げ （医療費ベース1.7%）と併せて、実質0.2%の引上げ となった 　改正の主要事項としては、①入院基本料の創設等 包括化の推進と逓減制の見直し　②急性期特定病院 加算や再診料の継続管理加算等医療機関の機能に応 じた評価の充実　③手術料の体系的な見直しや処方 料の引上げ等「もの」と「技術」の適正評価のほか、 介護保険制度の施行に向けた評価を充実させている	12(2000)4	介護保険制度施行
		13('01) 1	改正健康保険法等の施行 　1　老人の患者負担の見直し 　　　入院　　定額負担1日1,200円 　　　　　→定率1割負担（月額上限37,200円、 　　　　　　低所得者は上限24,600円） 　　　入院外　定額負担1日530円（月4回まで） 　　　　　　＋薬剤一部負担 　　　　　→定率1割負担（月額上限3,000円、 　　　　　　大病院（200床以上）5,000円）、 　　　　　　診療所は定額負担1日800円（月4回 　　　　　　まで）と定率1割負担とを選択

診療報酬改定・薬価基準改定			健康保険法改正等・その他医療費関連事項	
改定年月	内　　　容	施行年月	内　　　容	
		平成13年 1月 (2001)	2　高額療養費の見直し 　一般　63,600円 　　→・一般　63,300円（平均月収の22%） 　　　　　　　＋（医療費－318,000円）×1% 　　　・上位所得者（月収56万円以上） 　　　　　121,800 円（月収56万円の22%） 　　　　　　　＋（医療費－609,000円）×1% 　（低所得者は35,400円に据置き） 3　保険料率上限の見直し 　一般保険料率＋介護保険料率≦91‰（＊） →一般保険料率≦91‰（＊） 　　　　　　　　　　　　　（＊健保組合は95‰） 4　その他 　①老人に係る薬剤一部負担臨時特例措置法の廃止 　②入院時食事療養費標準負担額の見直し 　　一般　760円→780円（低所得者は据え置き）	
平成14年 4月 (2002)	点数表の改定　診療報酬本体をはじめて1.3%引下げ、薬価改定等1.4%引下げと併せて、全体として2.7%の引下げとなった 　　主な改正内容は①効率的な医療提供体制の評価②患者の特性に応じた医療の評価　③医療技術の適正評価　④薬剤使用の適正化と薬剤関連技術料の見直し　⑤特定療養費制度の見直し	14('02)10	健康保険法等の一部を改正する法律 Ⅰ　高齢者医療制度の改革 　1　患者負担の見直し（＊1） 　　①70歳以上の高齢者の患者負担は定率1割負担（一定以上の所得の者は定率2割負担）外来の月額上限制及び診療所における定額負担選択制は廃止 　　②自己負担限度額について、低所得者に配慮しつつ見直し 　2　老人医療費拠出金等に係る見直し（＊1） 　　①老人医療の対象年齢を70歳以上から75歳以上に5年間で段階的に引上げ 　　②公費負担の割合を3割から5割に5年間で段階的に引上げ（一定以上の所得の者に係る医療費は公費負担の対象外） 　　③老人医療費拠出金の算定に係る老人加入率上限（現行30%）の撤廃 　　④退職者に係る老人医療費拠出金は、退職者医療制度において全額負担 　　⑤保険者の保険財政に占める老人医療費拠出金の持ち出し額の割合に係る調整措置については、現行維持 　3　老人医療費の伸びを適正化するための指針 　　　　　　　　　　　　　　　　　　　　　（＊1） Ⅱ　医療保険制度の改革 　1　保険給付（患者負担）の見直し 　　①7割給付で保険間の給付率を統一（＊2） 　　②外来薬剤一部負担の廃止（＊2） 　　③3歳未満の乳幼児に係る給付率は8割 　　　　　　　　　　　　　　　　　　　　　（＊1） 　　④自己負担限度額について、低所得者に配慮しつつ見直し（＊1） 　2　保険料の見直し（＊2） 　　①被用者保険について、総報酬制を導入 　　②政管健保の保険料率の見直し 　3　国民健康保険制度の財政基盤の強化 　　○保険料（税）の算定方法の見直し（＊2） 　　　等	

診療報酬改定・薬価基準改定		健康保険法改正等・その他医療費関連事項	
改定年月	内　　　　容	施行年月	内　　　　容
		平成14年10月 （2002）	Ⅲ　その他 　1　医療保険制度の改革等 　2　関係制度の改正 　　○船員保険、共済制度について、健康保険に 　　　準じて改正 　3　その他 　　　　注：（＊1）平成14年10月実施 　　　　　　　（＊2）平成15年4月実施
平成16年 4月 （2004）	点数表の改定　医科±0、歯科±0、調剤±0、平均 ±0、薬価基準平均3.8％（医療費ベース1.0％）の 引下げと併せて実質1.0％の引下げとなった 主な改正内容 1　医療技術の適正な評価 　①難易度、時間、技術力等を踏まえた評価 　②医療技術の評価、再評価 　③歯科固有の技術の評価 　④調剤技術の評価 2　医療機関のコスト等の適切な反映 　①疾病の特性等に応じた評価、急性期入院医療等 　　の評価、小児医療の評価、精神医療の評価、在 　　宅医療の評価 　②医療機関等の機能に応じた評価（医師の新臨床 　　研修制度の導入に併せ、臨床研修機能の整備に 　　伴う医療の質の向上の評価及び外来医療におけ 　　る医療機関の機能分担の明確化の観点から、病 　　院・診療所間の初診料の格差の是正、外来診療 　　料の包括範囲の拡大） 3　患者の視点の重視 　①情報提供の推進　②患者による選択の重視 4　診療報酬体系の在り方 　　加算・減算・逓減制・算定制限等について、簡 　素・合理化の第一歩として、一部項目について見 　直しを行うとともに、事務処理についても簡素・ 　合理化を図る　老人の診療特性等を踏まえた見直 　しの第一歩として、歯科診療報酬の一部項目につ 　いて、一般、老人診療報酬の統合を図る 5　その他 　　酸素価格の特例及び入院基本料における離島加 　算の新設により、特定地域へのきめ細かな対応を 　図る		
		17（'05）4	国民健康保険法等の一部を改正する法律 　都道府県調整交付金の導入（負担割合 7/100） 　　　　　　　　　　　（平成17年度は5/100） 　国庫財政調整交付金　　　　10/100→9/100 　療養給付費等国庫負担金　　40/100→34/100 　　　　　　　　　　（平成17年度は36/100） 　保険基盤安定制度（保険料軽減分） 　　国庫　　　1/2→0 　　都道府県　1/4→3/4 　　市町村　　1/4→1/4

診療報酬改定・薬価基準改定		健康保険法改正等・その他医療費関連事項	
改定年月	内　　　　　容	施行年月	内　　　　　容
平成18年 4月 (2006)	点数表の改定　医科△1.5%、歯科△1.5%、調剤△0.6%、平均△1.36%、薬価基準平均△6.7%（医療費ベース△1.8%）と併せて実質3.16%の引下げとなった 主な改正内容 1　患者から見て分かりやすく、患者の生活の質(QOL)を高める医療を実現する視点 　①診療報酬体系の簡素化　②医療費の内容の分かる領収証の交付　③患者の視点の重視　④生活習慣病等の重症化予防に係る評価　⑤手術に係る評価 2　質の高い医療を効率的に提供するために医療機能の分化・連携を推進する視点 　①在宅医療に係る評価　②初再診に係る評価　③DPCに係る評価　④リハビリテーションに係る評価　⑤精神医療に係る評価 3　我が国の医療の中で今後重点的に対応していくべきと思われる領域の評価の在り方について検討する視点 　①小児医療及び小児救急医療に係る評価　②産科医療に係る評価　③麻酔に係る評価　④病理診療に係る評価　⑤急性期入院医療に係る評価　⑥医療のIT化に係る評価　⑦医療安全対策等に係る評価　⑧医療技術に係る評価 4　医療費の配分の中で効率化余地があると思われる領域の評価の在り方について検討する視点 　①慢性期入院医療に係る評価　②入院時の食事に係る評価　③コンタクトレンズに係る診療の評価　④検査に係る評価 　⑤歯科診療報酬 　　○かかりつけ歯科医初・再診料の廃止 　　○歯科医師臨床研修の評価 　　○患者の視点の重視（指導管理等における患者への情報提供） 　　○歯科疾患の指導管理体系の見直し（歯科疾患総合指導料の新設等） 　　○歯周疾患の評価の見直し（機械的歯面清掃加算の新設、歯周基本治療及び歯周外科手術の見直し） 　⑥調剤報酬 　　○調剤基本料の見直し 　　○調剤料の見直し 　　○調剤報酬における指導管理料の見直し 　　○医薬品質情報提供料の見直し 　⑦その他 　　○後発医薬品の使用促進のための環境整備を図る観点から、処方せんの様式を変更する 　　○医療法上の医師、看護師等の人員配置数を一定の比率以上欠く場合に、入院基本料の減額を行う現行の取り扱いについて、再構成する 　　○複合病棟における看護職員の配置基準は、一般病床については平成18年3月以降医療法上の人員配置標準を下回ることから、平成18年9月30日限りで廃止する	平成18年 3月 (2006) 4	石綿健康被害救済制度の創設 自立支援医療制度の創設 　精神通院医療（精神保健福祉法）、更生医療（身体障害者福祉法）、育成医療（児童福祉法）は、障害者自立支援法にもとづく自立支援医療に移行される 入院時食事療養費に係る標準負担額 　一般　　　　　　　　　1日780円→1食260円 　　　　　　　　　　（1日3食を限度　以下同） 　市町村民税非課税世帯等 　　3ヶ月までの入院　　1日650円→1食210円 　　4ヶ月目以降の入院　1日500円→1食160円 　老齢福祉年金受給権者　1日300円→1食100円

診療報酬改定・薬価基準改定		健康保険法改正等・その他医療費関連事項	
改定年月	内　　　容	施行年月	内　　　容
平成18年 4月 (2006)	○慢性維持透析患者外来医学管理料に係る評価の引下げ、人工腎臓の夜間及び休日加算に係る評価の引下げ、エイリスロポエチン製剤の人工腎臓への包括評価など、透析医療に係る評価の適正化を行う ○長期投薬に係る評価を引上げるとともに、併せて処方せん料を引下げる ○薬や材料の価格決定方式との整合を図る観点から、酸素価格についても、告示価格の適正化を行う	平成18年10月 (2006)	健康保険法等の一部を改正する法律 Ⅰ　保険給付の内容・範囲の見直し 　1　高齢者の患者負担の見直し 　　①現役並み所得の70歳以上の者は3割負担 　　　　　　　　　　　（平成18年10月〜） 　　②新たな高齢者医療制度の創設に併せて高齢者の負担の見直し（平成20年4月〜） 　　　・70歳〜74歳　1割→2割 　　　・75歳以上　1割（現行どおり） 　　※特別の軽減措置（平成20年度のみ） 　　　・70歳〜74歳　1割のまま据え置き 　2　療養病床に入院している高齢者の食費・居住費の負担引上げ（平成18年10月〜） 　　　・入院時生活療養費（Ⅰ） 　　　　食費1食460円　居住費1日320円 　　　・入院時生活療養費（Ⅱ） 　　　　食費1食420円　居住費1日320円 　　※1　低所得者対策として、所得の状況に応じて食費及び居住費の標準負担額を設定し、負担の軽減を図る 　　※2　新たな高齢者医療制度の創設に伴う措置として、平成20年4月から65歳以上70歳未満の者について同様の負担の見直しを行う 　3　高額療養費の基準額（自己負担限度額）の見直し 　　①低所得者に配慮しつつ、賞与を含む報酬総額に見合った水準に引上げ 　　②人工透析患者のうち所得の高い者について、自己負担限度額の引上げ 　　　1万円→2万円（平成18年10月〜） 　　③高齢者医療制度の創設に併せ、70歳以上75歳未満の患者負担が変更となることに伴い、自己負担限度額を70歳未満の者 　　　（80,100円）と75歳以上の者（44,400円）の中間水準に設定する（平成20年4月〜） 　　※低所得者の自己負担限度額については、据え置く 　4　乳幼児に対する自己負担軽減措置の拡大 　　　乳幼児に対する自己負担軽減（2割負担）の対象年齢を3歳未満から義務教育就学前まで拡大（平成20年4月〜） 　5　高額医療・高額介護合算制度の創設 　　　医療保険及び介護保険の自己負担の合計額が著しく高額になる場合に負担を軽減する仕組みを設ける（平成20年4月〜） 　6　保険外併用療養費の創設（従来の特定療養費を再編したもの）（平成18年10月〜） 　　　評価療養（先進医療など将来的に保険給付の対象として認めるかどうかについて評価が必要な療養）、選定療養（特別療養室への入院など保険導入を前提としない被保険者・被扶養者の選定による療養）は、その基礎部分が保険外併用療養費として現物給付され、評価療養・選定療養にかかる料金は患者が自費で支払う

診療報酬改定・薬価基準改定		健康保険法改正等・その他医療費関連事項	
改定年月	内　　　　　容	施行年月	内　　　　　容
		平成18年10月 (2006)	Ⅱ　新たな高齢者医療制度の創設（平成20年4月） ○　75歳以上の後期高齢者については、その心身の特性や生活実態等を踏まえ、平成20年度に独立した医療制度を創設する ○　あわせて、65歳から74歳の前期高齢者については、退職者が国民健康保険に大量に加入し、保険者間で医療費の負担に不均衡が生じることから、これを調整する制度を創設する ○　現行の退職者医療制度は廃止する　ただし、現行制度からの円滑な移行を図るため、平成26年度までの間における65歳未満の退職者を対象として現行の退職者医療制度を存続させる経過措置を講ずる Ⅲ　都道府県単位を軸とした保険者の再編・統合 ○　都道府県単位を軸とする医療保険者の再編・統合
		19('07) 4	改正医療法施行 1　患者等への医療の情報提供の推進 2　医療計画制度の見直し等を通じた医療機能の分化・連携の推進 3　地域や診療科による医師不足問題への対応 4　医療安全の確保 5　医療従事者の資質の向上 6　医療法人制度改革 7　有床診療所に対する規制の見直し（19年1月実施） 標準報酬月額の区分を上下に拡大 　　第1級 98,000円 ～ 第39級　980,000円 　→第1級 58,000円 ～ 第47級 1,210,000円 標準賞与月額の上限改定 　1か月当たり200万円→年度の累計額540万円 健康保険法第3条第2項被保険者（日雇特例被保険者） 　標準賃金日額の下限改定 　　1級1,334円、2級2,000円、3級3,000円 　→1級3,000円 70歳未満の者の入院等に係る高額療養費が現物給付化 感染症の予防及び感染症の患者に対する医療に関する法律等の一部を改正する法律 　結核予防法を廃止し、結核医療について取り扱う
平成20年 4月 (2008)	点数表の改定　医科0.42%、歯科0.42%、調剤0.17%、平均0.38%、薬価基準平均△5.2%（医療費ベース△1.1%）と併せて実質0.82%の引下げとなった 主な改正内容 緊急課題　産科や小児科をはじめとする病院勤務医の負担の軽減 　①産科・小児科への重点評価　②診療所・病院の役割分担等　③病院勤務医の事務負担の軽減　④救急医療対策	20('08) 4	高齢者の医療の確保に関する法律施行 　老人保健法を、法の目的や趣旨を踏襲しつつ、それを発展させるものとして「高齢者の医療の確保に関する法律」へと改正 　1　高齢者を65～74歳の前期高齢者と75歳以上の後期高齢者に分けて、後期高齢者については、老人保健制度を廃止し、独立した医療制度を創設する　70～74歳の患者負担は2割だが、平成21年3月まで1割に凍結

診療報酬改定・薬価基準改定		健康保険法改正等・その他医療費関連事項	
改定年月	内　　　　容	施行年月	内　　　　容
平成20年 4月 (2008)	1　患者から見て分かりやすく、患者の生活の質（QOL）を高める医療を実現する視点 　①医療費の内容の情報提供　②分かりやすい診療報酬体系等　③生活を重視した医療　④保険薬局の機能強化 2　質の高い医療を効率的に提供するために医療機能の分化・連携を推進する視点 　①質の高い効率的な入院医療の推進　②質の評価手法の検討について　③医療ニーズに着目した評価　④在宅医療の推進　⑤精神障害者の療養生活支援　⑥歯科医療の充実　⑦調剤報酬の見直し 3　我が国の医療の中で今後重点的に対応していくべきと思われる領域の評価の在り方について検討する視点 　①がん医療の推進　②脳卒中対策　③自殺対策・子どもの心の対策　④医療安全の推進と新しい技術等の評価　⑤オンライン化・ＩＴ化の促進 4　医療費の配分の中で効率化の余地があると思われる領域の評価の在り方について検討する視点 　①新しい技術への置換え　②後発医薬品の使用促進等　③その他の効率化や適正化すべき項目等 5　後期高齢者の診療報酬 　①入院医療　②在宅医療　③外来医療　④終末期医療	平成20年 4月 (2008) 10	2　65〜74歳の前期高齢者については、退職者が国民健康保険に大量に加入し、保険者間で医療負担の不均衡が生じていることから、これを調整する制度を創設し、現行の退職者医療制度は廃止する 　ただし、平成26年度までの間に65歳未満の退職者（被用者保険に20年以上加入）となる者については、引き続き退職者医療制度の対象者とする経過措置を講ずる 高額医療・高額介護合算療養費制度 　1年間（毎年8月1日〜翌年7月31日）の医療保険と介護保険における自己負担の合算額が著しく高額となる場合に、自己負担を軽減する仕組みを設ける　支給限度額は一般で年間56万円 健康保険法の一部改正 　政府管掌健康保険の公法人化 　　政府管掌健康保険は、平成20年10月より、国から公法人（全国健康保険協会）を保険者として設立
		21('09) 4	平成21年度も70〜74歳の者の窓口負担を1割に据え置き
22('10) 4	点数表の改定　医科1.74％、歯科2.09％、調剤0.52％、平均1.55％、薬価基準平均△5.75％（医療費ベース△1.36％）と併せて実質0.19％の引上げとなった 主な改正内容 重点課題への対応 　①救命救急センター、二次救急医療機関の評価　②ハイリスク妊産婦管理の充実、ハイリスク新生児に対する集中治療の評価　③手術料の引上げ、小児に対する手術評価の引上げ　④医師事務作業補助体制加算の評価の充実、多職種からなるチーム医療の評価 4つの視点（充実が求められる領域の評価、患者から見てわかりやすい医療の実現など） 　がん医療・認知症医療・感染症対策・肝炎対策の推進、明細書の無料発行など 後期高齢者医療の診療報酬 　75歳という年齢に着目した診療報酬体系の廃止 1　救急医療の評価の充実 　①救急入院医療の充実　②地域の連携による救急外来の評価 2　産科・小児医療の評価の充実 　①ハイリスク妊産婦管理の充実・拡大　②新生児集中治療の評価　③小児の入院医療の充実 3　病院勤務医の負担の軽減 　①病院勤務医の負担の軽減　②手厚い人員体制による入院医療の評価　③多職種からなるチームによる取り組みの評価 4　手術料の適正な評価 　①外保連試案を活用した手術料の引上げ　②小児に対する手術評価の引上げ　③新規医療技術の保険導入 5　明細書発行の推進 　①明細書発行の推進　②診療報酬上の支援	22('10) 1 4 5	船員保険制度改正 　職務上の疾病による医療費が労災保険制度に統合 平成22年度も70〜74歳の者の窓口負担を1割に据え置き 医療保険制度の安定的運営を図るための国民健康保険法等の一部を改正する法律 　平成22年度から24年度までの間、協会けんぽの国庫補助割合を13％から16.4％に引上げ（平成22年7月1日施行） 　平成22年度から24年度までの間、後期高齢者支援金の算定の特例として、その3分の1の部分について、各被用者保険者の負担能力に応じた分担方法（現行の加入者数割から総報酬割に変更）を導入（平成22年7月1日施行）

診療報酬改定・薬価基準改定		健康保険法改正等・その他医療費関連事項	
改定年月	内　　　　容	施行年月	内　　　　容
		平成23年 4月 (2011)	平成23年度も70〜74歳の者の窓口負担を1割に据え置き
平成24年 4月 (2012)	点数表の改定 医科1.55%、歯科1.70%、調剤0.46%、平均1.38%、薬価基準平均△6.00%（医療費ベース△1.38%）と併せて実質0.004%の引上げとなった 主な改正内容 重点項目 1　負担の大きな医療従事者の負担軽減 　①救急・周産期医療の推進　②病院医療従事者の勤務体制の改善等の取組　③救急外来や外来診療の機能分化　④病棟薬剤師や歯科等を含むチーム医療の促進 2　医療と介護等との機能分化や円滑な連携、在宅医療の充実 　①在宅医療を担う医療機関の役割分担や連携の促進　②看取りに至るまでの医療の充実　③在宅歯科・在宅薬剤管理の充実　④訪問看護の充実、医療・介護の円滑な連携 3　がん治療、認知症治療などの医療技術の進歩の促進と導入 　①医療技術の適切な評価、がん医療や生活習慣病対策、精神疾患・認知症対策、リハビリの充実、生活の質に配慮した歯科医療　②医療安全対策、患者への相談支援対策の充実　③病院機能にあわせた入院医療、慢性期入院医療の適正評価、資源の少ない地域への配慮、診療所の機能に応じた評価　④後発医薬品の使用促進、長期入院の是正、市場実勢価格を踏まえた医薬品等の適正評価	24('12) 4	外来診療に係る高額療養費が現物給付化 平成24年度も70〜74歳の者の窓口負担を1割に据え置き 国民健康保険法の一部を改正する法律 　都道府県の財政調整機能の強化と保険財政共同安定化事業の拡大の円滑な実施等のため、都道府県調整交付金を給付費等の7%から9%に引上げ（これに伴い、定率国庫負担は給付費等の32%とした）
		25('13) 4 5	平成25年度も70〜74歳の窓口負担を1割に据え置き 健康保険法等の一部を改正する法律 　協会けんぽに対する平成22年度から24年度までの財政支援措置（①国庫補助割合、②後期高齢者支援金の負担方法）を2年間延長する等の措置
26('14) 4	点数表の改定　診療報酬本体0.73%（0.63%）、各科改定　医科0.82%（0.71%）、歯科0.99%（0.87%）、調剤0.22%（0.18%）、薬価改定等△0.63%（0.73%）であり、全体で0.10%（1.36%）の改定となった ※（）内は、消費税率引上げに伴う医療機関等の課税仕入れにかかるコスト増への対応分 重点課題 医療機関の機能分化・強化と連携、在宅医療の充実等 1入院医療　2外来医療の機能分化・連携の推進 3在宅医療を担う医療機関の確保と質の高い在宅医療の推進　4医療機関相互の連携や医療・介護の連携の評価	26('14) 4	70〜74歳の患者負担特例措置の見直し ・平成26年4月に新たに70歳になる者（69歳まで3割負担だった者）から、段階的に法定負担割合（2割）とする ・その際、低所得者を含め、高額療養費の自己負担限度額を据え置く ・平成26年3月末までに既に70歳に達している者は、特例措置（1割）を継続する

診療報酬改定・薬価基準改定		健康保険法改正等・その他医療費関連事項	
改定年月	内　　　容	施行年月	内　　　容
		平成27年 4月 (2015)	国民健康保険の保険料（税）の賦課（課税）限度額について、81万円から85万円に引上げる（平成27年度分の保険料（税）から実施）
		5	持続可能な医療保険制度を構築するための国民健康保険法等の一部を改正する法律 ・協会けんぽの国庫補助率を「当分の間16.4％」と定めるとともに、法定準備金を超える準備金に係る国庫補助額の特例的な減額措置を講ずる ・被用者保険者の後期高齢者支援金について、段階的に全面総報酬割を実施 　（27年度：1/2総報酬割→28年度：2/3総報酬割→29年度：全面総報酬割）
平成28年 4月 (2016)	点数表の改定　診療報酬本体0.49％、各科改定　医科0.56％、歯科0.61％、調剤0.17％、薬価△1.22％（このほか、市場拡大再算定による薬価の見直しにより△0.19％、年間販売額が極めて大きい品目に対する市場拡大再算定の特例の実施等により△0.29％）、材料価格△0.11％となった 改定の基本的視点 1　「地域包括ケアシステム」の推進と、「病床の機能分化・連携」を含む医療機能の分化・強化・連携を一層進めること ①「病床の機能分化・連携」の促進　②多職種の活用による「チーム医療の評価」、「勤務環境の改善」　③質の高い「在宅医療・訪問看護」の確保等 2　「かかりつけ医等」のさらなる推進など、患者にとって安心・安全な医療を実現すること ①かかりつけ医、かかりつけ歯科医、かかりつけ薬剤師・薬局の評価　等 3　重点的な対応が求められる医療分野を充実すること ①緩和ケアを含む質の高いがん医療の評価　②認知症患者への適切な医療の評価　③イノベーションや医療技術の評価　等 4　効率化・適正化を通じて制度の持続可能性を高めること ①後発医薬品の価格算定ルールの見直し　②大型門前薬局の評価の適正化　③費用対効果評価（アウトカム評価）の試行導入　等	28（'16） 4	・負担の公平化等（①入院時の食事代について段階的に引上げ　②紹介状なしの大病院受診時の定額負担の導入　③標準報酬月額の上限額を引上げ（121万円から139万円に）） ・被保険者の所得水準の高い国保組合の国庫補助について、所得水準に応じた補助率に見直し（被保険者の所得水準の低い組合に影響が生じないよう、調整補助金を増額） 国民健康保険の保険料（税）の賦課（課税）限度額について、85万円から89万円に引上げる（平成28年度分の保険料（税）から実施）
		10	短時間労働者への被用者保険の適用拡大 　1週間の所定労働時間及び1月の所定労働日数が通常の労働者の4分の3未満であっても、（1）週の所定労働時間が20時間以上、（2）勤務期間が1年以上見込まれること、（3）月額賃金が8.8万円以上、（4）学生以外、（5）従業員501人以上の企業に勤務していること、の5つの条件を全て満たす場合は、平成28年10月から社会保険が適用される　平成29年4月からは、500人以下の企業も、労使の合意に基づき、企業単位で短時間労働者への適用拡大が可能となる
		29（'17） 4	後期高齢者医療制度の保険料軽減特例について、以下の内容を実施する ・所得の低い方の所得割の軽減を5割軽減から2割軽減とする ・元被扶養者の均等割の軽減を9割軽減から7割軽減とする

診療報酬改定・薬価基準改定		健康保険法改正等・その他医療費関連事項	
改定年月	内　　　　容	施行年月	内　　　　容
平成30年 4月 （2018）	点数表の改定　診療報酬本体0.55%、各科改定　医科0.63%、歯科0.69%、調剤0.19%、薬価△1.65%、材料価格△0.09%となった 改定の基本方針 1　地域包括ケアシステムの構築と医療機能の分化・強化、連携の推進 　○　患者の状態等に応じて質の高い医療が適切に受けられるとともに、必要に応じて介護サービスと連携・協働する等、切れ目のない医療・介護提供体制が確保されることが重要 　○　医療機能の分化・強化、連携を進め、効果的・効率的で質の高い医療提供体制を構築するとともに、地域包括ケアシステムを構築していくことが必要 2　新しいニーズにも対応でき、安心・安全で納得できる質の高い医療の実現・充実 　○　国民の安心・安全を確保する観点から、今後の医療技術の進展や疾病構造の変化等を踏まえ、第三者による評価やアウトカム評価など客観的な評価を進めながら、適切な情報に基づき患者自身が納得して主体的に医療を選択できるようにすることが重要 　○　また、新たなニーズにも対応できる医療を実現するとともに、我が国の医療の中で重点的な対応が求められる分野の適切な評価が重要 3　医療従事者の負担軽減働き方改革の推進 　○　医療従事者の厳しい勤務環境が指摘されている中、医療の安全の確保や地域医療の確保にも留意しつつ、医療従事者の負担の軽減を図り、あわせて、各々の専門性を発揮でき、柔軟な働き方ができるよう、環境の整備、働き方改革を推進することが必要 4　効率化・適正化を通じた制度の安定性・持続可能性の強化 　○　国民皆保険を維持するためには、制度の安定性・持続可能性を高める不断の取組が求められ、医療関係者が共同して、医療サービスの維持・向上と同時に、医療の効率化・適正化を図ることが必要	平成30年 4月 （2018）	国民健康保険・後期高齢者医療の保険料（税）の賦課（課税）限度額について、国民健康保険は89万円から93万円に、後期高齢者医療は57万円から62万円に、それぞれ引上げる（平成30年度分の保険料（税）から実施） 後期高齢者医療制度の保険料軽減特例について、以下の内容を実施する ・所得の低い方の所得割の軽減を2割軽減から本則（軽減なし）とする ・元被扶養者の均等割の軽減を7割軽減から5割軽減とする 持続可能な医療保険制度を構築するための国民健康保険法等の一部を改正する法律 　都道府県が財政運営の責任主体となり、国保運営に中心的な役割を担う
		31（'19）4	国民健康保険の保険料（税）の賦課（課税）限度額について、国民健康保険は93万円から96万円に引上げる（平成31年度分の保険料（税）から実施） 後期高齢者医療制度の保険料軽減特例について、以下の内容を実施する ・特に所得の低い方の均等割の軽減を9割から8割とする ・元被扶養者の均等割の軽減を5割軽減から本則（軽減なし）とする
令和元年10 （'19）	点数表の改定　診療報酬本体0.41%、各科改定　医科0.48%、歯科0.57%、調剤0.12%、薬価△0.51%（△0.93%）、材料価格△0.03%（△0.02%）となった(消費税率引上げへの対応) ※（　）内は実勢価改定等への対応分		

診療報酬改定・薬価基準改定			健康保険法改正等・その他医療費関連事項	
改定年月	内　　　容		施行年月	内　　　容
令和2年 4月 （2020）	点数表の改定　診療報酬0.55%、※を除く改定分0.47%、各科改定率　医科0.53%、歯科0.59%、調剤0.16%、薬価△0.99%（△0.43%）、材料価格△0.02%（△0.01%）となった　薬価のうち市場拡大再算定の見直し等△0.01% （ ）内は実勢価等改定への対応分 ※消費税財源を活用した救急病院における勤務医の働き方改革への特例的対応0.08% 改定の基本的視点 1　医療従事者の負担軽減、医師等の働き方改革の推進 ○　2040年の医療提供体制の展望を見据え、地域医療構想の実現に向けた取組、実効性のある医師偏在対策、医師・医療従事者の働き方改革を推進し、総合的な医療提供体制改革を実施していくことが求められている ○　医師等の働き方改革に関しては、2024年（令和6年）4月から、医師について時間外労働の上限規制が適用される予定であり、各医療機関は自らの状況を適切に分析し、労働時間短縮に計画的に取り組むことが必要となる ○　診療報酬においてはこれまで、タスク・シェアリング／タスク・シフティングやチーム医療の推進等、医療機関における勤務環境改善に資する取組を評価してきた　時間外労働の上限規制の適用が開始される2024年4月を見据え、今後、総合的な医療提供体制改革の進捗の状況、医療の安全や地域医療の確保、患者や保険者の視点等を踏まえながら、適切な評価の在り方について検討する必要がある 2　患者・国民にとって身近であって、安心・安全で質の高い医療の実現 ○　患者の安心・安全を確保しつつ、医療技術の進展や疾病構造の変化等を踏まえ、第三者による評価やアウトカム評価など客観的な評価を進めながら、新たなニーズ等に対応できる医療の実現に資する取組の評価を進める ○　また、患者自身が納得して医療を受けられるよう、患者にとって身近で分かりやすい医療を実現していくことが重要である 3　医療機能の分化・強化、連携と地域包括ケアシステムの推進 ○　急性期、回復期、慢性期など患者の状態等に応じて質の高い医療が適切に受けられるよう、切れ目ない医療の提供体制が確保されることが重要である ○　このためには、医療機能の分化・強化、連携を進めるとともに、在宅復帰等につながるよう、質の高い在宅医療・訪問看護の確保や、他の医療機関等との連携、介護サービスとの連携・協働等が必要である 4　効率化・適正化を通じた制度の安定性・持続可能性の向上 ○　高齢化や技術進歩、高額な医薬品の開発等により医療費が増大していくことが見込まれる中、国民皆保険を維持するため、制度の安定性・持続可能性を高める不断の取組が必要である　医療関係者が共同して、医療サービスの維持・向上とともに、効率化・適正化を図ることが求められる		令和2年 4月 （2020）	国民健康保険・後期高齢者医療の保険料（税）の賦課（課税）限度額について、国民健康保険は96万円から99万円に、後期高齢者医療は62万円から64万円に、それぞれ引上げる（令和2年度分の保険料（税）から実施）
3（'21）4	薬価基準の改定 平均乖離率の0.625倍（5%）を超える品目を改定対象　調整幅2%、新型コロナウイルス感染症特例として一定幅0.8%　薬剤費として△4,300億円			

資料：「国民健康保険事業年報」厚生労働省保険局
　　　「厚生省20年史」厚生省20年史編集委員会
　　　「国民健康保険40年史」厚生省保険局国民健康保険課・国民健康保険中央会編集　等

3 診療報酬及び薬価基準改定の推移

診　　療　　報　　酬		薬　　価　　基　　準			
改定年月	引き上げ率（％）	改定年月	引き下げ率（％）		
			薬価ベース	医療費	
昭和 40年 (1965) 1月	総医療費で9.5	昭和 40年 (1965) 11月	11.0	4.5	
11	総医療費で3.0				
42 （'67）12	医科7.68、歯科12.65	42 （'67）10	10.2	4.1	
		44 （'69）1	5.6	2.4	
45 （'70）2	医科8.77、歯科9.73	45 （'70）8	3.0	1.3	
	45年7月1日から医科をさらに0.97引上げ				
47 （'72）2	医科13.70、歯科13.70、薬局6.54	47 （'72）2	3.9	1.7	
49 （'74）2	医科19.0、歯科19.9、薬局8.5	49 （'74）2	3.4	1.5	
10	医科16.0、歯科16.2、薬局6.6				
		50 （'75）1	1.55	0.4	
51 （'76）4	医科9.0、薬局4.9				
8	歯科9.6				
53 （'78）2	医科11.5、歯科12.7、薬局5.6、平均11.6	53 （'78）2	5.8	2.0	
56 （'81）6	医科8.4、歯科5.9、薬局3.8、平均8.1	56 （'81）6	18.6	6.1	
58 （'83）2	老人点数表を設定、医科0.3	58 （'83）1	4.9	1.5	
59 （'84）3	医科3.0、歯科1.1、調剤1.0、平均2.8	59 （'84）3	16.6	5.1	
60 （'85）3	医科3.5、歯科2.5、調剤0.2、平均3.3	60 （'85）3	6.0	1.9 治療材料 0.2	
61 （'86）4	医科2.5、歯科1.5、調剤0.3、平均2.3	61 （'86）4	5.1	1.5 歯科材料 0.1	
63 （'88）4	医科3.8、調剤1.7、平均3.4	63 （'88）4	10.2	2.9	
6	歯科1.0				
平成 元年 （'89）4	平均0.11	平成 元年 （'89）4	2.4 引上げ	0.65引上げ	
2 （'90）4	医科4.0、歯科1.4、調剤1.9、平均3.7	2 （'90）4	9.2	2.7	
4 （'92）4	医科5.4、歯科2.7、調剤1.9、平均5.0	4 （'92）4	8.1	2.4 治療材料 0.1	
5 （'93）4	医療法改正に伴う改定				
6 （'94）4	医科3.5、歯科2.1、調剤2.0、平均3.3	6 （'94）4	6.6	2.0 治療材料 0.1	
10	医科1.7、歯科0.2、調剤0.1、平均1.5				
8 （'96）4	医科3.6、歯科2.2、調剤1.3、平均3.4	8 （'96）4	6.8	2.5 治療材料 0.1	
9 （'97）4	平均1.70（うち消費税上げ0.77）	9 （'97）4	4.4	1.27 治療材料 0.05	
10 （'98）4	医科1.5、歯科1.5、調剤0.7、平均1.5	10 （'98）4	9.7	2.7 治療材料 0.1	
12 （2000）4	医科2.0、歯科2.0、調剤0.8、平均1.9	12 （2000）4	7.0	1.6 治療材料 0.1	
14 （'02）4	医科△1.3、歯科△1.3、調剤△1.3、平均△1.3	14 （'02）4	6.3	1.3 治療材料 0.1	
16 （'04）4	医科±0、歯科±0、調剤±0、平均±0	16 （'04）4	4.2	0.9 治療材料 0.1	
18 （'06）4	医科△1.5、歯科△1.5、調剤△0.6、平均△1.36	18 （'06）4	6.7	1.6 治療材料 0.2	
20 （'08）4	医科0.42、歯科0.42、調剤0.17、平均0.38	20 （'08）4	5.2	1.1 治療材料 0.1	
22 （'10）4	医科1.74、歯科2.09、調剤0.52、平均1.55	22 （'10）4	5.75	1.23 治療材料 0.13	
24 （'12）4	医科1.55、歯科1.70、調剤0.46、平均1.38	24 （'12）4	6.00	1.26 治療材料 0.12	
26 （'14）4	医科0.82（0.71）、歯科0.99（0.87）、 調剤0.22（0.18）、平均0.73（0.63） （）内は消費税率引上げにかかる対応分	26 （'14）4	2.65 （＋2.99）	0.58 （＋0.64） 治療材料 0.05 （＋0.09）	
28 （'16）4	医科0.56、歯科0.61、調剤0.17、平均0.49	28 （'16）4	5.57	1.22 治療材料 0.11	
30 （'18）4	医科0.63、歯科0.69、調剤0.19、平均0.55	30 （'18）4	7.48	1.65 治療材料 0.09	
令和 元年 （'19）10	医科0.48、歯科0.57、調剤0.12、平均0.41	令和 元年 （'19）10	2.40	0.51 治療材料 0.03引上げ	

診　　療　　報　　酬		薬　　価　　基　　準		
			引き下げ率（％）	
改定年月	引　き　上　げ　率　（　％　）	改定年月	薬価ベース	医療費
令和 2 年（'20）　　4	医科0.53、歯科0.59、調剤0.16、 平均0.55(0.08) （ ）内は消費税財源を活用した救急病院における 勤務医の働き方改革への特例的な対応分	令和 2 年（'20）　　4	4.38	0.99 治療材料 0.02
		令和 3 年（'21）　　4	―	―

4 令和元年度の人口一人当たり国民医療費算出に用いた人口

5歳階級・男女別人口（総人口）

（単位：千人）　　　　　　　　　　　　　　　　　　　　　　　　令和元年10月1日現在

年　齢　階　級	総　人　口	男	女
総　　　　　数	126 167	61 411	64 756
0　〜　4　歳	4 758	2 438	2 320
5　〜　9	5 101	2 612	2 489
10　〜　14	5 351	2 740	2 610
15　〜　19	5 820	2 985	2 835
20　〜　24	6 388	3 299	3 089
25　〜　29	6 240	3 216	3 025
30　〜　34	6 752	3 447	3 305
35　〜　39	7 551	3 828	3 723
40　〜　44	8 718	4 417	4 301
45　〜　49	9 802	4 957	4 846
50　〜　54	8 567	4 309	4 258
55　〜　59	7 711	3 852	3 859
60　〜　64	7 523	3 713	3 810
65　〜　69	8 709	4 217	4 492
70　〜　74	8 686	4 095	4 591
75　〜　79	7 241	3 238	4 003
80　〜　84	5 328	2 198	3 130
85　〜　89	3 612	1 274	2 338
90　歳　以　上	2 309	578	1 732
（再　掲）			
65　歳　未　満	90 282	45 812	44 470
65　歳　以　上	35 885	15 600	20 285
70　歳　以　上	27 176	11 383	15 793
75　歳　以　上	18 490	7 288	11 202

資料：総務省統計局「人口推計」

5 「国民医療費に含まれないもの」の内容等について

「国民医療費の範囲」の概念図（６頁）のうち、**「国民医療費に含まれないもの」**の内容等については、以下のとおり。

医療機関等	国民医療費に含まれないもの	左に関連する統計数値と掲載資料
(1) 病院 一般診療所 歯科診療所	① **評価療養（先進医療（高度医療を含む）等）の費用** ※「評価療養」とは、先進医療（高度医療を含む）などの将来的な保険導入のための評価を行うものとして、厚生労働大臣が定める療養に要した費用を指す。	先進医療技術数，実施医療機関数，総金額 等 ※ ただし、上記における「**保険外併用療養費（保険診療分）**」は、<u>国民医療費に含まれている</u>。 〔資料〕「**６月30日時点で実施されていた先進医療の実績報告**」（厚生労働省）
	② **選定療養（特別の病室への入院、歯科の金属材料等）の費用** ※「選定療養」とは、被保険者の選定に係る特別の療養環境が提供される病室（病床ごとにプライバシーが十分確保されている病室）への入院や、金合金・白金加金（プラチナ）などの材料を用いた歯科治療など、厚生労働大臣が定める療養に要した費用を指す。	特別の療養環境の提供に係る病床数，１日当たり平均徴収額（推計），金属床による総義歯の提供を行った医療機関数，１床当たり平均額 等 〔資料〕「**主な選定療養に係る報告状況**」（厚生労働省）
	③ **不妊治療における生殖補助医療の費用** ※ 不妊治療には、保険適用されている一般的な不妊治療と保険適用されていない生殖補助医療があり、うち、生殖補助医療（人工授精、体外受精）に要した費用を指す。	
	④ **美容整形費** ※ 美容外科手術に要した費用を指す。	診療科目に美容外科を標榜する施設数 〔資料〕「**医療施設調査**」（厚生労働省）
	⑤ **正常な妊娠・分娩、産じょくの費用** ※ 異常及び合併症を有さない妊娠、分娩、産じょくに要した費用（健康保険等適用外）を指す。	出生数 〔資料〕「**人口動態統計**」（厚生労働省） 分娩件数 等 〔資料〕「**医療施設調査**」（厚生労働省）
	⑥ **集団健診・検診費** ※ 企業、学校、地方公共団体などが行う、集団健康診断・検診に要した費用を指す。	保健所、市区町村などが実施した健康診査の受診者数 （健康診断，妊産婦・乳幼児健康診査，歯周疾患検診，骨粗鬆症検診，がん検診，肝炎ウイルス検診 等） 〔資料〕「**地域保健・健康増進事業報告**」（厚生労働省） 特定健康診査の受診者数 〔資料〕「**特定健康診査・特定保健指導の実施状況**」（厚生労働省）

医療機関等	国民医療費に含まれないもの	左に関連する統計数値と掲載資料
(1) 病院 一般診療所 歯科診療所	⑦ 個別健診・検診費、人間ドック等の費用 ※ 個人単位で医療機関において行う健康診断や人間ドックを受けた際に発生する費用を指す。	
	⑧ 短期入所療養介護等介護保険法における居宅サービスの費用 ※ 介護療養型医療施設へ短期入所して受ける、看護・医学的管理下の介護と機能訓練等の必要な医療・日常生活上の世話などの介護保険サービスに要した費用を指す。	介護保険法における居宅サービスの費用額, 利用者負担額 〔 介護予防短期入所療養介護（病院等），短期入所療養介護（病院等） 〕 〔資料〕「介護給付費等実態統計」 （厚生労働省）
	⑨ 介護療養型医療施設における施設サービスの費用 ※ 医療法に規定する医療施設で、かつ、介護保険法による都道府県知事の指定を受けた施設において、入院する要介護者が受ける、療養上の管理・看護・医学的管理下における介護・その他の世話・機能訓練・その他必要な医療などの施設サービスに要した費用を指す。	介護療養型医療施設における施設サービスの費用額, 利用者負担額 〔資料〕「介護給付費等実態統計」 （厚生労働省）
	⑩ その他 ※ 病院・一般診療所・歯科診療所において行われた、<u>(1)①～⑨以外の保険診療の対象となり得ない医療行為</u>に要した費用を指す。	保健所及び市区町村が実施した定期の予防接種の接種者数 〔 インフルエンザ，日本脳炎，小児用肺炎球菌ワクチン，成人用肺炎球菌ワクチン，ヒブワクチン，B型肝炎ワクチン 等 〕 〔資料〕「地域保健・健康増進事業報告」 （厚生労働省） ワクチン類、毒素及びトキソイド類の生産金額 〔資料〕「薬事工業生産動態統計」 （厚生労働省）
(2) 介護老人 保健施設	介護保険法における居宅・施設サービスの費用 ※ 介護保険法による都道府県知事の開設許可を受けた介護老人保健施設において、入所する要介護者が受ける、看護・医学的管理下における介護・機能訓練・その他必要な医療・日常生活上の世話などの居宅・施設サービスに要した費用を指す。	介護保険法における居宅・施設の費用額, 利用者負担額 〔 介護予防短期入所療養介護（介護老人保健施設），短期入所療養介護（介護老人保健施設），介護保健施設サービス 〕 〔資料〕「介護給付費等実態統計」 （厚生労働省）
(3) 訪問看護 事業所	① 介護保険法における訪問看護費 ※ 居宅において、看護師等から受ける、療養上の世話又は必要な診療の補助の介護保険サービスに要した費用を指す。	介護保険法における介護予防訪問看護、訪問看護の費用額, 利用者負担額 〔資料〕「介護給付費等実態統計」 （厚生労働省）
	② 基本利用料以外のその他の利用料等の費用 ※ 基本利用料以外の訪問看護費、交通費及びおむつ代などの実費・特別サービス（営業時間外の対応等）などの費用を指す。	

医療機関等	国民医療費に含まれないもの	左に関連する統計数値と掲載資料
(4) 助産所	**正常な妊娠・分娩、産じょくの費用** ※ 助産所における、異常及び合併症を有さない妊娠、分娩、産じょくに要した費用（健康保険等適用外）を指す。	**助産所における出生数** 〔資料〕「**人口動態統計**」（厚生労働省）
(5) 薬局	**買薬の費用** ※ 医師による処方箋を必要とせずに購入できる一般用医薬品の購入にかかる費用を指す。	**医薬品用途別出荷・生産金額** 〔資料〕「**薬事工業生産動態統計**」 （厚生労働省）
(6) あん摩・ はり・きゆう の施術業・ 接骨院等	**医師の指示以外によるあん摩・マッサージ等の費用（健保等適用外部分）** ※ 施術所、接骨院等で提供される医師の指示によらない、健康保険等適用外のあん摩・マッサージ等のサービスに要した費用を指す。	**あん摩、マッサージ及び指圧を行う施術所数、はり及びきゅうを行う施術所数** 〔資料〕「**衛生行政報告例（就業医療関係者）**」 （厚生労働省）
(7) その他	**間接治療費（健保等適用外部分）** ※ (1)〜(6)以外の健康保険等の適用とならない費用の全てを指す。 **① 補装具** ※ 装着することにより、失われた身体の一部、あるいは機能を補完するもので、義肢（義手・義足）、車いす、義眼及び補聴器などをいう。	**身体障害者・児の補装具（購入・修理）金額、戦傷病者補装具（支給・修理）金額** 〔資料〕「**福祉行政報告例**」（厚生労働省）
	② めがね 等 ※ コンタクトレンズ、視力補正用眼鏡、視力補正用眼鏡レンズ及び検眼用品などのことをいう。	**医療機器大分類別（眼科用品及び関連製品）生産金額** ※ 上記における「**生産金額**」には、一部、国民医療費に含まれているものがある。 〔資料〕「**薬事工業生産動態統計**」 （厚生労働省）

V　平成29〜30年度報告書における訂正

V

平成29年度報告書における訂正

【平成29年度】（98頁）第14表　医科診療医療費構成割合，入院－入院外・年齢階級・傷病分類・年次別

（誤）

第14表　(10-10)
（単位：%）　　　　　　　　　　　　　　　　　　　　平成29年度（2017）

傷病分類	総数							入院							入院外						
	総数	0～14歳	15～44	45～64	65歳以上(再掲)	70歳以上(再掲)	75歳以上(再掲)	総数	0～14歳	15～44	45～64	65歳以上(再掲)	70歳以上(再掲)	75歳以上(再掲)	総数	0～14歳	15～44	45～64	65歳以上(再掲)	70歳以上(再掲)	75歳以上(再掲)
Ⅴ 精神及び行動の障害	6.2	2.8	11.3	9.4	4.5	4.0	3.8	8.4	1.7	14.3	14.8	6.3	5.5	4.9	3.8	3.4	9.3	4.9	2.0	1.9	2.0
血管性及び詳細不明の認知症（再掲）	0.5	0.0	0.0	0.1	0.8	0.9	1.1	0.8	-	0.0	0.1	1.1	1.3	1.4	0.2	0.0	0.0	0.0	0.3	0.4	0.6
統合失調症，統合失調症型障害及び妄想性障害（再掲）	3.1	0.1	5.0	5.8	2.1	1.6	1.3	4.9	0.1	8.6	10.6	3.3	2.5	1.9	1.0	0.0	2.5	1.8	0.4	0.3	0.2
気分（感情）障害（躁うつ病を含む）（再掲）	1.1	0.1	1.8	1.7	0.8	0.7	0.7	1.1	0.1	1.7	1.7	0.9	0.8	0.7	1.2	0.0	3.1	1.8	0.6	0.6	0.6
神経症性障害，ストレス関連障害及び身体表現性障害（再掲）	0.5	0.4	1.8	0.7	0.3	0.3	0.2	0.3	0.3	1.0	0.3	0.2	0.2	0.2	0.8	0.4	2.4	1.0	0.4	0.4	0.4

（正）

第14表　(10-10)
（単位：%）　　　　　　　　　　　　　　　　　　　　平成29年度（2017）

傷病分類	総数							入院							入院外						
	総数	0～14歳	15～44	45～64	65歳以上(再掲)	70歳以上(再掲)	75歳以上(再掲)	総数	0～14歳	15～44	45～64	65歳以上(再掲)	70歳以上(再掲)	75歳以上(再掲)	総数	0～14歳	15～44	45～64	65歳以上(再掲)	70歳以上(再掲)	75歳以上(再掲)
Ⅴ 精神及び行動の障害	6.2	2.8	11.3	9.4	4.5	4.0	3.8	8.4	1.7	14.3	14.8	6.3	5.5	4.9	3.8	3.4	9.3	4.9	2.0	1.9	2.0
血管性及び詳細不明の認知症（再掲）	0.5	0.0	0.0	0.1	0.8	0.9	1.1	0.8	-	0.0	0.1	1.1	1.3	1.4	0.2	0.0	0.0	0.0	0.3	0.4	0.6
統合失調症，統合失調症型障害及び妄想性障害（再掲）	3.1	0.1	5.0	5.8	2.1	1.6	1.3	4.9	0.1	8.6	10.6	3.3	2.5	1.9	1.0	0.0	2.5	1.8	0.4	0.3	0.2
気分（感情）障害（躁うつ病を含む）（再掲）	1.1	0.1	2.6	1.7	0.8	0.7	0.7	1.1	0.1	1.7	1.7	0.9	0.8	0.7	1.2	0.0	3.1	1.8	0.6	0.6	0.6
神経症性障害，ストレス関連障害及び身体表現性障害（再掲）	0.5	0.4	1.8	0.7	0.3	0.3	0.2	0.3	0.3	1.0	0.3	0.2	0.2	0.2	0.8	0.4	2.4	1.0	0.4	0.4	0.4

平成30年度報告書における訂正

【平成30年度】（15頁）

（誤）

2 制度区分別国民医療費

制度区分別にみると、公費負担医療給付分は3兆1,751億円（構成割合7.3％）、医療保険等給付分は19兆7,291億円（同45.5％）、後期高齢者医療給付分は15兆576億円（同34.7％）、患者等負担分は5兆4,047億円（同12.5％）となっている。

対前年度増減率をみると、公費負担医療給付分は0.9％の減少、医療保険等給付分は0.1％の減少、後期高齢者医療給付分は1.9％の増加、患者等負担分は2.5％の増加となっている。（表2、統計表第2表、参考1）

表2　制度区分別国民医療費

制度区分	平成30年度 国民医療費（億円）	構成割合（％）	平成29年度 国民医療費（億円）	構成割合（％）	対前年度 増減額（億円）	増減率（％）
総数	433 949	100.0	430 710	100.0	3 239	0.8
公費負担医療給付分	31 751	7.3	32 040	7.4	△ 289	△ 0.9
医療保険等給付分	197 291	45.5	197 402	45.8	△ 111	△ 0.1
医療保険	194 066	44.7	194 271	45.1	△ 205	△ 0.1
被用者保険	103 110	23.8	100 970	23.4	2 140	2.1
被保険者	55 375	12.8	53 828	12.5	1 547	2.9
被扶養者	41 689	9.6	41 700	9.7	△ 11	0.0
国民健康保険	6 046	1.4	5 442	1.3	604	11.1
高齢者	90 957	21.0	93 301	21.7	△ 2 344	2.5
その他	59 577	13.7	62 546	14.5	△ 2 969	4.7
後期高齢者医療給付分	31 380	7.2	30 755	7.1	625	2.0
患者等負担分	150 576	34.7	147 805	34.3	2 771	1.9
軽減特例措置	54 047	12.5	52 750	12.2	1 297	2.5
	283	0.1	713	0.2	430	60.3

注：1）被用者保険及び国民健康保険適用の高齢者は70歳以上である。
2）労働者災害補償保険法、国家公務員災害補償法、地方公務員災害補償法、独立行政法人日本スポーツ振興センター法、防衛省の職員の給与等に関する法律、公害健康被害の補償等に関する法律及び健康被害救済制度による救済給付等の医療費である。
3）70〜74歳の患者の窓口負担の軽減特例措置に関する国庫負担分である。

3 財源別国民医療費

財源別にみると、公費は16兆5,497億円（構成割合38.1％）、そのうち国庫は10兆9,585億円（同25.3％）、地方は5兆5,912億円（同12.9％）となっている。保険料は21兆4,279億円（同49.4％）、そのうち事業主は9兆2,023億円（同21.2％）、被保険者は12兆2,257億円（同28.2％）となっている。また、そのうち患者負担は5兆4,173億円（同12.5％）となっている。（表3、統計表第3表、参考1）

表3　財源別国民医療費

財源	平成30年度 国民医療費（億円）	構成割合（％）	平成29年度 国民医療費（億円）	構成割合（％）	対前年度 増減額（億円）	増減率（％）
総数	433 949	100.0	430 710	100.0	3 239	0.8
公費	165 497	38.1	165 181	38.4	316	0.2
国庫	109 585	25.3	108 972	25.3	613	0.6
地方	55 912	12.9	56 209	13.1	△ 297	△ 0.5
保険料	214 279	49.4	212 650	49.4	1 629	0.8
事業主	92 023	21.2	90 744	21.1	1 279	1.4
被保険者	122 257	28.2	121 906	28.3	351	0.3
その他（再掲）	54 173	12.5	52 881	12.3	1 292	2.4
患者負担	51 267	11.8	49 948	11.6	1 319	2.6

注：1）都道府県繰入措置は、国庫に含む。
2）患者負担及び原因者負担（公害健康被害の補償等に関する法律及び健康被害救済制度による救済給付等）である。

（正）

2 制度区分別国民医療費

制度区分別にみると、公費負担医療給付分は3兆1,751億円（構成割合7.3％）、医療保険等給付分は19兆7,291億円（同45.5％）、後期高齢者医療給付分は15兆576億円（同34.7％）、患者等負担分は5兆4,047億円（同12.5％）となっている。

対前年度増減率をみると、公費負担医療給付分は0.9％の減少、医療保険等給付分は0.1％の減少、後期高齢者医療給付分は1.9％の増加、患者等負担分は2.5％の増加となっている。（表2、統計表第2表、参考1）

表2　制度区分別国民医療費

制度区分	平成30年度 国民医療費（億円）	構成割合（％）	平成29年度 国民医療費（億円）	構成割合（％）	対前年度 増減額（億円）	増減率（％）
総数	433 949	100.0	430 710	100.0	3 239	0.8
公費負担医療給付分	31 751	7.3	32 040	7.4	△ 289	△ 0.9
医療保険等給付分	197 291	45.5	197 402	45.8	△ 111	△ 0.1
医療保険	194 066	44.7	194 271	45.1	△ 205	△ 0.1
被用者保険	103 110	23.8	100 970	23.4	2 140	2.1
被保険者	55 375	12.8	53 828	12.5	1 547	2.9
被扶養者	41 689	9.6	41 700	9.7	△ 11	0.0
国民健康保険	6 046	1.4	5 442	1.3	604	11.1
高齢者	90 957	21.0	93 301	21.7	△ 2 344	2.5
その他	59 577	13.7	62 546	14.5	△ 2 969	4.7
後期高齢者医療給付分	31 380	7.2	30 755	7.1	625	2.0
患者等負担分	150 576	34.7	147 805	34.3	2 771	1.9
軽減特例措置	54 047	12.5	52 750	12.2	1 297	2.5
	283	0.2	713	0.1	430	60.3

注：1）被用者保険及び国民健康保険適用の高齢者は70歳以上である。
2）労働者災害補償保険法、国家公務員災害補償法、地方公務員災害補償法、独立行政法人日本スポーツ振興センター法、防衛省の職員の給与等に関する法律、公害健康被害の補償等に関する法律及び健康被害救済制度による救済給付等の医療費である。
3）70〜74歳の患者の窓口負担の軽減特例措置に関する国庫負担分である。

3 財源別国民医療費

財源別にみると、公費は16兆6,049億円（構成割合38.3％）、そのうち国庫は11兆3,400億円（同25.4％）、地方は5兆2,649億円（同12.8％）となっている。保険料は21兆3,727億円（同49.3％）、被保険者は12兆1,705億円（同28.0％）、そのうち患者負担は5兆1,267億円（同11.8％）となっている。また、そのうち患者負担は5兆4,173億円（同12.5％）となっている。（表3、統計表第3表、参考1）

表3　財源別国民医療費

財源	平成30年度 国民医療費（億円）	構成割合（％）	平成29年度 国民医療費（億円）	構成割合（％）	対前年度 増減額（億円）	増減率（％）
総数	433 949	100.0	430 710	100.0	3 239	0.8
公費	166 049	38.3	165 181	38.4	868	0.5
国庫	110 400	25.4	108 972	25.3	1 428	1.3
地方	55 649	13.1	56 209	13.1	△ 560	△ 1.0
保険料	213 727	49.3	212 650	49.4	1 077	0.5
事業主	92 023	21.2	90 744	21.1	1 279	1.4
被保険者	121 705	28.0	121 906	28.3	△ 201	△ 0.2
その他（再掲）	54 173	12.5	52 881	12.3	1 292	2.4
患者負担	51 267	11.8	49 948	11.6	1 319	2.6

注：1）都道府県繰入措置は、国庫に含む。
2）患者負担及び原因者負担（公害健康被害の補償等に関する法律及び健康被害救済制度による救済給付等）である。

【平成30年度】（21頁）参考1　平成30年度　国民医療費の構造（総数）

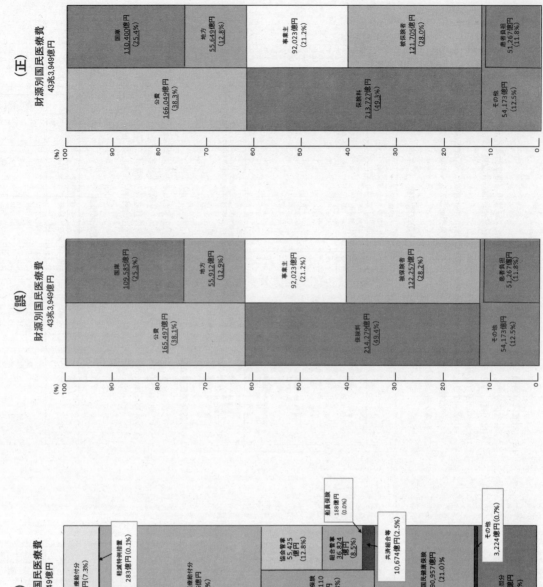

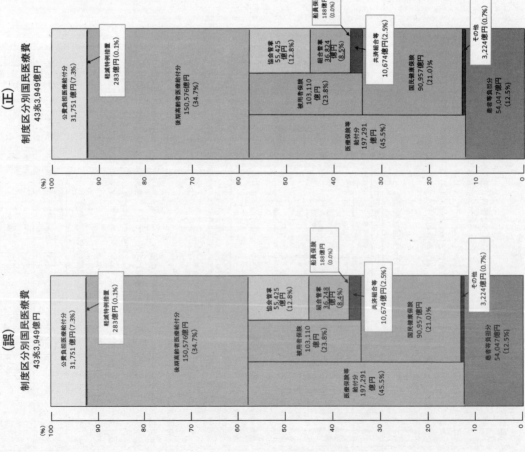

【平成30年度】（22頁）平成30年度 国民医療費の構造（性別）

（誤）

性・診療種類別国民医療費

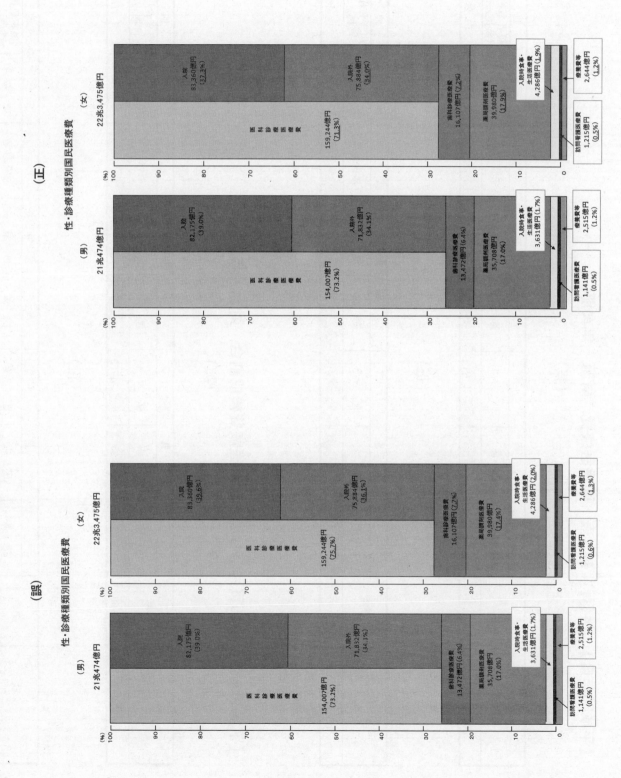

（正）

性・診療種類別国民医療費

【平成30年度】（44頁） 第5表 国民医療費，財源・年次別

（単位：億円）

（誤）

年次	総数	公費			保険料			その他	
		総数	国庫 3)	地方 3)	総数	事業主	被保険者	総数 4)	患者負担 （再掲） 5)
30 （'18)	433 949	165 497	109 585	55 912	214 279	92 023	122 257	54 173	51 267

（単位：億円）

（正）

年次	総数	公費			保険料			その他	
		総数	国庫 3)	地方 3)	総数	事業主	被保険者	総数 4)	患者負担 （再掲） 5)
30 （'18)	433 949	166 049	110 400	55 649	213 727	92 023	121 705	54 173	51 267

【平成30年度】（45頁） 第6表 国民医療費構成割合，財源・年次別

（単位：％）

（誤）

年次	総数	公費			保険料			その他	
		総数	国庫 3)	地方 3)	総数	事業主	被保険者	総数 4)	患者負担 （再掲） 5)
30 （'18)	100.0	38.1	25.3	12.9	49.4	21.2	28.2	12.5	11.8

（単位：％）

（正）

年次	総数	公費			保険料			その他	
		総数	国庫 3)	地方 3)	総数	事業主	被保険者	総数 4)	患者負担 （再掲） 5)
30 （'18)	100.0	38.3	25.4	12.8	49.3	21.2	28.0	12.5	11.8

国民医療費（億円）

年齢階級	平成9年度(1997)	10('98)	（誤）29('17)	（誤）30('18)	（正）29('17)	（正）30('18)
総数	289 149	295 823	430 710	433 949	430 710	433 949
65歳未満	154 057	153 249	171 195	171 121	171 173	171 121
0～14歳	18 066	18 653	25 392	25 300	25 395	25 300
15～44	48 560	48 018	52 690	52 403	52 690	52 403
45～64	87 431	86 578	93 112	93 417	93 088	93 417
0～39歳（再掲）	…	…	62 846	62 927	62 848	62 927
40～64歳（再掲）	…	…	108 349	108 193	108 325	108 193
65歳以上	135 092	142 573	259 515	262 828	259 537	262 828
70歳以上（再掲）	104 627	110 855	210 445	216 708	210 475	216 708
75歳以上（再掲）	72 305	76 560	161 095	165 138	161 129	165 138

構成割合（%）

年齢階級	平成9年度(1997)	10('98)	（誤）29('17)	（誤）30('18)	（正）29('17)	（正）30('18)
総数	100.0	100.0	100.0	100.0	100.0	100.0
65歳未満	53.3	51.8	39.7	39.4	39.7	39.4
0～14歳	6.2	6.3	5.9	5.8	5.9	5.8
15～44	16.8	16.2	12.2	12.1	12.2	12.1
45～64	30.2	29.3	21.6	21.5	21.6	21.5
0～39歳（再掲）	…	…	14.6	14.5	14.6	14.5
40～64歳（再掲）	…	…	25.2	24.9	25.2	24.9
65歳以上	46.7	48.2	60.3	60.6	60.3	60.6
70歳以上（再掲）	36.2	37.5	48.9	49.9	48.9	49.9
75歳以上（再掲）	25.0	25.9	37.4	38.1	37.4	38.1

人口一人当たり医療費（千円）

年齢階級	平成9年度(1997)	10('98)	（誤）29('17)	（誤）30('18)	（正）29('17)	（正）30('18)
総数	229.2	233.9	339.9	343.2	339.9	343.2
65歳未満	144.8	144.6	187.0	188.3	187.0	188.3
0～14歳	93.3	97.9	162.9	164.1	162.9	164.1
15～44	94.5	93.9	122.7	124.2	122.7	124.2
45～64	245.2	241.9	282.1	280.8	282.0	280.8
0～39歳（再掲）	…	…	128.0	129.7	128.0	129.7
40～64歳（再掲）	…	…	255.2	255.4	255.2	255.4
65歳以上	683.7	695.2	738.3	738.7	738.3	738.7
70歳以上（再掲）	802.0	812.0	834.1	826.8	834.2	826.8
75歳以上（再掲）	928.8	941.0	921.5	918.7	921.7	918.7

【平成30年度】（53頁）第10表　医科診療医療費・構成割合・人口一人当たり医科診療医療費，年次・入院－入院外・年齢階級別

（誤）

年齢階級	平成20年度(2008)総数	入院	入院外	29('17)総数	入院	入院外	30('18)総数	入院	入院外
医科診療医療費（億円）									
総数	254 452	128 205	126 247	308 335	162 116	146 219	313 251	165 535	147 716
65歳未満	111 042	47 175	63 867	115 884	49 695	66 189	116 391	49 844	66 547
0～14歳	16 044	5 314	10 730	17 605	6 540	11 065	17 573	6 670	10 903
15～44	32 587	12 985	19 602	34 063	13 815	20 248	33 992	13 667	20 325
45～64	62 412	28 876	33 536	64 215	29 340	34 876	64 826	29 507	35 319
0～39歳（再掲）	40 928	15 211	25 717	41 817	16 372	25 445	41 989	16 499	25 489
40～64歳（再掲）	70 114	31 964	38 150	74 067	33 323	40 744	74 402	33 345	41 058
65歳以上	143 410	81 030	62 379	192 452	112 421	80 030	196 860	115 691	81 169
70歳以上（再掲）	116 436	67 595	48 842	156 887	94 450	62 437	163 136	98 600	64 536
75歳以上（再掲）	84 196	51 542	32 654	121 014	75 969	45 044	125 183	78 999	46 183
構成割合（%）									
総数	100.0	100.0	100.0	100.0	100.0	100.0	100.0	100.0	100.0
65歳未満	43.6	36.8	50.6	37.6	30.7	45.3	37.2	30.1	45.1
0～14歳	6.3	4.1	8.5	5.7	4.0	7.6	5.6	4.0	7.4
15～44	12.8	10.1	15.5	11.0	8.5	13.8	10.9	8.3	13.8
45～64	24.5	22.5	26.6	20.8	18.1	23.9	20.7	17.8	23.9
0～39歳（再掲）	16.1	11.9	20.4	13.6	10.1	17.4	13.4	10.0	17.3
40～64歳（再掲）	27.6	24.9	30.2	24.0	20.6	27.9	23.8	20.1	27.8
65歳以上	56.4	63.2	49.4	62.4	69.3	54.7	62.8	69.9	54.9
70歳以上（再掲）	45.8	52.7	38.7	50.9	58.3	42.7	52.1	59.6	43.7
75歳以上（再掲）	33.1	40.2	25.9	39.2	46.9	30.8	40.0	47.7	31.3
人口一人当たり医科診療医療費（千円）									
総数	199.1	100.4	98.9	243.3	127.9	115.4	247.7	130.9	116.8
65歳未満	111.6	47.4	64.2	126.6	54.3	72.3	128.1	54.9	73.2
0～14歳	93.4	30.9	62.5	112.9	41.9	71.0	114.0	43.3	70.7
15～44	68.0	27.1	40.9	79.3	32.2	47.1	80.6	32.4	48.2
45～64	181.4	83.9	97.5	194.5	88.9	105.7	194.9	88.7	106.2
0～39歳（再掲）	72.2	26.8	45.4	85.2	33.3	51.8	86.6	34.0	52.6
40～64歳（再掲）	163.8	74.7	89.1	174.5	78.5	96.0	175.6	78.7	96.9
65歳以上	508.3	287.2	221.1	547.5	319.8	227.7	553.3	325.2	228.1
70歳以上（再掲）	577.1	335.0	242.1	621.8	374.3	247.5	622.4	376.2	246.2
75歳以上（再掲）	637.0	389.9	247.0	692.2	434.6	257.7	696.4	439.5	256.9

（正）

年齢階級	29('17)総数	入院	入院外	30('18)総数	入院	入院外
医科診療医療費（億円）						
総数	308 335	162 116	146 219	313 251	165 535	147 716
65歳未満	115 891	49 697	66 194	116 391	49 844	66 547
0～14歳	17 608	6 542	11 066	17 573	6 670	10 903
15～44	34 069	13 818	20 251	33 992	13 667	20 325
45～64	64 215	29 337	34 877	64 826	29 507	35 319
0～39歳（再掲）	41 823	16 375	25 448	41 989	16 499	25 489
40～64歳（再掲）	74 068	33 322	40 746	74 402	33 345	41 058
65歳以上	192 444	112 419	80 025	196 860	115 691	81 169
70歳以上（再掲）	156 889	94 457	62 432	163 136	98 600	64 536
75歳以上（再掲）	121 023	75 981	45 041	125 183	78 999	46 183
構成割合（%）						
総数	100.0	100.0	100.0	100.0	100.0	100.0
65歳未満	37.2	30.7	45.3	37.2	30.1	45.1
0～14歳	5.6	4.0	7.6	5.6	4.0	7.4
15～44	10.9	8.5	13.8	10.9	8.3	13.8
45～64	20.7	18.1	23.9	20.7	17.8	23.9
0～39歳（再掲）	13.4	10.1	17.4	13.4	10.0	17.3
40～64歳（再掲）	23.8	20.6	27.9	23.8	20.1	27.8
65歳以上	62.8	69.3	54.7	62.8	69.9	54.9
70歳以上（再掲）	50.9	58.3	42.7	52.1	59.6	43.7
75歳以上（再掲）	39.3	46.9	30.8	40.0	47.7	31.3
人口一人当たり医科診療医療費（千円）						
総数	243.3	127.9	115.4	247.7	130.9	116.8
65歳未満	126.6	54.3	72.3	128.1	54.9	73.2
0～14歳	112.9	42.0	71.0	114.0	43.3	70.7
15～44	79.3	32.2	47.1	80.6	32.4	48.2
45～64	194.5	88.9	105.7	194.9	88.7	106.2
0～39歳（再掲）	85.2	33.3	51.8	86.6	34.0	52.6
40～64歳（再掲）	174.5	78.5	96.0	175.6	78.7	96.9
65歳以上	547.5	319.7	227.7	553.3	325.2	228.1
70歳以上（再掲）	621.8	374.4	247.4	622.4	376.2	246.2
75歳以上（再掲）	692.3	434.6	257.6	696.4	439.5	256.9

【平成30年度】 第13表（80頁）（11－11） 医科診療医療費、入院－入院外・年齢階級・傷病分類・年次別 （平成30年度(2018)）

（誤）

傷 病 分 類
XIX 損傷、中毒及びその他の外因の影響
骨折（部位不明を除く）（再掲）

（正）

傷 病 分 類
XIX 損傷、中毒及びその他の外因の影響
骨折（再掲）

【平成30年度】 第14表（102頁）（11－11） 医科診療医療費構成割合、入院－入院外・年齢階級・傷病分類・年次別 （平成30年度(2018)）

（誤）

傷 病 分 類
XIX 損傷、中毒及びその他の外因の影響
骨折（部位不明を除く）（再掲）

（正）

傷 病 分 類
XIX 損傷、中毒及びその他の外因の影響
骨折（再掲）

【平成30年度】 第15表（104頁）（2－1）男 医科診療医療費、入院－入院外・年齢階級・傷病分類・性別 （平成30年度(2018)）

（誤）

傷 病 分 類
XIX 損傷、中毒及びその他の外因の影響
骨折（部位不明を除く）（再掲）

（正）

傷 病 分 類
XIX 損傷、中毒及びその他の外因の影響
骨折（再掲）

【平成30年度】 第15表（106頁）（2－2）女 医科診療医療費、入院－入院外・年齢階級・傷病分類・性別 （平成30年度(2018)）

（誤）

傷 病 分 類
XIX 損傷、中毒及びその他の外因の影響
骨折（部位不明を除く）（再掲）

（正）

傷 病 分 類
XIX 損傷、中毒及びその他の外因の影響
骨折（再掲）

【平成30年度】 第16表（108頁）（2－1）男 医科診療医療費構成割合、入院－入院外・年齢階級・傷病分類・性別 （平成30年度(2018)）

（誤）

傷 病 分 類
XIX 損傷、中毒及びその他の外因の影響
骨折（部位不明を除く）（再掲）

（正）

傷 病 分 類
XIX 損傷、中毒及びその他の外因の影響
骨折（再掲）

【平成30年度】 第16表（110頁）（2－2）女 医科診療医療費構成割合、入院－入院外・年齢階級・傷病分類・性別 （平成30年度(2018)）

（誤）

傷 病 分 類
XIX 損傷、中毒及びその他の外因の影響
骨折（部位不明を除く）（再掲）

（正）

傷 病 分 類
XIX 損傷、中毒及びその他の外因の影響
骨折（再掲）

【平成30年度】（100頁）第14表　医科診療医療費構成割合，入院－入院外・年齢階級・傷病分類・年次別

第14表（11-10）
（単位：％）　　　平成29年度（2017）

（誤）

傷病分類	総数	0～14歳	15～44	45～64	65歳以上(再掲)	70歳以上(再掲)	75歳以上(再掲)	入院 総数	0～14歳	15～44	45～64	65歳以上(再掲)	70歳以上(再掲)	75歳以上(再掲)	外 総数	0～14歳	15～44	45～64	65歳以上(再掲)	70歳以上(再掲)	75歳以上(再掲)
Ⅴ 精神及び行動の障害	6.2	2.8	11.3	9.4	4.5	4.0	3.8	8.4	1.7	14.3	14.8	6.3	5.5	4.9	3.8	3.4	9.3	4.9	2.0	1.9	2.0
血管性及び詳細不明の認知症（再掲）	0.5	0.1	0.0	0.1	0.8	0.9	1.1	0.8	-	0.0	0.1	1.1	1.3	1.4	0.2	0.0	0.0	0.0	0.3	0.3	0.2
統合失調症、統合失調症型障害及び妄想性障害（再掲）	3.1	0.1	5.0	5.8	2.1	1.6	1.3	4.9	0.1	8.6	10.6	3.3	2.5	1.9	1.0	0.0	2.5	1.8	0.3	0.3	0.2
気分（感情）障害（躁うつ病を含む）（再掲）	1.1	0.1	1.8	1.7	0.8	0.7	0.7	1.1	0.1	1.7	1.7	0.9	0.8	0.7	1.2	0.0	3.1	1.8	0.6	0.6	0.6
神経症性障害、ストレス関連障害及び身体表現性障害（再掲）	0.5	0.4	1.8	0.7	0.3	0.3	0.2	0.3	0.3	1.0	0.3	0.2	0.2	0.2	0.8	0.4	2.4	1.0	0.4	0.4	0.4

第14表（11-10）
（単位：％）　　　平成29年度（2017）

（正）

傷病分類	総数	0～14歳	15～44	45～64	65歳以上(再掲)	70歳以上(再掲)	75歳以上(再掲)	入院 総数	0～14歳	15～44	45～64	65歳以上(再掲)	70歳以上(再掲)	75歳以上(再掲)	外 総数	0～14歳	15～44	45～64	65歳以上(再掲)	70歳以上(再掲)	75歳以上(再掲)
Ⅴ 精神及び行動の障害	6.2	2.8	11.3	9.4	4.5	4.0	3.8	8.4	1.7	14.3	14.8	6.3	5.5	4.9	3.8	3.4	9.3	4.9	2.0	1.9	2.0
血管性及び詳細不明の認知症（再掲）	0.5	0.0	0.0	0.1	0.8	0.9	1.1	0.8	-	0.0	0.1	1.1	1.3	1.4	0.2	0.0	0.0	0.0	0.3	0.4	0.6
統合失調症、統合失調症型障害及び妄想性障害（再掲）	3.1	0.1	5.0	5.8	2.1	1.6	1.3	4.9	0.1	8.6	10.6	3.3	2.5	1.9	1.0	0.0	2.5	1.8	0.4	0.3	0.2
気分（感情）障害（躁うつ病を含む）（再掲）	1.1	0.1	2.6	1.7	0.8	0.7	0.7	1.1	0.1	1.7	1.7	0.9	0.8	0.7	1.2	0.0	3.1	1.8	0.6	0.6	0.6
神経症性障害、ストレス関連障害及び身体表現性障害（再掲）	0.5	0.4	1.8	0.7	0.3	0.3	0.2	0.3	0.3	1.0	0.3	0.2	0.2	0.2	0.8	0.4	2.4	1.0	0.4	0.4	0.4

【平成30年度】（102頁）第14表　医科診療医療費構成割合，入院－入院外・年齢階級・傷病分類・年次別

第14表（11-11）
（単位：％）　　　平成30年度（2018）

（誤）

傷病分類	総数	0～14歳	15～44	45～64	65歳以上(再掲)	70歳以上(再掲)	75歳以上(再掲)	入院 総数	0～14歳	15～44	45～64	65歳以上(再掲)	70歳以上(再掲)	75歳以上(再掲)	外 総数	0～14歳	15～44	45～64	65歳以上(再掲)	70歳以上(再掲)	75歳以上(再掲)
Ⅴ 精神及び行動の障害	6.1	2.9	11.2	9.3	4.5	4.1	3.8	8.2	1.8	14.1	14.6	6.3	5.5	4.8	3.8	3.7	9.2	4.9	2.0	1.9	2.0
血管性及び詳細不明の認知症（再掲）	0.5	0.0	0.0	0.1	0.8	0.9	1.1	0.8	-	0.0	0.1	1.1	1.2	1.4	0.2	0.0	0.0	0.0	0.4	0.4	0.6
統合失調症、統合失調症型障害及び妄想性障害（再掲）	3.0	0.1	4.7	5.6	2.1	1.6	1.3	4.8	0.1	8.3	10.3	3.3	2.5	1.9	1.0	0.0	2.3	1.7	0.4	0.3	0.2
気分（感情）障害（躁うつ病を含む）（再掲）	1.1	0.1	1.9	1.8	0.8	0.7	0.7	1.1	0.1	1.8	1.7	0.9	0.8	0.8	1.2	0.1	3.1	1.8	0.6	0.6	0.6
神経症性障害、ストレス関連障害及び身体表現性障害（再掲）	0.5	0.4	1.9	0.7	0.3	0.3	0.2	0.3	0.3	0.9	0.3	0.2	0.2	0.2	0.8	0.4	2.5	1.0	0.4	0.4	0.4

第14表（11-11）
（単位：％）　　　平成30年度（2018）

（正）

傷病分類	総数	0～14歳	15～44	45～64	65歳以上(再掲)	70歳以上(再掲)	75歳以上(再掲)	入院 総数	0～14歳	15～44	45～64	65歳以上(再掲)	70歳以上(再掲)	75歳以上(再掲)	外 総数	0～14歳	15～44	45～64	65歳以上(再掲)	70歳以上(再掲)	75歳以上(再掲)
Ⅴ 精神及び行動の障害	6.1	2.9	11.2	9.3	4.5	4.1	3.8	8.2	1.8	14.1	14.6	6.3	5.5	4.8	3.8	3.7	9.2	4.9	2.0	1.9	2.0
血管性及び詳細不明の認知症（再掲）	0.5	0.0	0.0	0.1	0.8	0.9	1.1	0.8	-	0.0	0.1	1.1	1.2	1.4	0.2	0.0	0.0	0.0	0.4	0.4	0.6
統合失調症、統合失調症型障害及び妄想性障害（再掲）	3.0	0.1	4.7	5.6	2.1	1.6	1.3	4.8	0.1	8.3	10.3	3.3	2.5	1.9	1.0	0.0	2.3	1.7	0.4	0.3	0.2
気分（感情）障害（躁うつ病を含む）（再掲）	1.1	0.1	2.5	1.8	0.8	0.7	0.7	1.1	0.1	1.8	1.7	0.9	0.8	0.8	1.2	0.1	3.1	1.8	0.6	0.6	0.6
神経症性障害、ストレス関連障害及び身体表現性障害（再掲）	0.5	0.4	1.9	0.7	0.3	0.3	0.2	0.3	0.3	0.9	0.3	0.2	0.2	0.2	0.8	0.4	2.5	1.0	0.4	0.4	0.4

定価は表紙に表示してあります。

令和4年3月10日　　　発　行

令 和 元 年 度

国 民 医 療 費

編　集　　厚生労働省政策統括官（統計・情報政策、労使関係担当）

発　行　　一般財団法人　厚生労働統計協会
　　　　　郵便番号　103－0001
　　　　　東京都中央区日本橋小伝馬町4－9
　　　　　小伝馬町新日本橋ビルディング3F
　　　　　電　話　03－5623－4123（代表）

印　刷　　株 式 会 社　　大 和 プ リ ン ト